*Jak, nie tracąc relacji, porozumieć się
ze swoim zbuntowanym dzieckiem*

Shelley i Derekowi,
bez których nigdy nie napisałbym tej książki

Tytuł oryginału:
The Five Love Languages of Teenagers

Przekład:
Krzysztof Pawłusiów

Redakcja:
Mirosława Wójcik

Redakcja techniczna:
Andrzej Wójcik
Małgorzata Biegańska-Bartosiak

Zdjęcie na okładce:
Paweł Myszka

Projekt okładki:
Joanna Złonkiewicz

Korekta:
Bożenna Bojar

Redakcja: fax (22) 648 63 82, tel. (22) 648 54 50
Dział handlowy: fax (22) 648 03 79, tel. (22) 648 03 78
e-mail: handlowy@vocatio.com.pl

Księgarnia Wysyłkowa „Vocatio"
02-798 Warszawa 78 , skr. poczt. 54
tel. (603) 861 952
e-mail: ksiegarnia@vocatio.com.pl
www.vocatio.com.pl

ISBN 83-7146-125-9

Gary D. Chapman

SZTUKA OKAZYWANIA MIŁOŚCI

nastolatkom

Oficyna Wydawnicza „Vocatio"
Warszawa

Podziękowania

Od wielu lat różne osoby zadawały mi pytanie: „Kiedy napiszesz książkę o wychowywaniu nastolatków?". Odpowiadałem zawsze w ten sam sposób: „Kiedy wychowam własne". Teraz, gdy Shelley i Derek mają oboje ponad trzydzieści lat, myślę, że nabrałem wystarczającego dystansu, aby obiektywnie opisać to, czego się nauczyłem – ze swoich sukcesów i porażek. Karolyn i ja nie byliśmy doskonałymi rodzicami. Wychowując nastolatków, przeżywaliśmy także trudne chwile, ale zawsze staraliśmy się okazywać im miłość i to ona sprawiła, że nam się udało. Dzisiaj, gdy nasze nastolatki są dojrzałymi i wrażliwymi osobami, czerpiemy wiele radości z relacji z nimi. Są dla nas wielkim zachęceniem. Piszę tę książkę z przekonaniem, że jeśli rodzice osiągną sukces w okazywaniu miłości swemu nastoletniemu dziecku, odniosą również sukces w jego wychowaniu.

Wielu rzeczy, o których przeczytacie w tej książce, nauczyłem się od Shelley i Dereka. Gdybym nie przeszedł wraz z nimi przez ich cały okres nastoletni, nie potrafiłbym zrozumieć doświadczeń innych rodziców ani pisać z taką pasją, z jaką to czynię. Dlatego dedykuję tę książkę moim dzieciom. Przy okazji oświadczam wyraźnie, iż zaciągnąłem u nich dług, ponieważ pozwoliły mi odbyć „praktykę" na nich samych. Dzięki temu, czego mnie nauczyły, mam nadzieję, że jako dziadek poradzę sobie jeszcze lepiej.

Jestem głęboko wdzięczny dr. Davisowi McGruit, który pomagał mi w zgromadzeniu materiałów do tej książki. Jego biegłość w analizie współczesnych i historycznych opracowań na temat wychowywania nastolatków i zdolność do przygotowywania rzeczowych informacji uczyniły moją pracę o wiele łatwiejszą. *Dziękuję, Davis. Mam nadzieję, że to, co przeczytałeś, pomoże ci i Mary Kay w wychowaniu własnych dzieci, kiedy staną się nastolatkami.*

Jak zawsze, wiele zawdzięczam tym wszystkim rodzicom, którzy opowiadali mi o swoich sukcesach i porażkach w wychowywaniu nastolatków. Spotkałem setki takich nauczycieli – w moim gabinecie i w czasie wyjazdów. Wasz ból i cierpienie uczyniły mnie wrażliwszą osobą. Wasze sukcesy były dla mnie wielką inspiracją.

Szczególne podziękowania należą się Tricii Kube, mojej asystentce, która współpracuje ze mną już od szesnastu lat. Tricia wprowadziła tekst książki i wszystkie materiały do komputera. Służyła mi też radą w sprawach technicznych. Wspólnie z swoim mężem, R.A., także wychowali nastolatka – Joe'go, który jest teraz odnoszącym sukcesy młodym człowiekiem, a razem ze swoją żoną Angelą sprawił, że Tricia i R.A. zostali dziadkami. *Tricia, już teraz potrafię to sobie wyobrazić: za kilka lat, kiedy wasza wnuczka stanie się nastolatką, będziesz jeszcze raz wertowała ten poradnik, aby nauczyć się, jak okazywać jej miłość.*

Wstęp

Myślę, że nigdy wcześniej wychowywanie nastolatków nie wiązało się z tak wielkimi wyzwaniami, jak dzieje się to obecnie. Agresja i przemoc wśród nastolatków przestały być domeną filmów fabularnych i stały się stałym punktem programów informacyjnych. Coraz częściej słyszymy o nastolatkach zabijających rówieśników czy rodziców lub popełniających samobójstwo. Fakt, iż takie zachowania przestały występować wyłącznie w dzielnicach biedoty wielkich miast, lecz zaczęły przenikać do osiedli zamieszkanych przez „porządnych obywateli", wzbudza wielki niepokój w sercach wszystkich rodziców, bez względu na ich status społeczny.

W trakcie konferencji dla małżeństw, jakie prowadzę w różnych miejscach Stanów Zjednoczonych, spotykam wielu rodziców, których niemalże ogarnia panika – myślę tu szczególnie o tych, którzy odkryli, że ich nastoletnia córka zaraziła się

7

chorobą weneryczną, jest w ciąży lub dokonała aborcji. Niektórzy rodzice przekonali się, że ich nastoletni syn nie tylko bierze narkotyki, ale również sprzedaje je w szkole. Inni wpadli w rozpacz, gdy w domu pojawił się policjant z wiadomością, że ich nastolatek został aresztowany i oskarżony o nielegalne posiadanie broni. Najważniejsze pytania, jakie sobie wtedy zadają, nie są wynikiem filozoficznych i intelektualnych rozważań na temat problemów społecznych, ale wypływają z głębi osobistego cierpienia: „W czym zawiedliśmy? Gdzie popełniliśmy błąd?".

Powtarzają: „Staraliśmy się być dobrymi rodzicami; dawaliśmy im wszystko, czego tylko zapragnęli. Jak mogli coś takiego zrobić? Jak mogli tak skrzywdzić samych siebie i nas? Nie potrafimy tego zrozumieć". Wiele razy słyszałem te słowa i odkąd trzydzieści lat temu zostałem terapeutą małżeńskim i rodzinnym, naprawdę współczuję rodzicom, którzy muszą zmierzyć się z takimi problemami. Mam również wiele zrozumienia dla obaw tysięcy rodziców, którzy – mimo że ich nastoletni syn lub córka stronią od tego typu niszczących zachowań – żyją ze świadomością, że skoro przydarzyło się to innym nastolatkom, może również stać się faktem w życiu ich dzieci.

Nie da się prosto wytłumaczyć, skąd pochodzi niepokój, jaki panuje w duszy współczesnego nastolatka. Młodzi ludzie żyją w świecie całkowicie innym niż poprzednie pokolenia – są obywatelami globalnej wioski, z telewizją satelitarną, internetem i licznymi gadżetami. Nowoczesna technologia udostępnia nastolatkom to, co najlepsze i najgorsze w ludzkiej kulturze. Miejsce powszechnie wyznawanych wierzeń i wartości zajął pluralizm – akceptacja wszelkich idei i filozofii, praktykowana w przekonaniu, że żadna z nich nie jest lepsza od pozostałych. Pluralizm dotarł prawie wszędzie, a utrzymanie się na jego wzburzonych wodach jest znacznie trudniejsze niż żeglowanie po spokojnych wodach wspólnych wartości. Nic dziwnego, że wiele nastolatków nie wie, jaki kurs ma obrać w życiu.

Uważam, że nigdy wcześniej rodzice nastolatków nie czuli się tak bezradni, a jednocześnie nigdy nie odgrywali tak ważnej roli w życiu swych dzieci. Bardziej niż kiedykolwiek przedtem współczesne nastolatki potrzebują rodziców. Wszystkie badania pokazują, że to rodzice wywierają najsilniejszy wpływ na życie młodych ludzi. Dopiero gdy opiekunowie przestają się angażować w życie swych nastoletnich dzieci, rolę przewodników przejmują grupy rówieśnicze, koledzy ze szkoły czy gangi młodzieżowe. Jestem głęboko przekonany, że potrzeby nastolatków są najlepiej zaspokajane wówczas, gdy rodzice wypełniają powierzone im zadanie pełnych miłości przywódców rodziny.

Ta książka opowiada o miłości, którą uważam za najbardziej podstawowy element relacji między rodzicami a nastolatkami. Wydaje się, że miłość jest jednym z najważniejszych, a jednocześnie najczęściej nierozumianych słów w naszym słowniku. Mam nadzieję, że moja książka wyjaśni te nieporozumienia i pomoże rodzicom skutecznie zaspokajać emocjonalną potrzebę miłości odczuwaną przez ich nastolatka. Ufam, że kiedy potrzeba ta zostanie zaspokojona, wywrze to głęboki wpływ na jego zachowanie. Przyczyną wielu problemów związanych z zachowaniem nastolatka jest pusty zbiornik miłości. Nie twierdzę wcale, że rodzice nie kochają swych nastoletnich dzieci, lecz jedynie, że tysiące nastolatków nie czują się kochane. W przypadku większości rodziców problemem nie jest brak dobrej woli, ale raczej niedostatek informacji na temat skutecznego komunikowania swojej miłości.

Po części wynika to z tego, że także wielu rodziców nie czuje, że są kochani. W ich małżeństwach pojawiły się problemy, w rezultacie których nie potrafią okazywać miłości współmałżonkowi z taką łatwością, jak wcześniej. Świadomość, jak ważne jest umiejętne okazywanie miłości w relacjach między dwiema osobami, skłoniła mnie do napisania książki pt. *Sztuka wyrażania miłości w małżeństwie**. Jej łączny nakład przekroczył jak dotąd milion egzemplarzy, ale, co ważniejsze dla mnie, odmieniła ona emocjonalną więź setek tysięcy par.

---

* Oficyna Wydawnicza „Vocatio", Warszawa 2003.

Małżonkowie uczyli się posługiwać „podstawowym językiem miłości" swojego partnera i przekonywali się, że postępując w ten sposób, mogą skutecznie wyrażać swą miłość. Jako autor tej pracy doświadczałem szczególnej satysfakcji, gdy dowiadywałem się o małżonkach, którzy oddalili się od siebie, lecz po przeczytaniu i zastosowaniu zasad przestawionych w *Sztuce wyrażania miłości w małżeństwie* na nowo odkryli siłę łączącego ich uczucia.

Wiele satysfakcji dała mi także reakcja czytelników na kolejną książkę, zatytułowaną *Jak kochać dziecko*, którą napisałem wspólnie z doktorem Rossem Campbellem, psychiatrą z ponad trzydziestoletnim doświadczeniem w pracy terapeutycznej z dziećmi i rodzicami. Wielką zachętą dla mnie i doktora Campbella była nie tylko liczba rodziców, którzy dzięki tej książce poznali podstawowy język miłości swoich dzieci, ale także to, jak wielu metodyków wykorzystywało ją podczas warsztatów dla nauczycieli, aby także oni nauczyli się skutecznie napełniać zbiornik emocjonalny dziecka. Wielu z tych rodziców i nauczycieli nakłaniało mnie do napisania książki o okazywaniu miłości nastolatkom. Pewna matka powiedziała: „Doktorze Chapman, pańska książka o wyrażaniu miłości dzieciom bardzo nam pomogła, gdy nasze dzieci były małe. Ale teraz mamy w domu dwójkę nastolatków i wszystko wygląda inaczej. Próbowaliśmy postępować tak jak wcześniej, ale nastolatki są inne. Niech pan napisze książkę, która pomoże nam nauczyć się lepiej wyrażać miłość dzieciakom w wieku -nastu lat".

Ta kobieta miała rację: nastolatki są inne i aby skutecznie okazywać im miłość, potrzeba zdobyć odpowiednią wiedzę. Nastoletnia osoba doświadcza niezwykle intensywnych zmian, jeśli więc jej rodzice pragną, aby była przekonana o ich miłości, również oni będą musieli zmienić sposób wyrażania swych uczuć. Mam nadzieję, że ta książka zmieni w życiu rodziców nastolatków równie wiele, jak pierwsza praca odmieniła w życiu tysięcy małżeństw, a druga w życiu ojców i matek małych dzieci. Jeśli tak się stanie, będzie to dla mnie najlepszą nagrodą za wysiłek, jaki włożyłem w jej napisanie.

Książka ta jest kierowana przede wszystkim do rodziców, uważam jednak, że również dziadkowie i nauczyciele – wszyscy dorośli, którzy troszczą się o los nastolatków – będą mogli lepiej okazywać im miłość, jeśli poznają i zastosują zasady przedstawione w tej pracy. Nastolatki potrzebują czuć się kochane nie tylko przez rodziców, ale także przez dorosłych, którzy odgrywają ważną rolę w ich życiu. Jeśli masz nastoletniego wnuka lub wnuczkę, wiedz, że nastolatki bardzo potrzebują mądrości starszych i bardziej dojrzałych osób. Okazuj im miłość, a zaczną słuchać, co masz im do powiedzenia.

Dzięki tej książce dowiedzą się Państwo, co dzieje się za zamkniętymi drzwiami mojego gabinetu, i poznają wielu rodziców, którzy pozwolili mi opowiedzieć o swojej drodze ku lepszemu zrozumieniu miłości. By chronić ich prywatność, zmieniłem imiona wszystkich osób opisanych dalej. Ufam, że czytając szczere wypowiedzi rodziców i ich nastoletnich dzieci, odkryjecie, jak zasady pięciu języków miłości mogą zadziałać w życiu waszych nastolatków i całej waszej rodziny.

A teraz krótko o tym, co znajdą Państwo na następnych stronach. W rozdziale pierwszym poznamy świat, w którym żyją nastolatki. Przyjrzymy się nie tylko zmianom rozwojowym, jakie przechodzi osoba w wieku dojrzewania, ale także współczesnemu światu, w którym te przemiany następują. W rozdziale drugim dowiemy się, jak ważną rolę odgrywa miłość w emocjonalnym, intelektualnym, społecznym i duchowym rozwoju młodego człowieka. W rozdziałach od trzeciego do siódmego omówimy pięć języków, które umożliwiają wyrażanie miłości, oraz sposoby stosowania ich wobec nastolatków. Rozdział ósmy zawiera sugestie, jak odkryć podstawowy język miłości nastoletniego syna lub córki i co jest najbardziej efektywnym sposobem napełnienia ich zbiornika miłości.

W rozdziałach od dziewiątego do dwunastego przyjrzymy się najważniejszym zagadnieniom z życia nastolatków. Rozważymy, jak miłość wpływa na sposób, w jaki nastolatki rozumieją i wyrażają gniew; jak miłość wpływa na ich poczucie niezależności; jaki jest związek między wolnością a odpowiedzialnym zachowaniem oraz jak wyznaczać granice, które powinny być przestrzegane w zdyscyplinowany i konsekwentny sposób. W rozdziale trzynastym powiemy o tym, co często jest najtrudniejszym wyzwaniem dla miłości: jak kochać nastolatka, który zawiódł. Ostatnie dwa rozdziały są poświęcone temu, jak zastosować języki miłości w dwóch szczególnych sytuacjach: samotnie wychowując dzieci i w nowej rodzinie.

Jestem przekonany, że jeśli emocjonalna potrzeba miłości będzie konsekwentnie zaspokajana przez cały okres dojrzewania nastolatka, będzie on w stanie poradzić sobie ze wszystkimi zmianami i wyjść na drugi brzeg burzliwej rzeki dorastania jako zdrowy, dojrzały człowiek. Jest to pragnieniem większości rodziców. Ufam również, że jest to pragnieniem każdego czytelnika tej książki. Zatem zanurzmy się w świat nastolatków, aby poznać wyzwania i możliwości, jakie stoją przed nami, gdy chcemy okazać im miłość.

Rozdział pierwszy

Zrozumieć
współczesnego nastolatka

Czy wiedzą Państwo, że sześćdziesiąt lat temu nie postrzegano nastolatków jako odrębnej grupy pokoleniowej? Pojęcie „nastolatek" zaczęło być powszechnie stosowane dopiero w połowie XX wieku. (Dodatek 1 zawiera historię stosowania tego terminu i opis „pierwszych" nastolatków). Mimo że wiele się zmieniło od czasu, kiedy nastolatki po raz pierwszy wyodrębniono ze społeczeństwa, nadal jest wiele podobieństw między tymi z lat 40. wieku XX i z pierwszej dekady wieku XXI.

Od chwili zaistnienia kultury nastolatków aż do czasów jej aktualnego odpowiednika najważniejsze kwestie pozostały niezmienne: *niezależność* i *tożsamość*. Przez te lata nastolatki z kręgu kultury zachodniej aktywnie poszukiwały własnej tożsamości, jednocześnie starając się osiągnąć niezależność do rodziców. Żadna z tych potrzeb nie odgrywała istotnej roli przed wyodrębnieniem się nastolatków jako grupy społecznej.

Zanim nastała era przemysłowa, młodzi ludzie pracowali w gospodarstwie rodziców do czasu zawarcia małżeństwa i objęcia własnego gospodarstwa lub odziedziczenia go. Nastolatek nie poszukiwał własnej tożsamości: był farmerem, odkąd mógł pracować w polu. Nastoletni chłopiec lub dziewczyna pozostawali zależni od rodziców, dopóki nie wstąpili w związek małżeński; dopiero wtedy stawali się dorośli.

Dążenie do niezależności i własnej tożsamości

Aż do lat 40. wieku XX niezależność dojrzewających ludzi była nie do pomyślenia. Zyskiwali ją dopiero w dniu ślubu, a nawet wtedy prawdziwa niezależność nie była możliwa, jeśli rodzice pomagali im finansowo.

Wraz z rozwojem społeczeństwa przemysłowego młodzi ludzie zyskali możliwość kształtowania własnej tożsamości. Mogli zdobyć zawód i rozpocząć pracę w fabryce, stając się na przykład maszynistą, tkaczem lub szewcem. Łatwiej było o niezależność także dlatego, że podjęcie pracy często wiązało się z przeprowadzką do innej miejscowości, gdzie dzięki własnym dochodom można było zamieszkać z dala od rodziców. W ten sposób zmiany kulturowe, obejmujące całe społeczeństwo, doprowadziły do powstania kultury nastolatków.

Od lat 40. wieku XX kolejne pokolenia nastolatków powielają wzorzec poszukiwań niezależności i tożsamości, ale obecnie odbywa się to w świecie, który coraz szybciej się zmienia. Elektryczność, telefony, samochody, radio, samoloty, telewizja i komputery kolejno otwierały przed młodymi ludźmi nowe możliwości zdobycia niezależności i tożsamości. Współczesny nastolatek żyje w globalnym społeczeństwie, ale, co ciekawe, nadal jest skoncentrowany przede wszystkim na sobie – własnej tożsamości i niezależności. Ale o tym powiemy później.

Dziedziny, w których nastolatki demonstrowały swoją niezależność i tożsamość, zmieniały się wraz z upływem lat, lecz formy pozostają właściwie takie same: muzyka, taniec, ubiór, moda, słownictwo i kontakty. Na przykład, na przestrzeni kilkudziesięciu lat powstało wiele nowych gatunków muzyki, poczynając od swingu i jazzu, poprzez rhythm and blues, rock and roll, folk, country, dance, disco, heavy metal, rap, hip hop itd., nastolatki mają zatem coraz większy wybór. Można jednak być pewnym, że ich gust muzyczny będzie wyraźnie odbiegał od upodobań rodziców, gdyż w istocie chodzi tu o zaznaczanie odrębności i własnej tożsamości. Ta sama zasada dotyczy także innych sfer kultury nastolatków.

Co charakteryzuje współczesną kulturę nastolatków? W czym wasz nastoletni syn czy córka przypomina lub różni się od nastolatków z poprzednich pokoleń?

Podobieństwa do poprzednich pokoleń nastolatków

Zmiany fizyczne i umysłowe

Główne wyzwania, przed jakimi staje współczesny nastolatek, są bardzo podobne do tych, z którymi i my się borykaliśmy, będąc w jego wieku. Po pierwsze, jest to zaakceptowanie i dostosowanie się do zmian, jakie następują w organizmie. Ciało rośnie – ręce, nogi, stopy i dłonie stają się coraz większe i dłuższe. Ponieważ wzrost poszczególnych części ciała może następować w różnym tempie, pojawia się nieproporcjonalność, która bywa kłopotliwa dla młodego człowieka. Rozwijają się także drugorzędne cechy płciowe, co może być zarówno źródłem dumy, jak i lęków. Wielu rodziców patrzyło z bólem, jak jego nastoletnie dziecko toczy nierówną walkę ze straszliwym wrogiem młodego człowieka – trądzikiem.

Zmiany fizjologiczne są źródłem wielu pytań pojawiających się w umyśle nastolatka. „Staję się dorosły, ale jak będę wyglądał? Czy może będę za wysoki lub za niski? Czy będę miał odstające uszy? Czy będę miała za mały biust? Jaki będzie mój nos? Czy nie mam za dużych stóp? Czy jestem za gruba albo może za chuda?". Wszystkie te pytania nieustannie zaprzątają umysł nastolatka na etapie dojrzewania. Odpowiedzi, jakich na nie udzieli, będą miały pozytywny lub negatywny wpływ na jego tożsamość.

Równolegle z rozwojem fizycznym następuje intensywny rozwój intelektualny. Nastolatek uczy się nowego sposobu myślenia. Jako dziecko odwoływał się podczas procesów myślowych do znanych zachowań i wydarzeń. Jako nastolatek zaczyna włączać do procesu myślenia abstrakcyjne koncepcje, takie jak uczciwość, lojalność i sprawiedliwość. Myślenie abstrakcyjne otwiera przed nim świat nieograniczonych możliwości. Potrafi sobie wyobrazić, jak okoliczności mogą się zmieniać, jak wyglądałby świat bez wojen, jak wyrozumiali rodzice powinni traktować swoje dzieci. Nowe możliwości otwierają przed nim wiele dróg do kształtowania własnej tożsamości. Nastolatek uświadamia sobie: „Mogę zostać neurochirurgiem, pilotem albo śmieciarzem". Liczba możliwości jest nieograniczona i każdy młody człowiek potrafi wymienić wiele zawodów, które chciałby wykonywać.

Wkroczenie w wiek rozumu

Dojrzewanie to także wiek rozumu. Nastolatek potrafi myśleć logicznie i analizować efekty różnych poglądów i opinii. Ocenia w ten sposób nie tylko własne myśli, ale także poglądy rodziców. Między innymi z tego powodu nastolatki są oceniane jako skłonne do konfrontacji i kłótni – w rzeczywistości jednak rozwijają jedynie swój potencjał umysłowy. Jeśli rodzice to rozumieją, mogą nawiązać interesujący i wartościowy dialog z nastoletnim synem lub córką. Jeśli nie rozumieją, w ich stosunkach może się pojawić wrogość, a nastolatek poszuka innych relacji, w których będzie mógł rozwijać swój potencjał myślowy. Z powodu intensywnego rozwoju intelektualnego i gromadzenia nowych informacji nastolatki często uważają, że są mądrzejsze od rodziców, i często faktycznie w pewnych dziedzinach wiedzy mogą mieć nad rodzicami przewagę.

Wyższy poziom procesów myślowych stawia przed nastolatkiem nowe wyzwania w sferze kontaktów społecznych. Rozmowy z rówieśnikami i poznawanie ich punktu widzenia tworzą z jednej strony nowy poziom bliskości, a z drugiej stają się okazją do podziałów i wrogości. Z tego względu powstawanie wśród nastolatków małych, blisko związanych ze sobą grup społecznych wynika zasadniczo ze zgodności przekonań, a nie preferowanego stylu ubioru czy koloru włosów. Nastolatki, podobnie jak dorośli, czują się lepiej wśród osób, które zgadzają się z nimi, dlatego też w ich towarzystwie spędzają wiele czasu.

Analizowanie zasad moralności i systemu wartości

Umiejętność logicznego analizowania poglądów i zachowań oraz przewidywania rezultatów określonych postaw stawia przed nastolatkiem wyzwanie: ocenę wierzeń i systemu wartości, które wpajali mu rodzice, i podjęcie decyzji, czy są one warte uczynienia ich własnymi. „Czy rodzice mają rację, kiedy mówią o Bogu, moralności i nadrzędnych wartościach?". To poważne pytanie, na które każdy nastolatek musi sobie odpowiedzieć. Jeśli rodzice nie rozumieją tego, ich dotychczasowe wysiłki mogą przynieść odwrotny skutek i zniechęcić nastoletniego syna lub córkę do wiary i wartości przekazywanych w rodzinie.

Kiedy nastolatek zadaje pytania o wyznawany system wierzeń i wartości, mądrzy rodzice wysłuchują, udzielają szczerej, ale nie autorytatywnej odpowiedzi, i zachęcają do dalszych rozmyślań. Inaczej mówiąc, wykorzystują każdą okazję do rozmowy z nastolatkiem o wartościach, które dotychczas mu wpajali. Jeśli natomiast rodzice krytykują nastolatka za zadawanie pytań czy wręcz wzbudzają w nim poczucie winy, że w ogóle przyszło mu na myśl, iż głoszone przez nich wartości i wierzenia mogą być kwestionowane, nastolatek jest zmuszony zwrócić się ze swoimi pytaniami do innych osób.

Myśli o seksualności i małżeństwie

Innym ważnym wyzwaniem w życiu nastolatka jest zrozumienie własnej seksualności i poznanie męskich lub kobiecych ról społecznych. Jakie zachowania są odpowiednie lub niewłaściwe wobec osób przeciwnej płci? Co jest właściwe, a co nie w moich myślach i odczuciach związanych z seksem? Pytania te, często ignorowane przez rodziców, pochłaniają każdego nastolatka.

Rozwijająca się seksualność nastolatka jest częścią jego tożsamości i praktycznie na każdym kroku daje o sobie znać w kontaktach z osobami przeciwnej płci. Większość nastolatków marzy o zawarciu w przyszłości małżeństwa i założeniu rodziny. W niedawnych badaniach poproszono nastolatków o uszeregowanie pewnych spraw według wartości, jaką im przyznają w przyszłym życiu. „Osiemdziesiąt sześć procent z nich stwierdziło, że najważniejsze w życiu jest posiadanie szczęśliwej rodziny"[1]. Pomimo młodego wieku poświęcają zatem wiele godzin na rozmyślania o tym, czy zdołają zbudować szczęśliwe małżeństwo i rodzinę, których bardzo pragną.

Rodzice, którzy chcą pomóc nastoletniemu synowi lub córce, powinni poruszać w codziennych rozmowach zagadnienie seksualności, chodzenia ze sobą i małżeństwa. Mogą również wyszukiwać publikacje na ten temat, zrozumiałe dla nastolatków i zawierające sprawdzone i praktyczne informacje. Jeśli nastolatek należy do grupy młodzieżowej w kościele, zapewne będzie miał możliwość uczestniczyć w wykładach na temat seksualności, chodzenia ze sobą i małżeństwa, organizowanych przez duszpasterzy czy liderów młodzieżowych. Spotkania te umożliwiają nastolatkom poznanie i omówienie w otwartej i szczerej dyskusji ważnych aspektów ich rozwoju.

Pytania o przyszłość

Istnieje jeszcze jedno wyzwanie, przed którym staje każdy nastolatek – ten sprzed lat i ten żyjący obecnie. To pytanie brzmi: „Co zrobię ze swoim życiem?", a sięga ono o wiele głębiej niż tylko wybór zawodu. W rzeczywistości ma charakter duchowy: „Czemu warto poświęcić życie? Co da mi najwięcej szczęścia? Gdzie mogę osiągnąć coś naprawdę wartościowego?". Rozważanie takich kwestii, choć wydają się filozoficzne, jest bardzo realne w życiu każdego nastolatka. W ciągu kilku najbliższych lat musi on znaleźć odpowiedź na pytania: „Czy pójdę na studia, a jeśli tak, to jakie? Czy powinienem pójść do wojska, a jeśli tak, to do jakiej jednostki? Czy powinienem znaleźć pracę, a jeśli tak, to jaką?". Młodzi ludzie rozumieją, że każdy z tych wyborów wpłynie na ich przyszłość. Podjęta decyzja będzie miała dalekosiężne konsekwencje i zadecyduje, jak potoczy się ich życie. To wielkie wyzwanie dla każdego nastolatka.

Rodzice, którzy pragną pomóc synowi lub córce, opowiedzą im o własnych zmaganiach, radościach i rozczarowaniach. Jako rodzice nie mogą i nie powinni Państwo dawać prostych odpowiedzi, warto natomiast zachęcać nastolatka do poszukiwań, a także poznać go z osobami różnej profesji, gotowymi opowiedzieć o swoim życiu. Możecie zachęcać syna czy córkę do skorzystania z pomocy doradcy zawodowego w szkole średniej lub na studiach. Przede wszystkim jednak powinniście doradzić swojemu nastolatkowi, aby naśladował przykład Samuela. Prorok ten, działający w starożytnym Izraelu, jako nastolatek usłyszał Boży głos i odpowiedział: „Mów, bo sługa Twój słucha"[2]. W taki właśnie sposób został powołany do zadania, jakie Bóg mu wyznaczył. Ludzie, którzy wywarli największy wpływ na historię ludzkości, gdy otrzymali Boże powołanie, starali się je wypełnić zarówno w swoim życiu osobistym, jak i w pracy zawodowej.

Przed podobnymi wyzwaniami stawali młodzi ludzie ze wszystkich pokoleń. Jednak współczesne nastolatki żyją w zupełnie innym świecie niż ich poprzednicy, a z pewnością także odmiennym od tego, w którym wychowywali się ich rodzice.

Pięć najważniejszych różnic

Mimo licznych podobieństw nie można zapominać o przepaści, jaka dzieli współczesnych nastolatków od młodych dorosłych żyjących przed laty. Przepaść ta wynika z odmiennych warunków kulturowych, w jakich nastolatki stawiają czoło wspomnianym wyzwaniom. Na czym polegają te różnice?

1. Zaawansowana technologia

Jedną z najbardziej oczywistych różnic jest fakt, że współczesne nastolatki wychowują się w świecie wysoce zaawansowanej technologii. Ich rodzice korzystali z telefonu, radia i telewizji naziemnej, lecz w dzisiejszych czasach młodzi ludzie, oglądający telewizję kablową i satelitarną, stykają się z kulturą globalną, o zasięgu nieznanym dotychczas. Mnogość kanałów radiowych i telewizyjnych zapewnia im dostęp do każdego rodzaju rozrywki, jaki istnieje we współczesnej kulturze. Nastolatki nie są także ograniczone tym, co oferują im nadawcy. W pobliskiej wypożyczalni mogą znaleźć film dowolnego gatunku, a w sklepach muzycznych kupić płytę z ulubionym rodzajem muzyki i po prostu odsłuchać jej na odtwarzaczu CD, który znajduje się w pokoju prawie każdego nastolatka.

Współczesny nastolatek wychowuje się także w towarzystwie komputera – obaj wkraczają właśnie w wiek dojrzały. Miliony nastolatków posiadają komputer osobisty. Internet stał się wszechstronnym źródłem informacji i forum dyskusyjnym, wywierając na młodych ludzi zarówno pozytywny, jak i negatywny wpływ. Nastolatki mogą obejrzeć zwiastuny najnowszych filmów, słuchać stacji radiowych z całego świata, ściągnąć nagrania piosenek i porozumiewać się z przyjaciółmi w czasie rzeczywistym. Internet, wraz z popularnymi „czatami", w szybkim tempie wypiera telefon, będący dotąd podstawowym środkiem komunikowania się i wymiany opinii. Niedawne badania wykazały, że nastolatki spędzają tygodniowo średnio

8 i pół godziny „w sieci", porozumiewając się ze sobą za pomocą e-mailów i „czatów", natomiast jedynie niecałe 2 godziny przeznaczają na odrabianie lekcji[3]. Zdobycze technologii zapewniają nastolatkom kontakt z całym światem, a jednocześnie pozwalają całemu światu uzyskać dostęp do nastoletniego chłopaka lub dziewczyny. Z tego względu współczesny nastolatek otrzymuje znacznie więcej bodźców kulturowych, niż jego rodzice mogli sobie wyobrazić, będąc w jego wieku.

2. Wiedza o agresji i przemocy oraz ich doświadczanie

Współczesny nastolatek dysponuje o wiele większą wiedzą o agresji i przemocy niż jego rodzice w swoim czasie. Jest to w pewnym stopniu rezultatem rozwoju technologicznego, ponieważ media nieustannie donoszą o przejawach agresji, lecz także odzwierciedla popkulturę i jej fascynację – graniczącą z obsesją – na punkcie przemocy. Filmy fabularne, powieści i teksty piosenek są przesycone scenami agresji. Niedawne badania Instytutu Gallupa wykazały, że w ciągu miesiąca poprzedzającego ankietę 36 procent nastolatków oglądało film lub program telewizyjny zawierający liczne obrazy przemocy.

Co ciekawe, w 1999 roku niemal co ósmy nastolatek (dokładnie 78 procent) odpowiedział ankieterom Instytutu Gallupa, iż „nie dostrzega zagrożenia w oglądaniu filmu lub programu zawierającego liczne sceny przemocy". Mimo to 53 procent tych samych nastolatków uznało, że „programy i filmy zawierające sceny przemocy wysyłają negatywny sygnał młodym ludziom". Te same badania wykazały, iż 65 procent badanych nastolatków jest przekonanych, że „filmy i programy telewizyjne mają duży wpływ na poglądy młodych ludzi"[4].

Kontakt z przejawami agresji nie ogranicza się do mediów i filmów fabularnych. Wielu nastolatków osobiście zetknęło się z nią. Widzieli, jak ojciec bije matkę, lub sami zostali pobici przez ojca, ojczyma lub innych dorosłych. Wielu młodych ludzi przyznaje, że często styka się z przejawami agresji w szkole.

21

Niektórzy młodzi ludzie tak nasiąkają atmosferą przemocy, że niekiedy posuwają się nawet do zabójstwa. Podczas gdy ogólna liczba morderstw w Stanach Zjednoczonych utrzymuje się w ciągu trzydziestu ostatnich lat na zbliżonym poziomie, liczba zabójstw popełnianych przez młodych ludzi stale rośnie. Największy skok nastąpił w okresie od połowy lat 80. do połowy lat 90. wieku XX, kiedy to liczba zabójstw popełnianych przez nieletnich wzrosła o 168 procent. FBI donosi, że każdego roku w Stanach Zjednoczonych jest popełnianych 23 000 zabójstw, a w jednej czwartej przypadków sprawca ma nie więcej niż 21 lat[5]. Przemoc zawsze była częścią naszej kultury, lecz obecne nastolatki są o wiele bardziej „zestrojone" intelektualnie i emocjonalnie z przejawami przemocy niż którekolwiek wcześniejsze pokolenie.

3. Rozpad rodziny

Trzeci czynnik kulturowy, który wpływa na współczesnych nastolatków, to coraz częstszy rozpad rodzin. Według niedawnych badań Instytutu Gallupa, blisko dwie piąte wszystkich nastolatków w Stanach Zjednoczonych (39 procent) mieszka z jednym tylko rodzicem. W większości przypadków (80 procent) w domu brakuje ojca. Te same badania wykazały, że 20 procent nastolatków żyjących w Stanach Zjednoczonych mieszka z ojczymem lub innym dorosłym mężczyzną związanym z ich matką[6].

Socjolodzy zauważają, że „amerykańskie rodziny charakteryzuje coraz bardziej nieznana wcześniej różnorodność: ojciec pracujący zawodowo, a matka zajmująca się domem; oboje pracujący zawodowo; rodzic samotnie wychowujący dzieci; powtórne małżeństwa łączące w jednym domu dzieci pochodzące z różnych związków; bezdzietne małżeństwa; pary pozostające w wolnych związkach, z dziećmi lub bez; pary homoseksualne wychowujące dzieci. Żyjemy w okresie historycznych zmian funkcjonowania amerykańskiej rodziny"[7]. Inny badacz zauważa: „Nie ma jeszcze danych o skutkach rozpadu życia rodzinnego, ale reguły socjologii każą dopatrywać się bezpośrednich powiązań z wieloma współczesnymi problemami społecznymi. Niektóre negatywne postawy, stres, wyobcowanie... i zaburzenia koncentracji uwagi są bezpośrednio związane z trudnościami w przystosowaniu się do nowego modelu rodziny"[8].

Oprócz rozpadu najbliższej rodziny, współczesne nastolatki wychowują się bez kontaktu z dalszymi krewnymi: dziadkami, wujkami, ciotkami i innymi bliskimi. W wyniku narastającego zjawiska przemieszczania się, coraz więcej rodzin żyje z dala od krewnych, szczególnie jeśli porównać to z sytuacją w poprzednich pokoleniach. Zmieniły się również stosunki społeczne, wcześniej bowiem ludzie pomagali sobie wzajemnie w wychowaniu dzieci, zwracając uwagę na ich zachowanie poza domem, co obecnie nie występuje. Dawniejsze szkoły były bardziej jednorodne, a lokalne społeczności zapewniały młodym ludziom bezpieczne środowisko, w którym mogli rozwijać bliskie kontakty z innymi. W dzisiejszych czasach takie zjawiska są coraz rzadsze. Wiele czynników, które wywierały pozytywny wpływ na dom rodzinny, szybko zanika.

James Cromer, dyrektor Yale Child Study Center, uważa, iż rozpad więzi społecznych jest równie poważnym problemem jak rozpad rodziny. Wspominając własne dzieciństwo, opowiada: „W drodze z domu do szkoły spotykałem co najmniej pięciu bliskich znajomych moich rodziców, którzy zwracali mi uwagę, kiedy coś źle zrobiłem. W dzisiejszych czasach dzieci nie spotykają nikogo takiego"[9]. W przeszłości nastolatki mogły liczyć na pomoc członków dalszej rodziny, sąsiadów, kościoła i grup lokalnych. Współczesny nastolatek najczęściej nie ma podobnych systemów wsparcia.

4. Wiedza na temat seksu i doświadczenia z nim związane

Kolejną różnicą jest przeniknięta seksualnością atmosfera, w której wychowują się współczesne nastolatki. W latach 60.

wieku XX pokolenie powojennego wyżu demograficznego buntowało się przeciwko tradycyjnej moralności swoich rodziców, ale jednocześnie dobrze znało zasady, które rządziły zachowaniami seksualnymi – kiedy młodzi je łamali, czuli się z tego powodu winni. Współczesne nastolatki dorastają w świecie, w którym nie ma żadnych reguł dotyczących seksu. Filmy, media i muzyka utożsamiają seks z miłością i przedstawiają go jako naturalny element każdej bliższej relacji osób przeciwnej płci. W rezultacie znaczna część nastolatków jest aktywna seksualnie: „Wyniki badań różnią się, lecz po ich uśrednieniu okazuje się, że od 70 do 80 procent nastolatków ze Stanów Zjednoczonych rozpoczyna życie seksualne przed ukończeniem szkoły średniej"[10]. Nastolatki, które nie są aktywne seksualnie, zmagają się z myślami: „Czy omija mnie coś ważnego? Czy coś jest ze mną nie tak?". W tym samym czasie młodzi ludzie aktywni seksualnie borykają się z innego rodzaju negatywnymi emocjami: często czują się wykorzystywani, skrzywdzeni i odczuwają wewnętrzną pustkę.

Współczesny nastolatek żyje w świecie, w którym seks jest nie tylko naturalnym i oczekiwanym aspektem relacji łączącej osoby przeciwnej płci, ale też coraz więcej ludzi mieszka ze sobą przed zawarciem małżeństwa, a relacje homoseksualne są przedstawiane jako alternatywny styl życia. Słowa „biseksualny" i „transwestyta" stały się częścią młodzieżowego słownika. W dosłownym niemal znaczeniu seks stał się nowym bogiem Zachodu, a świątynie ku jego czci i sposoby wyrażania mu hołdu przybierają wszelką możliwą postać. Taki jest świat, w którym współczesny nastolatek musi zgłębiać i starać się zrozumieć własną kształtującą się seksualność.

5. Ambiwalencja wartości moralnych i religijnych

Po piąte, współczesny nastolatek dorasta w świecie postchrześcijańskim. W kwestiach religii i moralności przestały obowiązywać jakiekolwiek standardy. W poprzednich pokoleniach większość mieszkańców kultury zachodniej potrafiła zdefiniować zachowanie moralne i niemoralne. Ich osądy moralne opierały się przede wszystkim na judeochrześcijańskim Piśmie Świętym. Współczesne nastolatki nie potrafią dokonać takiej oceny. Po raz pierwszy w historii państw Zachodu całe pokolenie wychowuje się bez jednoznacznie określonych wartości moralnych. Obowiązujące wartości są najczęściej neutralne: nastolatkom powtarza się, że dobre jest to, co sprawia przyjemność. Pojęcie zła jest natomiast relatywne.

Badania, które Barna Research Group przeprowadziła w połowie lat 90. wieku XX wśród starszych nastolatków, wykazały, że 91 procent z nich zgadzało się z twierdzeniem: „To, co dla jednej osoby jest właściwe w danej sytuacji, nie musi być takie dla innej w podobnej sytuacji". Blisko 80 procent zgadzało się z poglądem: „W przypadku kwestii moralnych i etycznych dla różnych osób różne sprawy są prawdą; nikt nie może być pewien, że zna całą prawdę". W społeczeństwie, w którym niegdyś przywiązywano dużą wagę do prawdy i wewnętrznej spójności, 57 procent dzisiejszych nastolatków uważa, że „kłamstwo jest czasami konieczne"[11].

Współczesne pokolenie nie zna jednoznacznej definicji dobra i zła. Oto jak pedagog Thom Rainer wyjaśnił powody zaistnienia pokolenia pozbawionego zasad moralnych: „Pokolenie, które narodziło się przed końcem II wojny światowej, akceptowało (i nadal to czyni) podstawowe wartości judeochrześcijańskie jako kryteria dobra i zła. Wierzą, że Biblia wyznacza zasady moralne obowiązujące w życiu. Jednak ich dzieci – owoc eksplozji demograficznej po zakończeniu wojny – i wnuki masowo odchodzą od kościoła i innych form aktywności chrześcijańskiej". Rainer dodaje:

Pozbawieni wpływu kościoła, zaczęli angażować się w zachowania, które ich rodzice określali jako jednoznacznie niemoralne. Poznali standardy moralne swoich rodziców i dziadków, lecz akceptowali je jedynie w teorii, nie zaś w praktyce. Pokolenie, które przyszło na świat w latach 1977-1994, nie uznaje standardów moralnych, takich jak Pismo Święte, ani przykładu zachowań moralnych ze strony rodziców. Ich pojmowanie dobra i zła jest co najmniej niespójne. Całe pokolenie pozbawione zasad moralnych wkroczy niebawem w dorosłość[12].

Okres nastoletni zawsze był czasem poddawania osądowi przekonań religijnych wpajanych w dzieciństwie. Nastolatki zadają pytania dotyczące tego, w co wierzą lub nie wierzą ich rodzice. Podobnie jak w innych dziedzinach życia, tak i w tej próbują określić własną tożsamość. Różnica polega na tym, że we współczesnej kulturze globalnej – dzięki technice i kontaktom z osobami innych wyznań – nastolatki mają styczność z różnymi religiami.

Religia ma dla współczesnych nastolatków duże znaczenie. Niedawne badania Instytutu Gallupa wykazały, że cztery piąte wszystkich nastolatków (79 procent) uważa, że religia wywiera znaczący wpływ na ich życie[13]. Większość nastolatków (64 procent) należy do kościoła, synagogi lub organizacji religijnych. Blisko połowa nastolatków (49 procent) sądzi, że ich życie poddane jest Bogu lub innej wyższej mocy. Ponad jedna trzecia nastolatków (35 procent) twierdzi, że religia jest najważniejszym czynnikiem wpływającym na ich życie, a niewiele mniej (34 procent) opisuje siebie jako „narodzonych na nowo". Dwie piąte nastolatków (42 procent) powiedziało ankieterom Instytutu Gallupa, iż w tygodniu poprzedzającym badania uczestniczyli w spotkaniu o charakterze religijnym (nabożeństwo, grupa modlitewna itp.)[14]. Dzisiejsze nastolatki są bardziej zainteresowane przeżyciami, jakich mogą doświadczać w grupach religijnych, niż abstrakcyjnymi dogmatami wiary. Jeśli taka grupa okaże im akceptację, troskę i wsparcie, są skłonni przyłączyć się do niej, nawet jeśli nie zgadzają się z wieloma przekonaniami wyznawanymi przez członków grupy.

Rodzice *mogą* być przewodnikami

Taki jest świat, w którym dojrzewa nasz nastolatek. Dobrą nowiną jest to, że współczesne nastolatki oczekują, iż to rodzice staną się ich przewodnikami. W niedawno przeprowadzonych badaniach nastolatki potwierdziły, że rodzice mają na nich większy wpływ niż rówieśnicy w następujących kwestiach: podjęcie studiów, uczestnictwo w życiu religijnym, odrabianie prac domowych i sięganie po alkohol. Rodzice mają również wpływ na planowanie przez nastolatka przyszłości. Przyjaciele mają natomiast większy wpływ na decyzje dotyczące kwestii bieżących: opuszczania zajęć w szkole, umawiania się na randki, wyboru fryzury i stroju[15].

Kiedy ankieterzy zapytali nastolatków: „Kto ma większy wpływ na decyzje, jakie podejmujesz – rodzice czy przyjaciele?", w sprawach, które mogą decydować o tym, jak będzie przebiegało twoje życie w przyszłości, o wiele wyraźniejszy był wpływ rodziców. Oczywiście, w wielu sprawach nastolatki pozostają pod silnym wpływem rówieśników, lecz opinia rodziców nadal oddziałuje na ich sposób myślenia i zachowanie. Pozostałe rozdziały będą poświęcone omówieniu, jak najlepiej możecie zaspokajać emocjonalną potrzebę miłości w życiu syna lub córki i w ten sposób tworzyć fundament pozytywnego wpływania na wszystkie dziedziny jej czy jego życia.

Przypisy

1. *YOUTHviews* 6, nr 8 (kwiecień 1997), s. 3; opublikowane przez: George H. Gallup International Institute, Princeton, USA.
2. 1 Księga Samuela 3,10
3. Linda Temple, „Courting by Computer: On-Line Replacing Phone Lines for Teens in Touch", *USA Today*, 14 kwietnia 1997.
4. YOUTHviews 6, nr 7 (marzec 1997), s. 3.
5. James Garbarino, *Lost Boys: Why Our Sons Turn Violent and How We Can Save Them*, Free Press, New York 1999, s. 6-7.
6. *YOUTHviews* 5, nr 9 (maj 1998), s. 2.
7. Jerrold K. Footlick, „What Happened to the American Family?" *Newsweek* (wyd. spec.), zima/wiosna 1990, s. 15.
8. Eric Miller i Mary Porter, *In the Shadow of the Baby Boom*, EPM Communications, Brooklyn 1994, s. 5.
9. Richard Louv, *Childhood's Future*, Anchor, New York 1990, s. 6.
10. Ron Hutchcraft, *The Battle for a Generation*, Moody, Chicago 1996, s. 32.
11. George Barna, *Generation Next*, Regal, Ventura 1995, s. 32.
12. Thom S. Rainer, *The Bridger Generation*, Broadman & Holman, Nashville 1977, s. 44.
13. *YOUTHviews* 6, nr 3 (listopad 1998), s. 2.
14. Tamże, 6, nr 1 (wrzesień 1998), s. 2.
15. Tamże, 5, nr 1 (wrzesień 1997), s. 1.

Rozdział drugi

Znaczenie miłości rodzicielskiej

Becky, matka dwojga dzieci, przejawiała wszystkie symptomy traumy wychowawczej.

– Doktorze Chapman, jestem przerażona. Syn ma dwanaście lat, a córka jedenaście. Czytam wszystkie książki na temat nastolatków i coraz bardziej się boję. Wydaje się, że wszystkie nastolatki uprawiają seks, zażywają narkotyki i stosują przemoc. Czy naprawdę jest tak źle? Rozmawiałem z Becky w czasie konferencji dla małżeństw. Po chwili dodała: – Zastanawiałam się, czy powinnam uczyć dzieci samodzielnie w domu, realizując program szkoły średniej, ale to również mnie przeraża. Nie wiem, czy ja jestem gotowa, aby moje dzieci stały się nastolatkami*.

---

* W Stanach Zjednoczonych rodzice mają prawo sami uczyć własne dzieci w domu, realizując program władz oświatowych.

W ciągu ostatnich pięciu lat wielokrotnie spotykałem takich rodziców. Czytają coraz to nowe książki o wychowywaniu nastolatków. W telewizji słyszą o aktach przemocy wśród nieletnich. Podobne wiadomości znajdują w gazecie i wówczas ogarnia ich strach. Możliwe, że wy również odczuwacie niepokój i zadajecie sobie pytanie: „Czy należy się bać?" Mam nadzieję, że ten rozdział rozwieje część obaw. Lęk nie jest dobrym sprzymierzeńcem w wychowywaniu nastolatków. Chciałbym przede wszystkim ukazać pozytywną rolę, jaką możecie odegrać w życiu nastoletniego syna lub córki.

Dobre wiadomości o rodzinach i szkołach

Zacznę od tego, że nie wszystkie fakty mają negatywny charakter. To prawda, że niedawne badania, jakie Instytut Gallupa przeprowadził wśród młodzieży, wykazały, że jedynie 57 procent nastolatków w Stanach Zjednoczonych mieszka z obojgiem rodziców; ale prawdą jest także to, iż 87 procent nastolatków ma kontakt z ojcem, nawet jeśli nie mieszkają w tym samym domu[1]. Wyraźna większość nastolatków (70 procent) twierdzi, iż odczuwa „wyjątkową" lub „bardzo" bliską więź z ojcem[2]. Inne przeprowadzone niedawno badania dowodzą, że większość młodych osób w wieku 13-17 lat ma pozytywny stosunek do szkoły. Znacząca większość nastolatków twierdzi, że czuje się szczęśliwa (85 procent) i otrzymuje wsparcie w szkole (82 procent). Niemal tyle samo nastolatków oceniło, że czują się doceniani (78 procent), zachęcani (76 procent) i zainteresowani nauką (77 procent) oraz że szkoła jest dla nich pozytywnym wyzwaniem (72 procent)[3]. Dwie statystyki powinny ucieszyć wszystkich rodziców przywiązujących znaczenie do wykształcenia swoich dzieci: 97 procent nastolatków ukończy szkołę średnią, a 83 procent uważa, że wyższe wykształcenie (przynajmniej na poziomie licencjatu) jest „bardzo ważne" w dzisiejszych czasach[4].

Po analizie tych danych George Gallup junior uznał, że współczesna młodzież kieruje się idealizmem, optymizmem, spontanicznością i żywiołowością. „Młodzi ludzie z entuzjazmem mówią o pomaganiu innym, walce o pokój na świecie i z zanieczyszczaniem środowiska; myślą pozytywnie o swoich szkołach, a jeszcze lepiej o nauczycielach". Jeżeli chodzi o postawy nastolatków wobec przyszłości, Gallup doszedł do następującego wniosku: „Znaczna większość młodych ludzi żyjących w Stanach Zjednoczonych twierdzi, że są szczęśliwi i z ekscytacją myślą o przyszłości, czują bliską więź z rodziną, zamierzają wstąpić w związek małżeński, chcą wychowywać dzieci, są zadowoleni z życia i pragną wspiąć się na szczyty kariery w wybranym zawodzie"[5].

Lawrence Steinberg, jeden z głównych badaczy w Center for Research in Human Development and Education (Centrum badań nad rozwojem i edukacją człowieka) i wykładowca psychologii w Temple University, jest uznanym ekspertem w dziedzinie dorastania. Według niego, „dorastanie samo w sobie nie jest wcale trudnym okresem. Problemy psychologiczne, nieodpowiednie zachowanie i konflikty w rodzinie wcale nie występują wśród nastolatków częściej niż na innych etapach życia. To prawda, że niektóre nastolatki mają problemy lub same do nich doprowadzają. Lecz znakomita większość (90 procent) nie doświadcza ich (...) Problemy, które zwykliśmy uważać za normalny aspekt rozwoju nastolatków – narkotyki, przestępczość nieletnich, nieodpowiedzialne zachowania seksualne, wrogość wobec wszelkich form władzy i autorytetu – wcale nie są normą. Można z nimi walczyć i im zapobiegać. Chodzi o to, iż dobre dzieci nie staną się z dnia na dzień złymi nastolatkami[6].

Wydarzenia, o których czytamy w gazetach i słyszymy w mediach, dotyczą z reguły 10 procent nastolatków przeżywających poważne problemy, a większość spośród tych nastolatków miała je już w dzieciństwie. Przeważająca część rodziców może mieć bliską więź z nastoletnim synem lub córką. Tego pragnie każdy nastolatek i, jak zakładam, jest to również pragnieniem rodziców. W tym rozdziale omówimy najważniejszy, moim zdaniem, aspekt tej relacji, czyli zaspokojenie emocjonalnej potrzeby miłości w życiu nastolatka. Jeśli ta potrzeba zostanie zaspokojona, nastolatek będzie mógł bezpieczne przepłynąć przez burzliwe wody współczesnego świata, o których wspomnieliśmy w rozdziale pierwszym.

Kiedy młodzi ludzie są przekonani o miłości rodziców, będą mieli wystarczająco silne poczucie wartości, aby przeciwstawić się negatywnym wpływom współczesnej kultury, które w innym wypadku nie pozwoliłyby im stać się dojrzałymi, spełnionymi ludźmi. Pozbawione miłości rodziców nastolatki będą o wiele łatwiej ulegać negatywnym wpływom: narkotykom, destrukcyjnemu seksowi i przemocy. Myślę, że nie ma nic ważniejszego ponad to, aby rodzice nauczyli się efektywnie zaspokajać emocjonalną potrzebę miłości swego nastoletniego syna lub córki.

Co rozumiem przez emocjonalną potrzebę miłości? W głębi duszy każdy nastolatek pragnie być akceptowany, otoczony troską i związany z rodzicami. Kiedy tak się dzieje, czuje się kochany. Kiedy nie odczuwa więzi, akceptacji i troski, jego wewnętrzny zbiornik emocjonalny jest pusty – co wywiera głęboki wpływ na zachowanie każdego nastolatka. Omówimy teraz każdy z tych elementów.

Wielkie pragnienie nastolatka: bliska więź

Obecność rodziców

Wiele napisano o tym, jak ważne jest budowanie więzi między małym dzieckiem a rodzicami. Większość psychologów dziecięcych uważa, że jeśli taka bliskość emocjonalna nie zaistnieje, rozwój emocjonalny dziecka będzie napiętnowany brakiem poczucia bezpieczeństwa. Przeciwieństwem bliskich więzi jest porzucenie. Jeśli dziecko nie ma kontaktu z rodzicami, ponieważ ci nie żyją, rozwiedli się lub porzucili dziecko, wówczas więź emocjonalna jest z oczywistych powodów niemożliwa. Niezbędnym warunkiem powstania więzi jest obecność rodziców i spędzanie czasu z dzieckiem.

Te same zasady dotyczą nastolatka. Kiedy rodzice są nieobecni z powodu rozwodu lub dużej ilości zajęć, osłabia to relację między nimi a nastolatkiem. To oczywiste, że aby nastolatek mógł odczuwać bliskość z rodzicami, i w konsekwencji czuł się przez nich kochany, muszą spędzać wspólnie czas. Nastolatek, który czuje się porzucony, zmaga się z pytaniem: „Dlaczego rodzice nie troszczą się o mnie? Czy to moja wina?". Jeśli rodzice chcą, aby ich nastoletni syn lub córka czuli się kochani, muszą znaleźć czas, aby z nimi przebywać.

Moc komunikacji

Oczywiście, sama bliskość fizyczna między rodzicem a nastolatkiem nie musi prowadzić do bliskiej więzi. Więź emocjonalna wymaga porozumiewania się. Matka, która nie pracuje zawodowo poza domem, lub ojciec, który spędza w domu dwutygodniowy urlop, są fizycznie obecni, ale jeśli nie będą rozmawiali z nastoletnim synem czy córką, nie zdobędą wpływu na ich życie.

Analizując wyniki pewnych badań, z radością odkryłem, że 71 procent nastolatków stwierdziło, iż przynajmniej jeden posiłek dziennie jedzą z rodziną. Lecz moja radość trwała krótko, gdyż dowiedziałem się, że połowa wszystkich nastolatków w czasie wspólnych posiłków ogląda telewizję. Co więcej, co czwarty nastolatek oznajmił, że w czasie posiłków słucha radia, a 15 procent czyta książkę lub czasopisma[7]. Wygląda na to, że większość rodziców nie wykorzystuje posiłków jako okazji do wzmacniania relacji z nastolatkami.

Moim zdaniem czas posiłku jest jednym z najlepszych sposobów budowania emocjonalnej więzi z nastolatkami. Który nastolatek nie lubi jeść? Krótka rozmowa z rodzicami to niewielka cena za dobry posiłek. Jeśli wasza rodzina nie zalicza się do owych 71 procent, które spożywają wspólnie co najmniej jeden posiłek dziennie, zachęcam was do zmienienia tego. Jeśli jadacie razem, ale nie rozmawiacie, pozwólcie, że zasugeruję nową zasadę, którą możecie wprowadzić. Ogłoście nastolatkom i młodszym dzieciom, że ustanawiacie nowy zwyczaj podczas posiłków: „Po pierwsze, rozmawiamy z Bogiem (powinniście uczyć dzieci okazywania Bogu wdzięczności za posiłek, który spożywacie), po drugie, rozmawiamy ze sobą, a dopiero potem, jeśli mamy na to ochotę, włączamy telewizor, radio lub sięgamy po gazetę".

Po tym, jak jedna z osób podziękuje Bogu za posiłek i osobę, która go przygotowała, każdy z członków rodziny powinien opowiedzieć pozostałym o trzech rzeczach, które wydarzyły się w ciągu dnia i co w związku z tym odczuwa. Kiedy jedna osoba mówi, pozostali powinni uważnie słuchać. Mogą zadawać pytania, aby lepiej zrozumieć, ale nie wolno im udzielać żadnych rad, o ile mówiący o to nie poprosi.

Nawet jeden nowy zwyczaj może pomóc stworzyć i pielęgnować bliską więź z waszym nastoletnim synem lub córką.

Wielkie pragnienie nastolatka: akceptacja

Moc akceptacji... i odrzucenia
Drugim aspektem miłości jest poczucie akceptacji ze strony rodziców. Pewien czternastoletni chłopak powiedział: „U moich rodziców najbardziej lubię to, że akceptują mnie takiego, jakim jestem. Nie próbują upodobnić mnie do mojej starszej siostry". Ten nastolatek czuje się kochany, ponieważ jest akceptowany przez rodziców.

Nastolatek, który czuje się akceptowany, myśli: „Rodzice kochają mnie. Jestem OK". Przeciwieństwem akceptacji jest odrzucenie, któremu towarzyszą myśli: „Oni mnie nie kochają. Nie jestem według nich wystarczająco dobry. Woleliby, abym był inny". Dziecko, które czuje się odrzucone, z pewnością nie czuje się kochane.

Antropolog Ronald Rohner badał problem odrzucenia w ponad stu kulturach na całym świecie. Odkrył, że choć poszczególne kultury wyrażają odrzucenie w odmienny sposób, w każdej z nich dzieci, które doświadczyły go, są bardziej podatne na różnorodne problemy psychologiczne, począwszy od niskiej samooceny, poprzez zaburzony system moralny, trudności w kontrolowaniu agresji, aż po zaburzenia tożsamości płciowej. Według Rohnera skutki odrzucenia są tak poważne, iż nazywa odrzucenie „psychologicznym nowotworem, który ogarnia cały układ emocjonalny dziecka, niszcząc wszystko, do czego dotrze"[8].

James Garbarino, wykładowca w Cornell University, specjalista w dziedzinie rozwoju człowieka, poświęcił wiele lat na badania poglądów i funkcjonowania nastolatków zachowujących się agresywnie. Doszedł do wniosku, że poczucie odrzucenia jest głównym czynnikiem struktury psychologicznej takiej osoby. Częstokroć przekonanie o byciu odrzuconym jest wynikiem nieustannych porównań z rodzeństwem. Rozmawiając z osiemnastolatkiem z Nowego Jorku, który zastrzelił policjanta i został skazany na dożywocie, Garbarino postawił na stole dwie puszki z napojem i powiedział: „Wyobraźmy sobie, że powierzchnia stołu symbolizuje miłość twojej matki. Ta puszka symbolizuje ciebie, a druga twojego brata. Ile miłości waszej matki trafiło do twojej puszki? A ile do puszki twojego brata?".

Młody więzień, wskazując na swoją puszkę, pokazał, że była napełniona w jednej piątej, a pozostała część miłości matki, aż cztery piąte, trafiało do puszki jego brata.

– A teraz wykorzystamy stół, aby zilustrować akceptację lub odrzucenie – Garbarino wskazał na krawędź stołu. – Ten koniec oznacza całkowitą akceptację, drugi koniec oznacza całkowite odrzucenie. Ustaw obie puszki tak, aby przedstawiały, na ile wasza matka akceptowała ciebie i na ile akceptowała twojego brata.

Młody mężczyzna ustawił swoją puszkę blisko krawędzi oznaczającej odrzucenie, a puszkę reprezentującą brata prawie na samej krawędzi symbolizującej pełną akceptację.

– Ty byłeś w dziewięćdziesięciu procentach odrzucony, a twój brat w 100 procentach akceptowany, czy tak? – zapytał doradca.

– Tak – usłyszał w odpowiedzi[9].

Nastolatek, który czuje się odrzucony, z pewnością nie czuje się kochany.

Akceptowanie nastolatka... zmienia zachowanie

Wielu rodziców uważa, że okazywanie całkowitej akceptacji jest niewłaściwe. Bob, zatroskany ojciec dwójki nastolatków, wyznał szczerze: „Doktorze Chapman, nie rozumiem, jak można akceptować nastolatka, który zachowuje się okropnie. Nie chcę, aby moje dzieci czuły się odrzucone, ale nie podoba mi się ich zachowanie i nie lubię ich, kiedy się tak zachowują. Może je odrzucam, choć w głębi serca czuję coś innego. Kocham je i troszczę się o nie. Ale nie chcę, aby zrujnowały sobie życie".

Bob jest reprezentantem tysięcy rodziców, którzy nie wiedzą, jak wyrażać akceptację, a jednocześnie korygować złe zachowanie nastoletniego syna czy córki. Omówimy ten temat, przedstawiając pięć języków miłości oraz kwestię dyscypliny, której jest poświęcony rozdział dwunasty.

W tym miejscu chciałbym jedynie wyjaśnić wytyczony wcześniej cel, posługując się ilustracją teologiczną. Święty Paweł, jeden z pierwszych apostołów, pisał o łasce, „którą [Bóg] obdarzył nas w Umiłowanym"[10]. Odwoływał się do jednej z głównych prawd chrześcijaństwa: święty Bóg zaakceptował ludzi pomimo ich grzeszności, ponieważ stworzył nas na wzór samego Siebie, a wybacza nam nasze winy, jeśli uwierzymy w Jego Syna – Umiłowanego. Kiedy przyjmujemy przez wiarę Jego Syna, Bóg oczyszcza nas. Święty Paweł naucza, że choć Bóg nie zawsze jest zadowolony z naszego postępowania, zawsze nas akceptuje, ponieważ jesteśmy Jego dziećmi. To właśnie staramy się osiągnąć jako rodzice – pokazać naszym dzieciom, że cieszy nas bycie ich rodzicami, bez względu na ich zachowanie. Taką postawę nazywa się bezwarunkową miłością.

Bezwarunkowa miłość mówi: „Kocham cię. Troszczę się o ciebie. Jestem ci oddany, ponieważ jesteś moim dzieckiem. Nie zawsze podoba mi się to, co robisz, ale zawsze cię kocham i zabiegam o twoje dobro. Jesteś moim synem lub córką i nigdy cię nie odrzucę. Zawsze będę stał przy tobie, robiąc to, co – ufam – jest dla ciebie najlepsze. Będę cię kochał bez względu na wszystko".

Ken Canfield, przewodniczący National Center for Fathering (Krajowego Centrum Ojcostwa), powiedział: „Nigdy nie zapominaj o wielkim pytaniu nastolatka: Kim jestem? Twój nastolatek musi sam na nie odpowiedzieć. Natomiast od ciebie pragnie usłyszeć: Kimkolwiek się staniesz, nadal będę cię kochać". Canfield wspomina również o obawach młodych ludzi: „Nigdy nie zapominaj o wielkiej obawie nastolatka: Czy wszystko ze mną w porządku? Odpowiedź na to pytanie z reguły jest twierdząca, lecz każdy nastolatek pragnie usłyszeć od swego ojca: Nawet gdyby tak nie było, nadal będę cię kochał"[11].

Ken Canfield pisał o bezwarunkowej akceptacji i bezwarunkowej miłości. W dalszej części książki podzielę się kilkoma sugestiami, lecz już teraz chciałbym zaproponować proste słowa, które mogą mieć duży wpływ na to, jak wasz nastoletni syn lub wasza córka odbierze rady i upomnienia. Zanim z całą powagą poinformujecie syna czy córkę, jak, według was, powinni się zachowywać, zawsze poprzedźcie to słowami: „Bardzo cię kochamy. Będziemy cię kochać, nawet jeśli nie posłuchasz naszej rady, ale właśnie dlatego, że cię kochamy, musimy ci to powiedzieć". Dopiero wtedy podzielcie się tym, co wam leży na sercu.

Wasz nastolatek musi mieć pewność, że akceptujecie go nawet wtedy, gdy nie aprobujecie jego zachowania. Wyraźcie to zgodnie ze swoją osobowością. Jeśli macie skłonność do teatralności, możecie powiedzieć: „Czy mój syn, którego darzę wielką miłości i którego będę zawsze i nieskończenie kochał, zechce wysłuchać mądrej rady swojego ojca?", „Czy moja ukochana córka, zawsze droga memu sercu, zechce poznać najgłębsze myśli swej matki, które mogą zmienić jej życie na lepsze?". Wyraźcie to w sposób, który wydaje się wam najlepszy, ale koniecznie głośno, i powtarzajcie możliwie często.

Wielkie pragnienie nastolatka: troska

Trzecim aspektem okazywania miłości nastolatkowi jest opieka i troska. W pewnym sensie jest to karmienie wewnętrznego „ja" syna lub córki. Opiekujemy się roślinami, wzbogacając glebę, w której są posadzone. Nastolatkami opiekujemy się, łagodząc klimat, w którym dojrzewają. Nastolatkom, które wzrastają w ciepłym, troskliwym, zachęcającym i pozytywnym klimacie emocjonalnym, łatwiej będzie w wieku dorosłym rozkwitnąć i wydać owoce.

Skutki przemocy

Przeciwieństwem troski jest krzywdzenie. Atmosfera przemocy jest jak trucizna, która niszczy duszę nastolatka. Młodzi ludzie, którzy słyszą z ust rodziców wrogie, raniące, surowe i poniżające słowa, będą nosili blizny werbalnych zranień przez całe dorosłe życie. Rodzice, którzy krzywdzą dzieci fizycznie – bijąc, popychając, szarpiąc i potrząsając – mogą wręcz zakłócić ich rozwój fizyczny, ale o wiele większe spustoszenie czynią w rozwoju emocjonalnym dziecka, sprawiając, że jego dorosłe życie będzie o wiele trudniejsze.

Niewiele jest czynników bardziej szkodliwych dla rozwoju psychiki nastolatka niż krzywdzenie i nadużycia ze strony rodziców. Młodzi ludzie wyciągają wnioski na podstawie tego, co widzą i czego doświadczają od rodziców. Badania pokazują, że większość nastolatków, którzy nie potrafią zapanować nad swoją agresją, było w dzieciństwie ofiarami przemocy fizycznej i braku miłości. Oto jak Garbarino opisuje agresywnych młodych chłopców: „Sięgają po narkotyki. Stosują przemoc. Kradną. Uprawiają seks, kiedy nadarzy się okazja. Wstępują do gangów i sekt, a kiedy nikt ich nie widzi i nie słyszy, ssą kciuki i płaczą, aż nadejdzie sen[12]." Za wieloma agresywnymi nastolatkami stoją ich rodzice, którzy stosowali wobec nich przemoc. Miłość nie krzywdzi, miłość troszczy się.

Przykład troskliwego rodzica

Aby okazywać troskę nastolatkowi, najpierw musicie zatroszczyć się o siebie. Jeśli jako rodzice chcecie stworzyć nastoletniemu synowi lub córce pozytywne i wspierające środowisko, w którym będą mogli z powodzeniem przejść przez wszystkie etapy rozwoju, musicie najpierw zająć się własnymi problemami i brakami w rozwoju emocjonalnym. Wielu dorosłych nie doznawało troski we własnym domu rodzinnym i w konsekwencji mają złe nawyki w kontaktach z nastoletnimi dziećmi, które odbierają je jako przemoc. Jeśli dostrzegacie takie postawy u siebie, pierwszym krokiem jest analiza własnego bólu i cierpienia oraz nauczenie się, jak właściwie wyrażać gniew.

Może to wymagać sięgnięcia po książki na temat radzenia sobie z gniewem[13], przyłączenia się do grupy wsparcia w kościele lub poradni zdrowia psychicznego, albo zwrócenia się o pomoc do doradcy czy terapeuty. Nigdy nie jest za późno, aby zająć się ciemną stroną własnej historii. Wasze nastoletnie dzieci zasługują na to, co najlepsze, a nie będziecie w stanie im tego dać, dopóki się nie rozprawicie z własną przeszłością.

Troskliwi rodzice mają pozytywne nastawienie. Nie znaczy to, że stosują pozytywne wyznawanie, ale raczej, że starają się dostrzegać Boży wpływ w różnych, pozornie przypadkowych wydarzeniach. Pamiętają o słońcu, nawet jeśli jest zakryte chmurami, i komunikują tę postawę swoim nastolatkom. Troskliwi rodzice często zachęcają, zwracają uwagę na to, co ich nastoletni syn lub córka robi i mówi dobrze, i chwalą ich za to.

Troskliwi rodzice nieustannie szukają sposobów, aby wzbogacić życie swoich nastoletnich dzieci. W następnych rozdziałach omówię pięć języków miłości i pomogę wam odkryć podstawowy język miłości waszego nastolatka. Stosowanie tego języka jest najlepszą drogą do pielęgnowania wewnętrznego ducha waszego dziecka i polepszenia jakości jego życia.

Okazywanie troski o każdą sferę życia nastolatka

Jednym z powodów tego, że miłość to ważny aspekt życia nastolatka, jest fakt, iż wpływa ona na każdą sferę jego życia. Kiedy zbiornik miłości młodego człowieka jest pusty, czuje się on tak, jakby nikomu na nim nie zależało. Traci motywację do nauki: „Po co mam się uczyć? I tak nikt się nie przejmuje tym, co ze mną będzie". Pedagodzy często słyszą takie słowa z ust uczniów szkół średnich.

Pusty zbiornik miłości przeszkadza również w okazywaniu innym empatii. Kiedy nastolatek nie czuje się kochany, trudniej mu zauważyć, jak jego negatywne zachowanie wpływa na uczucia innych osób. Badania pokazują, że najbardziej agresywni młodociani przestępcy okazują bardzo niewiele empatii[14]. Daniel Goleman uważa empatię za jeden z podstawowych czynników inteligencji emocjonalnej, którą definiuje jako umiejętność odczytywania emocji innych, efektywnego porozumiewania się pozawerbalnego, radzenia sobie z pozytywnymi i negatywnymi aspektami codziennego życia oraz posiadanie realistycznych oczekiwań wobec relacji z innymi ludźmi[15]. Brak inteligencji emocjonalnej poważnie zmniejsza zdolność nastolatka do nawiązywania i pielęgnowania wartościowych więzi z innymi.

Nieumiejętność okazywania empatii wpływa również na rozwój sumienia i ocen moralnych nastolatka. W tym okresie następuje internalizacja (uwewnętrznienie) standardów, które stanowią istotę sumienia. Małe dziecko posługuje się standardami przekazanymi mu przez rodziców, natomiast nastolatek musi samodzielnie określić, co jest moralnym i niemoralnym postępowaniem. Jeśli z powodu braku miłości nastolatek nie potrafi okazywać empatii, może uznać, że nie ma niczego złego w krzywdzeniu innych. Także w sferze duchowej, jeśli w jego dzieciństwie nie została zaspokojona emocjonalna potrzeba miłości, jako nastolatkowi będzie mu trudno zrozumieć i zaaprobować koncepcję kochającego Boga i Jego bezwarunkowej miłości. To jeden z powodów, dla których spragnione miłości nastolatki często odwracają się od wiary i praktyk religijnych swoich rodziców.

Podsumowując: jeśli nastolatek otrzymuje wiele miłości, wpływa to pozytywnie na każdy aspekt jego rozwoju – intelektualny, emocjonalny, społeczny, moralny i duchowy. I odwrotnie, jeśli jego emocjonalna potrzeba miłości pozostaje niezaspokojona, prawidłowy rozwój nastolatka w każdej z tych sfer będzie wyraźnie ograniczony. Dlatego postanowiłem poświęcić całą książką temu, co uważam za najistotniejsze w wychowaniu nastoletniego syna lub córki – zaspokojenie emocjonalnej potrzeby miłości.

Najbardziej podstawowa potrzeba: poczucie bycia kochanym

Socjolodzy, psycholodzy i przywódcy religijni są zgodni co do tego, iż najbardziej podstawową potrzebą nastolatków jest świadomość bycia kochanym przez dorosłych, którzy odgrywają ważną rolę w ich życiu. David Popenoe, profesor socjologii w Rutgers University i współprzewodniczący Council on

Families in America (Rady ds. Rodziny), napisał: „Dzieci rozwijają się najlepiej, gdy mają ciepłą, bliską, trwałą i stabilną relację z obojgiem rodziców – ojcem i matką". Psycholodzy Henry Cloud i John Townsend dodali: „Nie ma istotniejszego dla waszego dziecka czynnika wzrostu niż miłość", a James Garbarino zadaje w książce *Lost Boys* trudne pytanie: „W jaki sposób młody chłopiec ma znaleźć sens w swoim życiu, jeśli nie czuje się kochany i doceniany?"[16].

Kiedy przywódcy religijni starożytnego Izraela zapytali Jezusa: „Które przykazanie w Prawie jest największe?", Ten odpowiedział: „Będziesz miłował Pana Boga swego całym swoim sercem, całą swoją duszą i całym swoim umysłem. To jest największe i pierwsze przykazanie. Drugie podobne jest do niego: Będziesz miłował swego bliźniego jak siebie samego. Na tych dwóch przykazaniach opiera się całe Prawo i Prorocy"[17]. W ten sposób Jezus podsumował w dwóch przykazaniach całe nauczanie ze Starego Testamentu. Mogę tylko przypomnieć, że nastolatek, który mieszka w jednym domu z wami, jest waszym najbliższym bliźnim.

Poszukiwanie miłości w niewłaściwych miejscach

Jeśli rodzice lub inni dorośli nie zaspokoją potrzeby miłości nastolatka, będzie on jej poszukiwał we wszelkich niewłaściwych miejscach. Szesnastoletni Luke Woodham z Pearl 1 października 1997 roku zabił swą matkę, a następnie zaczął strzelać w szkole, do której uczęszczał, zabijając trzech uczniów i raniąc siedmiu. Powiedział potem reporterowi stacji ABC, że czuł się samotny i odrzucony przez ludzi, wśród których żył, gdy więc spotkał członków grupy satanistycznej, przyłączył się do nich bez zastanowienia: „Przez całe życie czułem się wyrzutkiem. Byłem samotny. W końcu znalazłem kogoś, kto chciał się ze mną przyjaźnić". Garbarino dodaje: „Chłopcy z poważnymi potrzebami emocjonalnymi, odrzucani przez nauczycieli i rodziców, są doskonałymi ofiarami dla antyspołecznych jednostek – zarówno dorosłych, jak i starszej młodzieży. Rekrutują oni okaleczonych psychicznie młodych chłopców, a w zamian za afirmację i poczucie pewności wymagają od nich realizacji antyspołecznych celów. Wielu agresywnych nastolatków i młodocianych przestępców może opowiedzieć, jak zaprzyjaźnili się ze starszymi chłopcami, którzy okazali im akceptację w zamian za udział w przestępczych działaniach"[18].

Badania pokazują również, że jednym z głównych powodów tego, że nastoletnie dziewczęta decydują się urodzić dziecko, jest głębokie pragnienie bycia z kimś, kto będzie je kochał. Urodzenie dziecka całkowicie odmienia życie takich dziewcząt, ponieważ teraz nie tylko mają kogoś, kto jest od nich całkowicie zależny, ale także kogoś, komu mogą podarować swe uczucie. Okazywanie miłości i bycie kochanym motywuje je do dalszych pozytywnych decyzji, jak kontynuacja nauki i dołożenie starań, by zapewnić dziecku jak najlepszą opiekę[19].

Po wielu latach zgłębiania przyczyn agresji i przestępczości nieletnich James Garbarino doszedł do następującego wniosku: „Wydaje się, że nic nie zagraża ludzkiemu duchowi bardziej niż odrzucenie, brutalność i brak miłości"[20].

Nie ma nic ważniejszego w wychowaniu nastolatków niż nauczenie się efektywnego zaspokajania ich potrzeby miłości. W kolejnych rozdziałach przedstawię pięć podstawowych sposobów wyrażania miłości – pięć najbardziej efektywnych metod napełniania zbiornika miłości nastolatka. Następnie omówimy, jak odkryć podstawowy język miłości – ten, który najskuteczniej zaspokaja emocjonalną potrzebę miłości waszego dziecka. Kiedy przedstawiłem ten materiał w czasie konferencji dla rodziców, wielu z nich się przekonało, że stosowanie tych prawd radykalnie odmienia zachowanie ich nastoletniego syna lub córki, a im samym daje głębokie poczucie satysfakcji, ponieważ bez względu na to, co robią jako rodzice, są efektywni w zaspokajaniu najważniejszej potrzeby emocjonalnej swojego dziecka. Moim pragnieniem jest, aby tak było także w waszym wypadku.

Przypisy

1. *YOUTHviews* 5, nr 8 (kwiecień 1998), s. 1; opublikowane przez: The George H. Gallup International Institute, Princeton.
2. *YOUTHviews* 5, nr 9 (maj 1998), s. 2.
3. *YOUTHviews* 6, nr 8 (kwiecień 1999), s. 3.
4. *YOUTHviews* 5, nr 7 (marzec 1998), s. 2.
5. YOUTHviews 5, nr 6 (luty 1998), s. 5.
6. Lawrence Steinberg i Ann Levine, *You and Your Adolescent*, Harper & Row, New York 1990, s. 2.
7. YOUTHviews 5, nr 2 (październik 1997), s. 1, 4.
8. Cytowane w: James Garbarino, *Lost Boys: Why Our Sons Turn Violent and How We Can Save Them*, Free Press, New York 1999, s. 50.
9. Tamże, s. 51.
10. List św. Pawła do Efezjan 1,6; w j. angielskim „zaakceptował" (przyp. tłum.).
11. Ken Canfield, *The Heart of a Father*, Northfield, Chicago 1996, s. 194-195.
12. Garbarino, *Lost Boys*, s. 158.
13. Osoby, które mają problemy z panowaniem nad swoim gniewem, mogą wiele skorzystać z lektury książki Gary'ego Chapmana pt. *The Other Side of Love: Handling Anger in a Godly Way*, Moody, Chicago 1999.
14. Garbarino, *Lost Boys*, s. 138.
15. Daniel Goleman, *Inteligencja emocjonalna*, Media Rodzina, Poznań 1997, s. 25-35.
16. David Popenoe, *Life Without Father*, Free Press, New York 1996, s. 191; Henry Cloud i John Townsend, *Boundaries with Kids*, Zondervan, Grand Rapids 1998, s. 46; James Garbarino, *Lost Boys*, s. 154.
17. Ewangelia wg św. Mateusza 22,36-40.
18. Garbarino, *Lost Boys*, s. 168.
19. Tamże, s. 163.
20. Tamże, s. 132.

Rozdział trzeci

Pierwszy język miłości: afirmacja

Piętnastoletni Brad przyszedł do mojego gabinetu na prośbę rodziców. Na gołych stopach miał sandały w szarozielonym kolorze. Spodnie z najróżniejszymi kieszeniami ledwo się trzymały na jego szczupłym ciele. Nosił podkoszulkę z napisem: „Wolność to jedzenie słodyczy, na jakie masz ochotę". Wątpiłem, czy w ogóle chciał przyjść na spotkanie, ale byłem mile zaskoczony, gdy wysłuchał uważnie moich pytań i otwarcie opowiadał o swoich myślach i uczuciach. (Czasami trafiają do mnie nastolatki, które na każde pytanie odpowiadają: „Aha").

Rodzice Brada poinformowali mnie, że syn zaczął się zachowywać wobec nich wrogo, miał kilka gwałtownych wybuchów gniewu i zagroził, że wyprowadzi się z domu. Właśnie ta groźba sprawiła, iż namówili syna, aby spotkał się ze mną. Drżeli na myśl, że Brad miałby opuścić dom, a jego ojciec stwierdził: „On byłby zdolny to zrobić. Łatwo nawiązuje znajomości i na

45

pewno znalazłby kogoś, kto pozwoliłby mu u siebie zamieszkać. Ale już sama myśl o tym nas przeraża".

– Próbowaliśmy rozmawiać z Bradem – kontynuowała matka – ale prawie za każdym razem kończy się to kłótnią i jedno z nas traci panowanie nad sobą, a potem mówimy rzeczy, których żałujemy. Przepraszamy i próbujemy żyć dalej, lecz za każdym razem, gdy się w czymś nie zgadzamy, Brad nie da sobie niczego wytłumaczyć.

Przedstawiłem się i zapewniłem Brada, że moja rola nie polega na tym, aby powiedzieć mu, co ma robić, mam jedynie zamiar pomóc mu zrozumieć lepiej jego rodziców i być może pomóc rodzicom lepiej zrozumieć jego. Wspomniałem, że rodzice bardzo się martwią i dlatego uznali, że byłoby dobrze, gdybyśmy mogli spokojnie porozmawiać – tylko on i ja. Skinął potakująco. Pragnąc zbudować więź z Bradem, postanowiłem mówić o teraźniejszości, zamiast wypytywać o jego przeszłość: „Rodzice powiedzieli mi, że myślisz o wyprowadzeniu się z domu. Czy mógłbyś mi o tym powiedzieć coś więcej?".

– Nie wyprowadzam się – odpowiedział Brad, kręcąc przecząco głową. – Powiedziałem to, kiedy byłem zdenerwowany, a oni w ogóle mnie nie słuchali. Czasami myślę o odejściu z domu, ale nie wydaje mi się, żebym kiedykolwiek naprawdę to zrobił.

– Co dokładnie myślisz, kiedy zastanawiasz się nad odejściem z domu? – dociekałem. – Jak wyobrażasz sobie swoje życie, gdybyś już nie mieszkał z rodzicami?

– Mógłbym robić to, na co mam ochotę – powiedział Brad. – Nie musiałbym kłócić się z nimi o każdą najdrobniejszą sprawę. To dlatego nie lubię przebywać w domu, przez te wszystkie kłótnie.

Zauważyłem, że negatywne słowa sprawiają Bradowi wiele bólu, co pozwoliło mi sądzić, że jego podstawowym językiem miłości jest *afirmacja*. Zazwyczaj, kiedy nastolatki czują się głęboko zranione negatywnymi uwagami innych osób, jest to wskazówką, że afirmujące słowa najlepiej zaspokajają ich emocjonalną potrzebę miłości.

– Czy czujesz, że rodzice cię kochają? – zapytałem. Brad milczał przez chwilę, a potem powiedział: Wiem, że mnie kochają, ale czasami nie czuję się kochany, i tak właśnie jest przez kilka ostatnich lat.

– Kiedy byłeś mały, jak rodzice okazywali ci miłość?

– Mówili mi, że jestem wspaniały – powiedział z cichym śmiechem. – Teraz pewnie zmienili zdanie.

– Czy pamiętasz jakieś pozytywne uwagi, które do ciebie kierowali?

– Pamiętam, że kiedy grałem w dziecięcej lidze futbolu, ojciec powiedział mi, że byłem najlepszym graczem, jakiego kiedykolwiek widział. Powiedział, że jeślibym się postarał, mógłbym w przyszłości grać zawodowo.

– Czy grasz w futbol w drużynie szkolnej? – zapytałem. Brad przytaknął, że gra, ale nie myśli poważnie o karierze sportowej: „Jestem dobry, ale nie aż tak". Kiedy poprosiłem go, aby przypomniał sobie jakieś pozytywne uwagi, które mama wypowiadała pod jego adresem, gdy był dzieckiem, Brad odpowiedział: „Mama zawsze mówiła: Kocham cię, kocham cię, kocham cię. Zawsze powtarzała to trzy razy, bardzo szybko. Czasami mówiła to ot tak sobie, ale wiedziałem, że robi to szczerze".

– Czy nadal mówi ci to?

– Ostatnio nie – powiedział. – Tylko mnie krytykuje.

– Co mówi, kiedy cię krytykuje? – zapytałem.

– Wczoraj powiedziała mi, że jestem nieodpowiedzialny i jeśli się nie zmienię, na pewno nie poradzę sobie na studiach. Powtarza mi, że jestem niechlujny i nie szanuję innych.

– A jest tak? – dociekałem.

– Może jestem trochę niedbały – odpowiedział powoli – ale na pewno bardziej bym ich szanował, gdyby nie czepiali się mnie przez cały czas.

– Za co jeszcze rodzice cię krytykują?

– Za wszystko. Że spędzam za dużo czasu przy telefonie, że za często spotykam się z przyjaciółmi, że nie wracam do domu o godzinie, którą oni uważają za właściwą, że nie dzwonię, jeśli wiem, że się spóźnię, że się za mało uczę. Twierdzą, że nie traktuję poważnie nauki w szkole. Tak jak powiedziałem – za wszystko.

– Co odczuwasz wobec rodziców, słysząc te wszystkie krytyczne słowa? – zapytałem.

– Niekiedy chcę po prostu od nich odejść – powiedział Brad. – Mam dosyć ciągłych sporów. Dlaczego nie pozwolą mi być takim, jakim jestem? Chyba nie jestem taki zły? Chciałbym, żeby w końcu dali mi spokój.

– Co byś zrobił, gdyby dali ci spokój? – zapytałem.

– Nie wiem – odpowiedział. – Pewnie byłbym normalnym nastolatkiem. Nie zrobię niczego głupiego: nie będę brał narkotyków, nie zgwałcę żadnej dziewczyny ani nie zastrzelę nikogo. Myślę, że rodzice oglądają za dużo telewizji. Pokazują tam różnych agresywnych czubków, a oni myślą, że wszystkie nastolatki są takie. Nie jestem czubkiem. Dlaczego nie mogą mi zaufać?

Pusty zbiornik miłości

Po trzech kolejnych spotkaniach z Bradem doszedłem do wniosku, że jest zupełnie normalnym nastolatkiem, tyle że z pustym zbiornikiem miłości – nie dlatego, że rodzice go nie kochają, lecz dlatego, że przestali posługiwać się jego podstawowym językiem miłości – *afirmacją*. Gdy był dzieckiem, często mu ją okazywali. Ich słowa zapadły mu głęboko w pamięć, lecz teraz, w jego mniemaniu, wszystko się zmieniło. Słyszał od rodziców tylko negatywne uwagi i dlatego czuł się odrzucony. Gdy był dzieckiem, jego zbiornik miłości był pełny, gdy został nastolatkiem – zbiornik świeci pustkami.

Wysłuchałem historii Brada i powiedziałem mu, jak oceniam sytuację. Wyjaśniłem, że wszyscy posiadamy emocjonalny zbiornik miłości i gdy jest on pełny – kiedy naprawdę czujemy się kochani przez ludzi, którzy są dla nas ważni – świat wydaje się kolorowy i potrafimy rozmawiać w pozytywny sposób o tym, co nas różni. Kiedy jednak zbiornik miłości jest pusty i czujemy się odrzuceni, trudno nam mówić o różnicach w taki sposób, aby nie przerodziło się to w kłótnię. Dodałem, że także jego rodzice mają zbiorniki miłości, jak przypuszczam, prawie puste. Gdy był mały, prawdopodobnie przemawiał w ich języku miłości i oni czuli się przez niego kochani, lecz nie teraz.

– Kiedy zbiornik miłości rodziców jest pusty – kontynuowałem – często przejawiają oni niezdrowe wzorce zachowania wobec swych nastoletnich dzieci.

Zapewniłem Brada, że jestem przekonany, iż da się to zmienić i jego relacje z rodzicami znów się poprawią. Następne trzy lata jego życia mogą być najlepszym okresem w ich domu rodzinnym i kiedy przyjdzie czas wyjechać na studia, może będzie nawet tęsknił za rodzicami. Brad roześmiał się i powiedział: „Chciałbym, żeby tak było".

Obiecałem mu, że spróbuję pomóc jego rodzicom zrozumieć moją ocenę sytuacji, i poprosiłem go, aby wyrażał swoją miłość do nich pomimo negatywnych uczuć, jakie aktualnie wobec nich żywi. Wyjaśniłem, że jego rosnąca niezależność od rodziców rozwinie się najlepiej w atmosferze miłości, a nie wrogości. „Miłość jest wyborem – powiedziałem – i jeśli zdecydujesz się kochać swoich rodziców i wyrażać to w ich podstawowym języku miłości, możesz przyczynić się do rozwiązania problemu. Pamiętaj, miłość, a nie nienawiść, jest drogą do pokoju".

Brad przytaknął, uśmiechnął się i powiedział: „Dobra, stary!". (To była jedna z tych ważnych chwil, kiedy uświadamiam sobie, że nadal potrafię porozumieć się z nastolatkami).

– Chciałbym, abyśmy się spotkali za sześć tygodni, kiedy popracuję trochę z twoimi rodzicami. Zobaczymy wtedy, jak będzie wyglądać sytuacja – dodałem.

– Dobrze – odpowiedział Brad. Kiedy otworzył drzwi i wychodził z biura, nogawki jego spodni ciągnęły się po podłodze. W trakcie trzech spotkań, które odbyłem z rodzicami Brada, rozmawiałem z nimi o rzeczach, które omówię w dalszej części tego rozdziału. Miałem dla nich wiele zrozumienia, podobnie jak dla tysięcy innych rodziców, którzy zmagają się z identycznymi trudnościami. Rodzicom Brada – jak większości osób, które sięgnęły po tę książkę, ogromnie zależało na poprawie sytuacji. Czytali książki o wychowaniu dzieci, uczestniczyli w seminariach dla rodziców i dzielili się z innymi matkami i ojcami swymi doświadczeniami. Byli wręcz doskonałymi rodzicami przez pierwsze dwanaście lat życia Brada. Lecz kiedy ich syn stał się nastolatkiem, zaskoczyły ich zmiany, które w nim nastąpiły. Kiedy spokojne wody dzieciństwa zamieniły się w spieniony nurt dorastania, ich rodzicielskie czółno rozbiło się o podwodne skały i zaczęli walkę o przeżycie.

Traktowanie nastolatka jak nastolatka

Wielu rodziców jest przekonanych, że kiedy ich dzieci stają się nastolatkami, oni nadal mogą wychowywać je w sposób, który dawał dobre rezultaty, gdy dziecko było w wieku przedszkolnym i wczesnym szkolnym. To poważny błąd, ponieważ nastolatek nie jest już dzieckiem – wkroczył w etap przejściowy, wiodący do dorosłości. Najgłośniejszy refren w myślach nastolatków to: „Wyróżnij się z tła, bądź sobą! Bądź niezależny!". Musi on współbrzmieć ze wszystkimi zmianami, o których wspomnieliśmy w rozdziale pierwszym – psychologicznymi, emocjonalnymi, intelektualnymi, duchowymi i społecznymi. Kiedy rodzice nie słyszą refrenu, jaki rozbrzmiewa w umyśle młodego człowieka, tworzą grunt do licznych konfliktów z nastolatkiem.

Rodzice, którzy traktują nastolatka tak samo, jak traktowali, gdy był dzieckiem, nie mogą oczekiwać, że będzie to przynosiło podobne rezultaty. Kiedy nastolatek przestaje reagować tak, jak reagował dotychczas, rodzice są zmuszeni próbować czegoś innego. Nie mając doświadczenia w tej kwestii, prawie zawsze starają się wymóc coś na nastolatku, co prowadzi do kłótni, wybuchów gniewu, a czasami agresji werbalnej. Takie zachowanie emocjonalnie niszczy nastolatka, którego podstawowym językiem miłości jest *afirmacja*. Rodzice, którzy próbują słowami i kłótniami wymusić uległość nastolatka, w rzeczywistości popychają go do buntu. Nie wiedząc o tym, pozbawiają go emocjonalnego systemu wsparcia, zastępując go walką na słowa. Zastanówcie się, jak to może wyglądać ze strony nastoletniego syna lub córki – kiedy był dzieckiem, doświadczał ciepła i bezpieczeństwa, płynących z miłości rodziców, lecz gdy stał się nastolatkiem, w jego duszy raz za razem eksplodują granaty raniących słów, dziurawiąc ściany zbiornika miłości. Rodzice mogą mieć najlepsze intencje, lecz rezultaty ich działań są niszczące. Jeśli nie zmienią swego postępowania, niemal na pewno wychowają zbuntowanego nastolatka, który, gdy będzie już dorosły, może się od nich całkowicie odciąć.

Ale nie musi do tego dojść. Tysiące rodziców zrobiło to samo, co rodzice Brada – uświadomili sobie, że powinni zmienić swoje postępowanie wobec nastoletniego syna lub córki, i zrobili to. W przypadku rodziców Brada pierwszym krokiem było zastanowienie się nad tym, co się stało. Wyjaśniłem im, iż moim zdaniem, podstawowym językiem miłości ich syna jest *afirmacja* i że gdy był dzieckiem, napełniali jego zbiornik miłości, kierując do niego wiele pochwał. Jednak kiedy wkroczył w burzliwy okres nastoletni, afirmację zastąpiły słowa potępienia, a akceptacja ustąpiła miejsca słowom odrzucenia, w konsekwencji czego nie tylko opróżnili zbiornik miłości Brada, ale również napełnili go zgorzknieniem i urazami.

Wszystko stało się jasne. Ojciec Brada powiedział: „Teraz rozumiem, co się stało. To oczywiste. Ale jak można to zmienić?". Cieszę się, że zadał to pytanie, bo rodzice, którzy chcą się uczyć, naprawdę mogą coś osiągnąć.

Lekcja afirmacji słownej

Zasugerowałem, aby pierwszym krokiem było zawieszenie broni: powstrzymanie się od potępiających wypowiedzi. Po drugie, powinni zebrać się jako rodzina i otwarcie powiedzieć Bradowi, że chociaż robili to z właściwych pobudek, mając na uwadze jego dobro, szczerze żałują, że traktowali go w niewłaściwy sposób. Mogą również dodać, że muszą się jeszcze wiele nauczyć o wychowaniu nastolatka i są gotowi podjąć ten trud, ale najbardziej zależy im na tym, aby wiedział, że kochają go bez względu na to, co zrobił, i że zawsze będą go kochać.

– Zachęcam was, abyście powiedzieli Bradowi, że najbardziej zależy wam na tym, co jest dobre dla niego, i zamierzacie wyeliminować ze swojego słownika wszystkie krytyczne, potępiające, poniżające i szorstkie słowa. Bądźcie wobec niego szczerzy. Powiedzcie, że prawdopodobnie w ciągu najbliższych miesięcy wielokrotnie nie uda się wam dotrzymać tej obietnicy, ale kiedy się zapomnicie, przeprosicie za swoje zachowanie, bo nie chcecie go w taki sposób traktować. Możecie mu także powiedzieć: Nadal jesteśmy twoimi rodzicami i pragniemy pomóc ci przejść przez okres nastoletni. Chcemy, abyś mógł na nas liczyć, jeśli będziesz potrzebował rady, i zamierzamy nadal ustalać pewne reguły, które, naszym zdaniem, będą dla ciebie korzystne.

Powiedziałem im również, że nie powinni spierać się na temat zasad, które mają obowiązywać Brada: „Powiedzcie mu, że chcecie nauczyć się rozmawiać o tym otwarcie i jesteście gotowi negocjować. Możecie powiedzieć: Brad, chcemy traktować cię jak dojrzałego człowieka; twoje myśli i uczucia są dla nas ważne. Wiemy, że to wymaga czasu i wszyscy będziemy popełniać błędy, ale chcemy okazać się rodzicami, jakich jesteś wart".

Rodzice Brada zastosowali moje rady. Później powiedzieli mi, że konferencja rodzinna, którą zasugerowałem, była punktem zwrotnym w ich kontaktach z synem. Mieli przekonanie, że

Brad naprawdę przebaczył im popełnione przez nich błędy, choć nie był do końca pewny, że cokolwiek się zmieni. Rozumieli to i przyznali, że nie będzie im łatwo tego dokonać, ale chcą rozwijać swoje umiejętności wychowawcze.

Może pomyślicie: „Ale jeśli nie będziemy okazywać swojego niezadowolenia w przypadku złego zachowania nastolatka, jak możemy go wychować czy korygować?". Pewna matka powiedziała: „Doktorze Chapman, chyba nie sugeruje pan, że powinniśmy pozwolić nastolatkom robić wszystko, na co mają ochotę?". „Z pewnością nie – odpowiedziałem. – Nastolatki potrzebują wyznaczenia granic i kochający rodzice dopilnowują, aby te granice były przestrzegane". Ale istnieją lepsze sposoby, aby skłonić młodych ludzi do takiego zachowania, niż wykrzykiwanie pod ich adresem raniących, gorzkich i potępiających słów, kiedy źle się zachowają. Powrócimy do tego w rozdziale dwunastym, omawiając związek pomiędzy miłością i odpowiedzialnością. W tym rozdziale skupimy się na tym, jak sprawić, aby zbiornik miłości nastolatka był pełny. Szorstkie, potępiające i lekceważące słowa z pewnością temu nie sprzyjają. Negatywne i poniżające uwagi ranią każdego nastolatka, lecz szczególnie niszczące są dla młodego człowieka, którego podstawowym językiem miłości jest afirmacja.

Większość nastolatków zmaga się z określeniem własnej tożsamości. Nieustannie porównują się z rówieśnikami pod względem fizycznym, intelektualnym i społecznym. Wielu młodych ludzi dochodzi do wniosku, że odstają od innych. Brak im poczucia pewności, mają niską samoocenę i obwiniają się za wszelkie niepowodzenia. Jeśli w życiu człowieka jest czas, kiedy szczególnie potrzebuje afirmujących słów, z pewnością jest to okres nastoletni. Jednak właśnie w tym okresie życia wielu rodziców – próbując nakłonić nastoletniego syna lub córkę do tego, co sami uznają za najlepsze – kieruje pod ich adresem setki krytycznych uwag. Jak się to ma do potrzeby afirmacji ze strony rodziców? Nawet jeśli podstawowym językiem miłości

waszego dziecka nie jest afirmacja słowna, będzie ono wdzięcz-
ne za każde przychylne słowo. Starożytne hebrajskie przysłowie
mówi prawdę: „Życie i śmierć są w mocy języka"[1].

Jak okazywać nastolatkowi afirmację

Jak rozmawiać z nastolatkiem w sposób, który da mu chęć i siłę do życia? Pozwolę sobie zasugerować kilka sposobów okazywania afirmacji nastoletniemu synowi lub córce za pomocą
słów.

Pochwały

Po pierwsze, możecie wykorzystać słowa uznania. Pochwała
polega na zauważeniu osiągnięć nastolatka i wyrażeniu swojego podziwu. Każdy młody człowiek potrafi zrobić coś dobrze.
Zwracajcie uwagę na te dokonania i nagradzajcie je pochwała-
mi. Wypowiadając je pod adresem nastolatka, należy pamiętać
o dwóch ważnych zasadach. Pierwsza i najważniejsza to szcze-
rość. W przypadku nastolatków nie można niczego osiągnąć
pochlebstwami. Młodzi ludzie oczekują od dorosłych autentyczności. Mają dosyć słuchania polityków, którzy są gotowi
powiedzieć wszystko, aby przypodobać się wyborcom. Szukają ludzi, których charakteryzuje wewnętrzna spójność. Po-
chlebstwa mogły być skuteczne, gdy dziecko miało trzy lata, ale
w przypadku trzynastolatka są bezużyteczne. Powiedzenie na-
stolatce: „Bardzo ładnie posprzątałaś swój pokój", gdy jest tam
bałagan, będzie obrazą dla jej inteligencji. Wasza córka (lub syn)
dobrze wie, jak jest naprawdę. Nie próbujcie stosować wobec
nich żadnych sztuczek.

   W ten sposób dochodzimy do drugiej ważnej zasady do-
tyczącej wypowiadania pochwał: słowa powinny dotyczyć
konkretnych spraw. Ogólne pochwały typu: „Bardzo ładnie posprzątałaś swój pokój" rzadko są do końca prawdziwe.
O wiele częściej prawdziwe są konkretne stwierdzenia: „Bardzo

dobrze wywabiłaś plamę na dywanie. Nic nie widać", „Dziękuję, że włożyłeś brudne ręczniki do kosza na pranie; wyręczyłeś mnie", „Dziękuję, że umyłaś okno. Widać teraz niebo". Tego typu pochwały o wiele lepiej przemawiają do nastolatków. Nauczcie się zauważać konkretne rzeczy, które wykonał wasz syn lub córka.

Barry gra w szkolnej drużynie futbolu amerykańskiego. Jego ostatni mecz nie należał do najlepszych. Wszystko wychodziło mu źle, bez względu na to, czy uderzał piłkę, czy próbował łapać ją po uderzeniach graczy z przeciwnej drużyny. Jednak jedna akcja wyszła mu wręcz doskonale. W wyniku jego zagrania dwaj gracze z drużyny przeciwnej zostali wykluczeni z gry. To było jedyne dobre zagranie Barry'ego w meczu przegranym przez jego zespół. Barry wracał autobusem razem z całą drużyną. Jego ojciec i młodszy brat wrócili samochodem i kiedy kilka godzin później Barry wszedł do domu, młodszy brat czekał na niego przy drzwiach i powiedział: „Tata mówił, że to było najlepsze zagranie, jakie kiedykolwiek widział".

– O czym tym mówisz? – zapytał Barry.

– O podwójnym wykluczeniu, którego dokonałeś – odpowiedział młodszy brat.

Ojciec Barry'ego usłyszał rozmowę, wyłączył telewizor i wszedł do pokoju. „To prawda – powiedział. – Na zawsze zapamiętam to zagranie. Wiem, że przegraliście i miałeś zły dzień, ale mówię ci, to było najlepsze zagranie, jakie kiedykolwiek widziałem! Piłka była podkręcona, ale ty zagrałeś jak zawodowiec. To było niesamowite. Nigdy tego nie zapomnę".

Barry w odpowiedzi na to stwierdził, że musi się napić wody. Ojciec wrócił do telewizora, lecz w kuchni jego syn zaspokajał więcej niż tylko jedno pragnienie. Gdy myślał o słowach ojca, jego zbiornik miłości napełniał się coraz bardziej. Jego tata opanował sztukę zwracania uwagi na konkretne rzeczy i kierowania słów uznania do nastolatków.

To wymaga wysiłku, szczególnie od rodziców, którzy bardziej są skłonni zauważać słabości i porażki. Jednak każdy rodzic może się nauczyć rejestrować konkretne czynności godne pochwały i wykorzystywać je do okazania afirmacji.

Istnieje jeszcze trzecia zasada udzielania pochwał: jeśli nie można pochwalić wyników, chwalcie wysiłek. Na przykład, wasz trzynastoletni syn skosił trawnik przed domem, jednak nie zrobił tego tak dobrze jak jego ojciec, który ma o wiele większe doświadczenie w obsługiwaniu kosiarki. Mimo to większa część trawy została skoszona, a chłopak poświęcił na to dwie godziny. Dobrze, jeśli zdołacie powstrzymać się przed wytknięciem mu wszystkich miejsc, które pominął – możecie mu je pokazać za tydzień, zanim znowu zacznie kosić trawnik. Teraz jest czas, aby powiedzieć: „Widzę, że coraz lepiej radzisz sobie z koszeniem. Doceniam twoje starania. To dla mnie duża pomoc i bardzo ją sobie cenię”. Bardzo prawdopodobne, że wtedy syn uzna, iż koszenie trawy jest warte wysiłku. Jego zbiornik miłości napełnia się, kiedy ma poczucie, że jest kimś ważnym dla swojego ojca, a jego praca została zauważona.

Ktoś może zapytać: „Ale jeśli nie wskażę mu miejsc, które pominął, czy nie będzie to zachętą do byle jakiego wypełniania obowiązków?”. Odpowiem tylko, że na wszystko jest odpowiedni czas. Nikt nie będzie zadowolony, gdy po dwóch godzinach pracy usłyszy, że nie wykonał jej należycie. Postępując w ten sposób, prawie na pewno sprawimy, że będzie podchodził do koszenia z niechęcią. Kiedy wysiłek nastolatka zostanie nagrodzony pochwałą, poczuje się doceniony i nabierze chęci skoszenia trawnika następnym razem. Gdy za tydzień znowu rozpocznie pracę, będzie nawet otwarty na uwagi, jak zrobić to lepiej.

(Dodam tylko, że ta zasada sprawdza się także w relacji małżeńskiej. Starajcie się nagradzać siebie nawzajem za podejmowane wysiłki, zamiast wskazywać niedociągnięcia w wykonanych czynnościach. Spróbujcie! Gwarantuję, to naprawdę działa! Mąż, na przykład, przez trzy godziny myje samochód. Jego żona podchodzi i wskazuje miejsce, które pominął. Przypuszczam, że będzie musiała długo poczekać, zanim znowu wsiądzie do czystego auta. Albo taka sytuacja: żona przygotowała posiłek, mąż siada przy stole, zaczyna jeść i mówi: „Czy nie można było tego trochę przyprawić?". Dobrze, jeśli stać go na jedzenie w restauracjach, gdyż pewnie będzie musiał z nich korzystać przez następne tygodnie. Nagradzajcie się za włożony wysiłek, a nie tylko za doskonałe rezultaty).

Nastolatki potrzebują słyszeć pochwały z ust rodziców. W ich postępowaniu zawsze można znaleźć coś, co zasługuje na uznanie. Niektórzy rodzice tak bardzo skupiają się na sytuacjach, w których nastoletnie dziecko nie sprostało ich oczekiwaniom, że nie potrafią zauważyć, gdy zrobi coś dobrze. To bardzo niepełny, negatywny i szkodliwy punkt widzenia. Koncentracja na tym, co negatywne, stała się przyczyną dramatów wielu rodziców i sprawiła, że wielu nastolatków żyje z pustymi zbiornikami miłości. Bez względu na to, co się dzieje w życiu nastoletniego syna lub córki, i jak wiele bólu, rozczarowania i gniewu to w was wzbudza, nadal szukajcie rzeczy, za które można go lub ją pochwalić i okazać afirmację słowną.

Słowa miłości

Innym ważnym sposobem wyrażania afirmacji słownej nastolatkom jest werbalizacja uczuć. Podczas gdy pochwały dotyczą pozytywnego zachowania nastolatka, słowa miłości skupiają się na jego jego osobie. Jest to werbalne wyrażanie pozytywnego stosunku do nastolatka jako człowieka. Najbardziej przydatne są tu proste słowa: „Kocham cię". Te dwa wyrazy zawsze mają wielką wartość, choć jest możliwe, że przez pewien czas nastolatki mogą nie życzyć sobie, aby wypowiadać je w obecności ich rówieśników. Jeśli nastolatek poprosi was o to, uszanujcie jego życzenie. Natomiast w bezpośrednich kontaktach słowa te są właściwe na każdym etapie rozwoju młodego człowieka.

W rzeczywistości nastolatki, które nie słyszą od rodziców słów „kocham cię", często w życiu dorosłym doświadczają głębokiego bólu emocjonalnego. W ciągu ostatnich kilku lat miałem przywilej przemawiać na kilku konferencjach dla sportowców i ich współmałżonków. Jednym z moich najsmutniejszych doświadczeń był widok łez w oczach zawodowego sportowca – typowego macho – i jego słowa: „Doktorze Chapman, mój ojciec nigdy nie powiedział mi, że mnie kocha". Chciałem wziąć go w ramiona i powiedzieć: „Pozwól, że zastąpię ci ojca. Kocham cię". Mogę wypowiedzieć te słowa, mogę go przytulić (choć w przypadku zawodników futbolu byłoby to technicznie trudne), lecz moje zapewnienie nigdy nie zastąpi słów, które ten mężczyzna powinien usłyszeć od własnego ojca. W duszach ludzi, którzy nigdy nie usłyszeli od swych rodziców słów „kocham cię", kryje się bolesna pustka.

Matki z reguły często mówią swoim nastoletnim synom i córkom, że ich kochają. Ojcowie są z reguły bardziej powściągliwi. Czasami sami nie słyszeli tych słów od własnych ojców, więc jest im trudno okazać coś, czego osobiście nie doświadczyli. Nie przychodzi im to w sposób naturalny. Jeśli jesteś jednym z takich ojców, chciałbym zachęcić cię, abyś przerwał tę złą tradycję i podszedł do swego nastoletniego syna lub córki, położył ręce na ich ramionach i powiedział: „To, co zaraz ci powiem, jest dla mnie bardzo ważne. Chcę, abyś mnie uważnie wysłuchał(a)". A potem spójrz mu prosto w oczy i powiedz: „Bardzo cię kocham", i przytul mocno swoje dziecko. Bez względu na to, jakie to będzie miało znaczenie dla ciebie, mogę cię zapewnić, że słowa te na zawsze pozostaną w sercu twojego nastoletniego syna lub córki. Kiedy zapora zostanie przełamana, wody miłości będą mogły popłynąć swobodnie. Powtarzaj te słowa jak najczęściej. Twój nastolatek nigdy nie będzie miał ich dość, a twój zbiornik miłości również zacznie się napełniać, gdy usłyszysz te same słowa z ust syna lub córki.

Oczywiście, istnieją także inne sposoby werbalnego okazania uczuć. Vicki Lansky, autorka książki *101 Ways To Tell Your Child I Love You* (101 sposobów powiedzenia dziecku: Kocham cię), opowiada, jak chciała pocieszyć swoją trzynastoletnią córkę Danę. Vicki Lansky powiedziała: „Było mi dzisiaj z tobą bardzo przyjemnie". Dlaczego nie powiedziała po prostu: „kocham cię"? Jak sama tłumaczy, „mówienie o tym, że jej obecność była dla mnie *przyjemna*, zamiast o tym, że ją *kocham*, wiele zmieniło w jej nastawieniu. Potem jej córka kilka razy pytała: „Czy dzisiaj także było ci ze mną przyjemnie, mamo?"[2]. Znajdźcie własne synonimy słów „kocham cię" i wypróbujcie je w rozmowie ze swym nastoletnim dzieckiem. Oto kilka przykładów, które możecie zastosować:

– Cieszymy się, że jesteś naszym dzieckiem.

– Uwielbiamy cię.

– Rozpiera nas duma, kiedy myślimy o tobie.

– Jesteś naszą radością.

– Gdybyśmy mogli wybrać sobie dowolnego nastolatka na całym świecie, wybralibyśmy właśnie ciebie.

– Jesteś wspaniałym młodym człowiekiem.

– Codziennie rano budzimy się i mówimy sobie, jak dobrze być twoimi rodzicami.

– Wczoraj siedzieliśmy przy stole i pomyśleliśmy, że bardzo za tobą tęsknimy.

– To wspaniałe, gdy jesteś w domu.

Jeśli lubicie poezję, możecie nawet powiedzieć z pełną szczerością: „Jesteś źródłem radości, która jak strumień przepływa przez nasze życie", i zapewniam was, że wasza córka będzie się delektować tymi słowami.

Pomyślcie o kilku własnych zdaniach, zanotujcie je i od czasu do czasu włączajcie do rozmów z synem lub córką. Jeśli wasze dziecko przywykło już do słów „kocham cię", wtedy jedno z tych zanotowanych zdań może się okazać bardziej skuteczne w napełnianiu jego zbiornika miłości.

Okazywanie afirmacji słownej może dotyczyć także wyglądu i osobowości nastolatka. Powiedzenie: „Twoje włosy wyglądają dzisiaj pięknie" może być niezwykle ważne dla szesnastolatki, która właśnie zastanawia się, jak wygląda. Słowa: „Masz piękne oczy" mogą przywrócić nadzieję siedemnastolatce, która właśnie została porzucona przez sympatię. Słowa: „Jesteś bardzo silny" mogą zmienić nastrój piętnastolatka, który zamartwia się młodzieńczym trądzikiem. Zwracajcie uwagę na te aspekty wyglądu syna lub córki, które mogą się stać źródłem waszej afirmacji. To bardzo ważny sposób werbalnego wyrażania uczuć.

Słowa afirmacji mogą także dotyczyć osobowości nastolatka: „Jesteśmy dumni, że łatwo nawiązujesz kontakty z ludźmi. Wiemy, że uważasz się za nieśmiałą osobę, ale kiedy zaczynasz z kimś rozmawiać, zupełnie się zmieniasz. Tak jakby coś w tobie pękało i zaczynasz mówić płynnie i interesująco".

Oto inne stwierdzenia dotyczące osobowości, które pomogą okazywać nastolatkowi miłość:

– Jesteś bardzo rozsądny. Podoba mi się, że zastanawiasz się, zanim coś powiesz.

– Twoje optymistyczne nastawienie sprawia, że wszyscy czują się szczęśliwi.

– Jesteś raczej małomówną osobą, ale kiedy już coś powiesz, jest to naprawdę wartościowe.

– Podziwiam w tobie to, że zawsze dotrzymujesz obietnic. Jeśli dasz słowo, można na tobie polegać.

– Tak się cieszę, że mogę ci zaufać. Inne matki mówią, że nie mogą ufać swoim córkom, ale ja ufam ci całkowicie.

– Podoba mi się, jak dodajesz otuchy ludziom. Obserwowałem wczoraj, jak po meczu rozmawiałeś z Timem. Masz dar zachęcania.

Takie afirmujące stwierdzenia mocno przemawiają do nastolatków. Sprawiają, że syn lub córka czują się docenieni, podziwiani i kochani.

Niektórym rodzicom werbalizacja uczuć może sprawiać trudność. Zachęcam takie osoby, aby założyły notatnik. Zapiszcie w nim przykłady, które podałem, i odczytajcie je kilka razy na głos, gdy będziecie sami. Dopiszcie własne przykłady słów miłości i wypowiadajcie je co pewien czas wobec nastoletniego syna lub córki.

Wypowiadanie słów afirmacji w obecności rodziny

Starajcie się okazywać afirmację waszemu nastoletniemu dziecku wobec całej rodziny. Chwalcie go przed młodszym i starszym rodzeństwem. Afirmujące słowa często przemawiają silniej, gdy słyszą je także inni (jednak nie wtedy, gdy są obecni jego lub jej przyjaciele). Na przykład, w czasie rodzinnego posiłku ojciec powiedział: „Powiedziałem to już Johny'emu osobiście, ale chcę, żebyście wszyscy to usłyszeli. Jestem dumny z tego, jak zachował się wczoraj wieczorem. Miał prawo sprzeciwić się decyzji sędziego, ale jego reakcja była bardzo sportowa, i jestem z niego dumny". Mała Ellie dodała: „Tak, brawa dla Johny'ego" i wszyscy zaklaskali. W ten sposób Johny'emu okazano afirmację, a cała rodzina przypomniała sobie, jak ważne w życiu jest opanowanie.

Innym razem ojciec powiedział o swojej córce: „Czy wiecie, co Mary zrobiła dzisiaj wieczorem? Sama zapewniła swojej drużynie zwycięstwo. To było coś!". Mary była z pewnością zadowolona z wyniku meczu, a teraz jeszcze raz doświadczyła satysfakcji i poczuła się dodatkowo doceniona, gdyż okazano jej afirmację w obecności całej rodziny. Może to w większym stopniu zaspokoić jej emocjonalną potrzebę miłości, niż gdyby ojciec pochwalił ją zaraz po zakończeniu meczu.

Afirmacja jest jednym z pięciu podstawowych języków miłości. Wszystkie nastolatki potrzebują afirmacji. Pośród poczucia niepewności i zmian towarzyszących okresowi dojrzewania, słowa uznania są niczym krople deszczu dla spragnionej duszy nastolatka. A dla młodych ludzi, których podstawowym językiem miłości jest afirmacja, nie ma nic ważniejszego niż słowa zachęty wypowiadane przez rodziców.

Co na to nastolatki

Posłuchajcie wypowiedzi nastolatków, które czują się kochane, gdy ich rodzice okazują im afirmację.

Matt, siedemnaście lat, uczeń ostatniej klasy liceum i członek drużyny zapaśniczej. „Kiedy wygrywam, najważniejsze są dla mnie słowa taty: »Wspaniały występ, synu«. A kiedy przegrywam, najbardziej pomaga mi, gdy powie: »Stoczyłeś z nim trudną walkę i na pewno długo ją zapamięta. Następnym razem ty będziesz górą«".

Bethany, trzynaście lat. „Wiem, że mama mnie kocha. Ciągle mi to powtarza. Myślę, że tata też mnie kocha, ale on mi tego nie mówi".

Ryan, piętnaście lat, mieszka w domu dziecka. „Nie mam taty, znam tylko mężczyzn z ośrodka. Ale wiem, że mama mnie kocha. Mówi mi, że jest ze mnie dumna, i zachęca, abym dążył do czegoś w życiu".

Yolanda, osiemnaście lat. „Za kilka miesięcy wyjeżdżam na studia i myślę, że jestem najszczęśliwszą dziewczyną na świecie. Moi rodzice naprawdę mnie kochają. Nawet w najtrudniejszych momentach zawsze mnie wspierali. Tata powtarza mi: »Jesteś najlepsza«, a mama: »Możesz osiągnąć wszystko, czego tylko zapragniesz«. Mam nadzieję, że będę potrafiła pomóc innym ludziom, tak jak rodzice mi".

Judith, czternaście lat, druga klasa gimnazjum. „Mama zostawiła nas, kiedy miałam cztery lata, więc nie pamiętam jej, ale potem tata ożenił się z drugą kobietą. To ją uważam za swoją mamę. Czasami gdy myślę, że do niczego się nie nadaję, ona mnie pociesza i przypomina o wielu dobrych rzeczach dotyczących mnie, o których prawie zapomniałam. Bez niej na pewno bym sobie nie poradziła".

Do tych i tysięcy innych nastolatków najlepiej przemawiają *słowa afirmacji*. Jeśli rodzice regularnie kierują do nich wyrazy uznania, zbiornik miłości ich dzieci będzie pełny.

Przypisy

1. Księga Przysłów 18,21.
2. Anne Cassidy, „Fifteen Ways to Say 'I Love You'", *Women's Day*, 18 lutego 1997, s. 24.

Rozdział czwarty

Drugi język miłości: dotyk

Nie ma wątpliwości, że dotykanie osób, które kochamy, jest niezwykle silnym sposobem komunikowania naszych uczuć. Dlatego zachęca się rodziców do brania swoich niemowląt na ręce i przytulania, całowania i głaskania. Przytulenie trzylatka i pozwolenie, aby siedział na kolanach, podczas gdy rodzice czytają mu książeczkę, jest wspaniałym sposobem napełnienia jego zbiornika miłości. Dotyk jest ważny także dla osób na drugim krańcu życia. Każdy, kto odwiedził dom opieki dla osób starszych, nie zapomni widoku pensjonariuszy złaknionych życzliwego dotyku. Nie zapominajmy również o zakochanych i małżeństwach, którzy komunikują miłość poprzez dotyk i pocałunki.

Lecz jak to wygląda w przypadku nastolatków? Czy oni są inni? Czy dotyk jest równie silnym komunikatem emocjonalnym dla dorastającego człowieka? Odpowiedź brzmi: tak i nie.

Wszystko zależy od tego, kiedy, gdzie i jak jest dotykany nastoletni syn lub córka.

Na przykład przytulenie nastolatka w obecności jego rówieśników prawdopodobnie sprawi, że będzie to dla niego bardziej powód do zakłopotania niż komunikat miłości i może wręcz sprowokować chęć zrobienia uniku lub odepchnięcia rodzica. Natomiast rozmasowanie karku nastoletniego syna lub córki może silnie komunikować miłość i uczucie. Próby dotknięcia nastolatka, gdy jest w aspołecznym nastroju, niemal zawsze spotkają się z niechęcią z jego strony. Lecz objęcie go po dniu pełnym rozczarowań będzie przyjęte jako przejaw szczerej miłości rodzicielskiej.

Nastolatki różnią się od siebie. Nie można okazywać im uczucia poprzez dotyk w taki sam sposób, jak wówczas kiedy byli dziećmi. Rodzice powinni pamiętać, że mottem życia każdego nastolatka jej poszukiwanie niezależności i tożsamości. Dlatego lepiej zadać sobie pytanie: „Czy sposób, w jaki dotykam moje nastoletnie dziecko, zagraża jego poczuciu niezależności? Czy sprzyja budowaniu pozytywnej tożsamości?".

Pamiętajcie, że nastoletni syn lub wasza córka potrzebują odczuwać miłość ojca i matki. *Dotyk* jest jednym z podstawowych języków miłości, lecz należy posługiwać się nim we właściwym czasie, miejscu i w odpowiedni sposób. Jeśli w dzieciństwie podstawowym językiem miłości waszego dziecka był właśnie *dotyk*, nie zmieniło się to, gdy wkroczył w wiek nastoletni. Jednak jeśli chcecie, aby nadal czuł się kochany, musi zmienić się dialekt, którym się posługujecie. Rozważmy teraz każdą z tych kwestii.

Dotyk i właściwy czas

Starożytna księga mądrości hebrajskiej głosi: „Wszystko ma swój czas i jest wyznaczona godzina na wszystkie sprawy pod niebem"[1]. Trenerzy często przypominają zawodnikom: „Najważniejsze jest wyczucie czasu". Także rodzice nastolatków muszą nauczyć się sztuki wyboru odpowiedniego czasu. Nawet dobre działania, lecz podjęte w niewłaściwym czasie, mogą przynieść fatalny skutek. To trudne zadanie z dwóch powodów. Po pierwsze to, czy czas jest odpowiedni, zależy zazwyczaj od nastroju nastolatka. Po drugie, nastrój nastolatka często trudno rozpoznać. Czasami dopiero po tym, gdy rodzic czule obejmie swego nastoletniego syna lub córkę, okazuje się, że nastolatek jest akurat „nietykalny". Lecz trudne nie znaczy niemożliwe. Mądrzy rodzice obserwują swoje nastolatki. Uczą się rozpoznawać ich nastrój na podstawie zachowania. Pewna matka powiedziała: „Potrafię odgadnąć, czy mój syn chce, aby go przytulić, po tym, jak zamyka drzwi po powrocie do domu. Jeśli zatrzaskuje je za sobą, to komunikuje: Nie dotykaj mnie. Jeśli zamyka drzwi cicho i delikatnie, mówi mi w ten sposób: Czekam na twoje przytulenie, mamo". Inna matka stwierdziła: „Widzę, czy moja córka chce, aby ją dotykać, po odległości, w jakiej stoi ode mnie podczas rozmowy. Jeśli mówi do mnie, stojąc w drugim końcu pokoju, wiem, że nie chce, aby jej dotykać. Ale gdy podchodzi i staje blisko, jest gotowa na czułe objęcie".

Nastolatki okazują swój nastrój za pomocą języka ciała – dystans, jaki utrzymują podczas rozmowy, lub założenie rąk. Uważni rodzice obserwują język ciała syna lub córki i uczą się, jakie chwile są dobre, aby okazywać nastolatkowi uczucie poprzez dotyk. Nie trzeba rozumieć, dlaczego w danym momencie jest w nastroju „nie dotykaj mnie". Ważne natomiast, aby ten nastrój rozpoznać i uszanować.

Niemal zawsze niewłaściwe jest dotykanie nastolatka, gdy jest on rozgniewany. Na przykład, gdy nastoletnia córka złości się na was czy inne osoby, nie będzie chciała, aby ją przytulać. Jest w takim nastroju, ponieważ w jej mniemaniu ktoś ją skrzywdził. Gniew jest emocją, która odpycha ludzi od siebie. Jeśli będziecie próbowali objąć nastolatka, który jest rozgniewany, prawie zawsze spotkacie się z odrzuceniem. W takiej sytuacji młody człowiek interpretuje dotyk jako próbę kontrolowania, co jest atakiem na jego potrzebę niezależności, i dlatego stara się dotyku uniknąć. W dalszej części książki powiemy, jak radzić sobie z gniewem nastolatków. W tym miejscu pragnę jedynie podkreślić, że gdy nastolatek jest rozgniewany, z reguły nie należy przemawiać do niego poprzez dotyk jako sposób wyrażania miłości.

Z drugiej strony, istnieje wiele chwil, kiedy dotknięcie nastolatka jest właściwe. Jedną z nich jest odniesienie przez syna lub córkę sukcesu. Może to być zwycięstwo w zawodach sportowych, udany recital, dobrze wykonany taniec, ukończenie ważnego referatu, zdanie egzaminu z algebry, zdobycie prawa jazdy itp. W takich chwilach nastolatki są najczęściej otwarte na czuły dotyk ze strony rodziców. Dokonanie jakiegoś wyczynu pozwoliło im uczynić ważny krok na drodze do niezależności i określenia własnej tożsamości. Radość rodziców z ich sukcesu – wyrażana poprzez afirmację słowną i dotyk – zostanie zinterpretowana jako dodatkowy dowód, że stają się dojrzałymi osobami.

Właściwym czasem okazania miłości poprzez dotyk są również chwile porażki w życiu nastolatka. Syn może być przygnębiony, ponieważ oblał egzamin z trygonometrii, został porzucony przez dziewczynę lub otarł błotnik. Córka może zadręczać się myślą, że jej koleżanki mają sympatie, a na nią nikt nie zwraca uwagi, albo jeszcze gorzej – chłopak zerwał z nią i zaczął chodzić z jej przyjaciółką. W takich chwilach nastolatki są otwarte na okazywanie miłości poprzez dotyk.

Na co dzień, jeśli nastolatek jest w dobrym nastroju, z reguły akceptuje okazywanie miłości w ten sposób. Jeśli jest w złym, dotyk będzie jedynie potęgował jego irytację. Mądrzy rodzice szanują nastrój nastoletniego syna lub córki i starają się okazywać im uczucie poprzez dotyk tylko w odpowiednim momencie. Czasami uczymy się na własnych błędach, lecz nawet wtedy są to informacje, które można wykorzystać w przyszłości.

Oto doświadczenia pewnej matki: „Kiedy Julie skończyła trzynaście lat, zastanawiałam się, czy zaczęła brać narkotyki. Jej zachowanie zmieniło się radykalnie. Dotychczas była dziewczynką, która uwielbiała się przytulać. Obejmowałam ją i całowałam, kiedy to tylko było możliwe. Często masowałam jej plecy. Kiedy jednak skończyła trzynaście lat, zaczęła się ode mnie odsuwać i unikać jakiegokolwiek kontaktu fizycznego. Myślałam, że między nami wydarzyło się coś strasznego, ale nie wiedziałam co. Dopiero później zrozumiałam, że jest normalną nastolatką. Teraz wiem, kiedy Julie ma ochotę się przytulić, a kiedy absolutnie nie.

Jeżeli niewłaściwie odczytam jej zachowanie, wyrywa się z moich objęć. Jednak najczęściej udaje się nam nawiązać kontakt, bo robię to we właściwych momentach. Julie ma teraz piętnaście i pół roku i uważam, że łączy nas bardzo bliska więź. Myślę, że jej podstawowym językiem miłości jest dotyk. Wiem, że go potrzebuje. Chcę jednak okazywać wrażliwość i robić to w odpowiednim czasie".

Dotyk: właściwe okoliczności

Podobnie jak istnieje właściwy i niewłaściwy czas na dotykanie, są też właściwe i niewłaściwe miejsca. Chodzi mi o miejsca w przestrzeni, a nie na ciele (co byłoby związane z seksualnością, o której powiemy później). Dziesięcioletni chłopiec aprobował objęcia mamy po meczu. Podbiegał do rodziców i czekał na ich pochwały i uściski. Lecz w wieku szesnastu lat zapewne nie będzie szukał rodziców po meczu drużyny szkolnej, by wzięli go w ramiona i pochwalili za dobrą grę. Woli świętować swoją niezależność i rozpoznawaną tożsamość w towarzystwie kolegów z drużyny. Oni mogą klepnąć go w plecy, postukać po głowie, „dać piątkę", lecz gdy zobaczy zbliżających się rodziców, jego pierwszą myślą będzie: »Proszę, nawet o tym nie myślcie«. W większości przypadków nastolatki nie chcą, aby w miejscach publicznych rodzice okazywali im swe uczucia poprzez dotyk.

Dzieje się tak zwłaszcza w obecności rówieśników. Tożsamość nastolatka ma ścisły związek z grupą rówieśniczą. Kiedy mama lub tata wkraczają w ten świat i wyrażają uczucie poprzez dotyk, zagraża to tożsamości i poczuciu niezależności nastolatka. Pewien młody człowiek powiedział: „Gdy coś takiego robią, wydaje mi się, że według nich nadal jestem dzieckiem". Dobrą zasadą jest nigdy nie dotykać nastolatka w obecności jego znajomych, o ile on sam nie da sygnału do takiego kontaktu.

Czasami młodzi ludzie są otwarci na wyrażanie miłości poprzez dotyk w obecności członków dalszej rodziny, np. dziadków. Jeśli mówicie dziadkom o osiągnięciach nastoletniego syna lub córki, prawdopodobnie nie zaprotestuje przeciw poklepaniu po plecach. Nie zakładajcie jednak, że na pewno tak będzie. Obserwujcie reakcje nastolatka i nie próbujcie go dotykać, jeśli jego zachowanie mówi: zachowaj dystans.

Jakie zatem okoliczności i miejsca są właściwe do okazywania nastolatkom uczuć dotykiem? Najbardziej naturalnym miejscem jest dom lub gdy wokół nie ma nikogo oprócz was. Dotyk, okazywany w atmosferze prywatności lub obecności jedynie najbliższych członków rodziny, może być bardzo efektywnym sposobem komunikowania miłości. Pamiętajcie, że dla niektórych nastolatków dotyk jest podstawowym językiem miłości. Dla nich jest niezwykle ważne, aby rodzice nauczyli się, w jakim czasie i okolicznościach okazywanie miłości w taki sposób będzie na miejscu.

Czternastoletni Tom powiedział: „Lubię wyjeżdżać z tatą na biwak. Wtedy czuję, że jesteśmy sobie naprawdę bliscy". Kiedy zapytałem, co najbardziej lubi w tych wyjazdach, odpowiedział: „Chwile gdy wieczorami przy ognisku siłujemy się na rękę. A szczególnie wtedy, kiedy udaje mi się zwyciężyć". Tom czuje się kochany, kiedy rodzice okazują mu miłość poprzez dotyk. Dzięki temu wzrasta jego poczucie niezależności i ugruntowuje się jego własna tożsamość, szczególnie kiedy wygrywa.

Piętnastoletnia Susan powiedziała: „Mama i ja jesteśmy bardzo sobie bliskie. Wydaje mi się, że nie byłaby sobą, gdyby mnie tak często nie przytulała. W tym roku miałam trochę problemów w szkole, ale wiedziałam, że po powrocie do domu mama mnie przytuli". Mama Susan poznała jej język miłości i posługiwała się nim w domu, gdy były same. Gdy przemawiacie tym właśnie językiem miłości, pamiętajcie, aby robić to we właściwym miejscu i czasie. W innym wypadku wcale nie zostanie to zinterpretowane jako przejaw miłości.

Dotyk: właściwy sposób

Bądźcie elastyczni

Mówimy nie tylko o tym, jakie rodzaje dotyku są właściwe wobec nastolatków, ale także, w jaki sposób należy to robić. Istnieje wiele sposobów okazywania uczucia poprzez dotyk. Objęcie, pocałunki, masowanie karku, poklepywanie, uściski, masaż i siłowanie się na rękę to tylko niektóre z dobrych sposobów okazywania nastolatkowi miłości poprzez dotyk. Jednak nie jest to takie łatwe, jak może się wydawać. Młodzi ludzie różnią się od siebie. Nie wszyscy lubią taki sam rodzaj dotyku. Niektórzy lubią masaż karku, ale inni nie. Niektórzy lubią, gdy ktoś bawi się ich włosami, lecz inni się wówczas odsuwają. Wasz nastoletni syn lub córka są niepowtarzalni i musicie poznać nie tylko ich podstawy język miłości, ale także dialekt, który najsilniej do nich przemawia.

Jeśli wasza córka nie lubi masażu karku, błędem byłoby robić jej go dlatego, że wam odpowiada taki rodzaj dotyku. Nie można narzucać nastolatkowi swojego języka miłości, należy raczej poznać jego własny. Sytuacja staje się jeszcze bardziej skomplikowana, jeśli pamiętamy, że dotyk, który sprawiał naszemu dziecku przyjemność, kiedy było małe, może być niepożądany, gdy jest nastolatkiem. Często rodzice są tym zniechęceni. Myślą, że odkryli podstawowy język miłości swojego dziecka i nauczyli się nim posługiwać. Lecz teraz nastolatek unika tych form dotyku, które kiedyś sprawiały mu przyjemność. Głównym powodem jest dążenie do niezależności i własnej tożsamości. Jeśli dotykacie nastolatka w ten sam sposób jak wtedy, gdy był dzieckiem, może to budzić w nim przekonanie o zależności i braku bezpieczeństwa – przeciwieństwach tego, czego pragnie. Dlatego nastolatek nie życzy sobie takich „dziecinnych" sposobów wyrażania miłości.

Jakiś czas temu podzieliłem się tymi spostrzeżeniami podczas konferencji dla rodziców. Mogłem niemal zobaczyć, jak w głowie pewnego ojca zapaliło się światełko. W czasie przerwy podszedł do mnie i powiedział: „Teraz rozumiem. Mój syn ma piętnaście lat. Kiedy był mały, często masowałem mu kark. Uwielbiał to. Ale od dwóch lub trzech lat nie pozwala mi tego robić. Wydawało mi się, że między nami wyrasta jakiś mur. Nie mogłem pojąć dlaczego. Teraz rozumiem, że masaż karku kojarzy mu się z dzieciństwem. Staje się coraz bardziej niezależny i nie chce wracać do tamtego okresu. Teraz wszystko się układa w sensowną całość".

Zasugerowałem temu ojcu, aby znalazł nowe sposoby wyrażania synowi uczucia poprzez dotyk – jeden z języków miłości. „Klepnij go w plecy lub po ramieniu albo popchnij lekko, gdy przechodzi obok. Wdaj się z nim w zapasy na podłodze. Zobaczysz, jak jego zbiornik miłości zacznie się napełniać, bo traktujesz go jak mężczyznę, którym się staje, a nie jak dziecko, którym był wcześniej. W ten sposób wzmocnisz jego poczucie niezależności, zamiast je podważać". Ten ojciec otrzymał ważną lekcję okazywania miłości nastolatkom.

Jeśli wasza nastoletnia córka mówi, że nie chce, abyście ją dotykali w jakiś sposób, powstrzymajcie się od tego i poszukajcie innej formy. Nie narzucajcie jej określonego rodzaju dotyku tylko dlatego, że według was powinna go lubić. Istotą koncepcji pięciu języków miłości jest gotowość do przemawiania językiem drugiej osoby, a nie swoim własnym. Najważniejsze pytanie brzmi: „Co sprawia, że mój nastoletni syn lub córka czują się kochani?". Jeśli ich podstawowym językiem miłości jest dotyk, musicie odkryć, jakie rodzaje dotyku komunikują im miłość. Okazywanie miłości nastolatkowi jest dodatkowo utrudnione przez osobiste upodobania rodziców. Niektórzy z nich nigdy nie klepnęli mocniej swego nastolatka i nie mogą sobie wyobrazić, że coś takiego mogłoby być przejawem miłości. Inni nigdy nie dali swemu nastoletniemu synowi kuksańca. Nie twierdzę, że wszyscy młodzi ludzie lubią takiego rodzaju dotyk. Sugeruję jedynie, że powinniście dowiedzieć się, jaki rodzaj dotyku sprawia przyjemność waszemu nastolatkowi i od tego czasu stosować go regularnie.

Bardzo ważny jest także klimat emocjonalny, w którym stosujecie język dotyku. Jeśli popchniecie nastolatka w gniewie, nie będzie to przejawem miłości. Jeśli klepniecie go w ramię, bo jesteście zdenerwowani jego zachowaniem, nie poczuje się kochany. Matka, która nie chce przytulić córki, ponieważ nie akceptuje jej znajomych, ryzykuje, że utraci z nią kontakt. Jako rodzice jesteśmy odpowiedzialni za własną postawę. Jeśli okazujemy miłość swym nastoletnim dzieciom tylko wtedy, kiedy spełniają nasze oczekiwania, zeszliśmy z drogi bezwarunkowej miłości i wkroczyliśmy na bezdroża manipulacji.

Łagodny dotyk drogą do dyscypliny
Dobrą nowiną w kwestii stosowania dotyku jako języka miłości jest fakt, że można się nim posługiwać także wtedy, kiedy nastolatek nie zachowuje się właściwie. Można nawet wyrazić swoje niezadowolenie i jednocześnie okazać miłość poprzez dotyk. Matka położyła rękę na ramieniu swej nastoletniej córki i powiedziała: „Nie podoba mi się, że wczoraj wróciłaś do domu późno. Rozumiem, że dobrze bawiłaś się z przyjaciółmi

i nie zwracałaś uwagi, która godzina. Czy rozumiesz jednak, że bardzo się martwiłam? Umawiałyśmy się, że jeśli nie możesz wrócić do domu na czas, zadzwonisz i powiesz o tym, abym się nie martwiła".

Potem odwróciła się i stanęła naprzeciw córki. Położyła dłonie na jej ramionach i powiedziała: „Bardzo cię kocham. Nie chcę pozbawiać cię radości z życia. Chcę tylko mieć pewność, że jesteś bezpieczna". Ta kobieta okazała swej córce miłość w bardzo efektywny sposób, a jednocześnie powiedziała jej o własnych obawach.

Okazywanie miłości poprzez dotyk we właściwym czasie, we właściwym miejscu i we właściwy sposób bardzo silnie przemawia do nastolatka. Dotyk komunikuje: „Uważam cię za ważną osobę. Jestem z tobą. Troszczę się o ciebie. Kocham cię". Każdy nastolatek potrzebuje i chce, aby okazywać mu miłość w formie dotyku. Jeśli rodzice nie zaspokoją tej potrzeby, ich syn lub córka zwrócą się do kogoś innego.

Słowo do ojców

Współcześnie ojcowie mają tendencję do unikania dotyku w kontaktach z córkami, szczególnie kiedy te wchodzą w okres dojrzewania. Niektórzy nie wiedzą, jak reagować na zmiany w wyglądzie i budowie ciała córki, inni uważają, że ona nie chce być dotykana, ponieważ nie jest już małą dziewczynką. Jeszcze inni ojcowie obawiają się, że ktoś mógłby ich oskarżyć o niestosowne zachowanie lub wręcz molestowanie seksualne. Bez względu na powód, unikanie dotyku jest poważnym błędem. Nastoletnia dziewczyna potrzebuje utożsamić się z kobietami. Chce mieć pewność, że jest atrakcyjna dla płci przeciwnej. Zadaniem ojca jest pomóc jej w budowaniu samoakceptacji i pewności siebie. Właściwe formy dotyku są w tym bardzo pomocne. Jeśli ojciec unika okazywania córce czułości poprzez dotyk, jest o wiele bardziej prawdopodobne, że we wczesnym wieku rozpocznie ona współżycie seksualne.

Ojcowie, zachęcam was, abyście nadal posługiwali się dotykiem jako językiem miłości, także gdy córka staje się nastolatką. Ona potrzebuje waszego dotyku, aby móc budować swą niezależność i tożsamość jako kobieta.

Niewłaściwe formy dotyku

Pragnąłbym, aby te akapity były zbędne. Wolałbym, aby terminy *przemoc fizyczna* i *nadużycia seksualne* nigdy nie stały się częścią naszego słownictwa. Lecz prawdą jest, że pewna liczba nastolatków staje się ofiarami różnego rodzaju nadużyć ze strony rodziców. Media informują tylko o najbardziej drastycznych przypadkach, ale wiele nastolatków cierpi w milczeniu, i czasami nawet najbliżsi nie wiedzą, co się dzieje w ich domu.

Przemoc fizyczna i gniew

Przemoc fizyczna polega na celowym, powodowanym gniewem (w odróżnieniu od przypadkowych urazów w czasie zabawy) zadawaniu bólu: uderzaniu, popychaniu, kopaniu, duszeniu, potrząsaniu itp. Kluczowym aspektem jest gniew. Niektórzy rodzice nigdy nie nauczyli się wyrażać gniewu w sposób konstruktywny. Kiedy wpadają w gniew z powodu zachowania dziecka, po uszczypliwych i raniących słowach często następują akty przemocy. Każda forma przemocy fizycznej wobec nastolatków jest nadużyciem. Jeśli do niej dochodzi, możemy być pewni, że zbiornik miłości nastolatka został nie tylko opróżniony, lecz wręcz podziurawiony. Po wybuchu gniewu i agresji wszelkie próby okazywania młodemu człowiekowi pozytywnych uczuć, słowami czy poprzez dotyk, wydadzą mu się fałszywe i nieznaczące. Przemoc fizyczna jest dla nastolatków tak bardzo raniąca, że trudno im o niej w ogóle zapomnieć.

Rodzice, którzy pragną, aby ich syn lub córka czuli się kochani po tym, jak doszło do wybuchu gniewu i aktów przemocy, muszą nie tylko szczerze przeprosić nastolatka i prosić go o przebaczenie, ale także szukać pomocy w przełamaniu destruktywnych wzorców zachowania i nauczeniu się panowania nad swoim gniewem. Może w tym pomóc lektura książek[2], przyłączenie się do grupy wsparcia lub skorzystanie z pomocy doradcy czy psychologa.

Wybuchy gniewu nie ustępują samoistnie w miarę upływu czasu. Agresywny rodzic musi podjąć działania i świadomie dążyć do zmiany swego destruktywnego zachowania. Czas nie uleczy również bolesnych emocji, jakie agresja wywołała w nastolatku. Dopóki agresywny rodzic nie przeprosi szczerze za to, co zrobił, i nie zmieni swego zachowania, nastoletni syn lub córka prawie na pewno nie będą się czuli przez niego kochani. Co ciekawe, oskarżą również o brak miłości drugiego rodzica. Nastolatki rozumują w następujący sposób: „Gdyby obydwoje naprawdę mnie kochali, nie pozwoliliby, żeby coś takiego się stało. Powinni mnie chronić". Jeśli twój mąż lub żona często wybucha gniewem i jest agresywny (agresywna), zachęcam cię do skorzystania z pomocy doradcy, co pozwoli dowiedzieć się, jakie konstruktywne działania można podjąć, aby ochronić siebie i wasze nastoletnie dziecko. Jeśli pozwalasz, aby wybuchy gniewu i agresji powtarzały się, twoja postawa nie służy pielęgnowaniu miłości. Potrzebujesz pomocy doświadczonego doradcy lub terapeuty, aby móc zapoczątkować pozytywne zmiany w waszej rodzinie.

Nadużycia seksualne

Nadużycia seksualne polegają na wykorzystaniu pozycji rodzica wobec nastoletniej córki lub syna w celu zaspokojenia własnych pragnień seksualnych. Nadużyć seksualnych najczęściej dopuszczają się ojcowie, ojczymowie lub partnerzy matki, a ich ofiarami są w większości przypadków nastoletnie dziewczęta. Dochodzi także do nadużyć o charakterze homoseksualnym, lecz są one o wiele rzadsze. Często rodzic dopuszczający się nadużyć próbuje przekonać swoją ofiarę, że jego seksualne zachowanie jest przejawem miłości, lecz nastolatki nie wierzą takim zapewnieniom. Jest to pogwałceniem całej ich istoty, i wiedzą, że do czegoś takiego nie powinno dojść.

Mimo to nastolatki często nie chcą rozmawiać o swych doświadczeniach seksualnych z drugim rodzicem ani z innymi dorosłymi. Czasami zachowują milczenie ze wstydu, lecz najczęściej przyczyną jest strach. Niejednokrotnie aktom nadużyć seksualnych towarzyszą groźby rodzica agresora. Pewna piętnastoletnia dziewczyna wyznała: „Ojciec uprzedził mnie, że jeśli powiem mamie lub komukolwiek innemu, do czego między nami dochodzi, wszystkiemu zaprzeczy, a mama na pewno uwierzy jemu, a nie mnie. A potem on dopilnuje, żebym poniosła karę za swoje kłamstwa". Gdy siedemnastoletnią dziewczynę zapytano, dlaczego nie powiedziała matce, że ojczym wykorzystuje ją seksualnie, odkąd ukończyła trzynaście lat, odpowiedziała: „Wiedziałam, że jeśli cokolwiek powiem mamie, ojczym mnie zabije. Powtarzał mi, jak łatwo może pozbyć się mnie. Mówił to bardzo serio, a ja nie chciałam umierać". Dopiero gdy jej ojczym trafił do więzienia z powodu innego przestępstwa, opowiedziała psychologowi, do czego dochodziło między nimi.

To oczywiste, że każda forma zachowań seksualnych rodziców (lub osób pełniących rolę opiekunów) wobec nastolatków nie jest wyrazem miłości. To egoistyczny akt samozaspokojenia – jawne przeciwieństwo miłości. Nastolatki czują się wtedy uprzedmiotowione i wykorzystane. Gdy nadużycia trwają dłuższy czas, powodują zgorzknienie, nienawiść i depresję. Czasami te emocje znajdują ujście w agresywnym zachowaniu młodej osoby. Gdy media donoszą, że nastolatka zamordowała swojego ojczyma, wszyscy zastanawiają się, co opętało taką miłą dziewczynę. Nadużycia seksualne rodzą zranienia i gniew, i mają negatywny wpływ na emocjonalny, społeczny i seksualny rozwój nastolatków.

Postępowanie w przypadku nadużyć seksualnych

Jeśli dopuszczasz się nadużyć seksualnych wobec swej nastoletniej córki lub syna (pasierbicy lub pasierba) – po pierwsze musisz uznać, że postępujesz źle. Po drugie, powinieneś umówić się z profesjonalnym doradcą, powiedzieć mu o swoim zachowaniu i podjąć próbę naprawienia kontaktów z córką lub synem. To prawda, taki odważny krok wiele kosztuje i może zaszkodzić twojemu małżeństwu i pracy zawodowej; będzie też przyczyną wstydu i napięć emocjonalnych. Lecz jeśli tego kroku nie uczynisz, w przyszłości poniesiesz jeszcze gorsze konsekwencje.

Zdaję sobie sprawę, że większość osób dopuszczających się nadużyć seksualnych nie zastosuje się do powyższych rad. Dlatego najczęściej to drugie z rodziców musi podjąć odpowiednie działanie. A jeśli drugi rodzic często nie jest nawet świadomy tego, co się dzieje w domu? Jeżeli zamyka oczy na wszystko i ignoruje próby zasygnalizowania czegoś niepokojącego przez nastoletnią córkę lub syna? Bez względu na motywy, taka postawa jest aktem zdrady wobec młodego człowieka. Apeluję do rodziców, aby dokładnie badali każde stwierdzenie nastolatków, choćby w najmniejszym stopniu wskazujące na wołanie o pomoc, oraz zwracali uwagę na wszelkie dowody niewłaściwych kontaktów pomiędzy ich współmałżonkiem i nastoletnim dzieckiem.

Pamiętajmy, że zapytane wprost nastolatki mogą niekiedy wszystkiemu zaprzeczyć. Często wynika to ze wstydu lub strachu. Nie należy traktować pierwszej reakcji nastolatków jako ostatecznego rozstrzygnięcia sprawy. Jeśli istnieją przesłanki, aby podejrzewać, że pomiędzy współmałżonkiem a nastoletnią córką lub synem dochodzi do niewłaściwych zachowań seksualnych, należy skontaktować się z profesjonalnym doradcą, przedstawić mu zgromadzone dowody i poprosić o pomoc w podjęciu odpowiednich kroków. Nadużycia seksualne są niezwykle niszczące dla życia i rozwoju młodego człowieka. Jeśli wiesz, że coś takiego ma miejsce, i nie robisz nic, aby położyć temu kres, córka lub syn będą czuli się dodatkowo zdradzeni i porzuceni, pomijając zniszczenia, których w ich psychice dokonał już agresor. To prawda, przeciwstawienie się nadużyciom seksualnym w rodzinie może wiele zmienić i doprowadzić nawet do rozpadu małżeństwa lub relacji z agresorem, ale jeśli kochasz swoje dziecko, nie masz wyboru.

Dzięki odpowiedniej terapii i wsparciu duchowemu nawet po tak destrukcyjnych aktach nadużyć możliwe jest uzdrowienie. Jednak bez pomocy emocjonalnej i duchowej nastolatek prawdopodobnie nigdy nie będzie zdrową dorosłą osobą. Wielu młodych ludzi, borykających się z najróżniejszymi problemami, często może powiązać swoje trudności z nadużyciami seksualnymi, których ofiarami byli w wieku nastoletnim. Nie zawsze agresorem są rodzice lub bezpośredni opiekunowie. Nadużyć dopuszczają się czasami także członkowie dalszej rodziny: wujkowie, ciotki czy kuzyni, a także inni dorośli, których nastolatek mógł spotkać w szkole, kościele lub innym środowisku. Sprawcami większości nadużyć o charakterze homoseksualnym są osoby niespokrewnione z nastoletnią ofiarą. Jeśli rodzice dowiedzą się o takich przypadkach, powinni natychmiast zawiadomić policję i organizacje zajmujące się walką z wykorzystywaniem seksualnym dzieci. Nie można pozostawić nastolatków bez ochrony w świecie, w którym zachowania seksualne wymknęły się wszelkim normom i wielu ludzi jest gotowych skrzywdzić innych dla własnej przyjemności. Jako kochający rodzice musimy zrobić wszystko, co możliwe, aby pomóc nastoletnim dzieciom ukształtować zdrową tożsamość seksualną i ochronić je przed potencjalnymi agresorami.

Zachęcający jest fakt, że większość rodziców nie dopuszcza się agresji fizycznej ani nadużyć seksualnych wobec nastolatków, lecz stara się okazywać im miłość, w tym także poprzez dotyk, który jest jednym z języków miłości. Niedawne badania przeprowadzone wśród amerykańskiej młodzieży w wieku 13-17 lat wykazały, że 75 procent z nich uważa, iż ojcowie powinni przytulać swoje nastoletnie córki co najmniej raz w tygodniu. Spośród badanych nastolatków 55 procent stwierdziło, że ich ojcowie rzeczywiście tak postępują[3].

Co mówią nastolatki

Dotyk jest jednym z podstawowych języków miłości. Rodzice powinni dotykać synów i córki w wieku -nastu lat, gdyż oni tego potrzebują, aby poczuli się kochani. Dla niektórych nastolatków dotyk jest podstawowym językiem miłości i przemawia do nich silniej i szybciej niż cztery pozostałe. Posłuchajmy wypowiedzi młodych ludzi, których podstawowym językiem miłości jest dotyk.

Victoria, szesnaście lat, wychowywana przez samotną matkę: „Lubię, kiedy mama masuje mi kark. Kiedy to robi, wydaje się, że wszystkie moje problemy gdzieś ulatują".

John, siedemnaście lat: „Wiem, że tata mnie kocha. Zawsze mnie poszturchuje. Kiedy oglądamy mecz, często daje mi kuksańca. Klepie mnie po plecach lub podstawia nogę, gdy idziemy razem. Czasami nie mam na to ochoty i wtedy on to szanuje. Ale następnego dnia niby przypadkiem wpada na mnie, przechodząc obok. Uwielbiam to!".

Martha, piętnaście lat: „Tata nie przytula mnie tak często jak kiedyś. Może myśli, że jestem już dorosła i nie potrzebuję tego. Ale brakuje mi jego uścisków. Gdy mnie przytulał, zawsze czułam się kimś szczególnym".

Barret, uczeń gimnazjum, po ciężkim roku szkolnym z powodu matematyki: „Najlepsze w odrabianiu zadań jest to, kiedy mama podchodzi i masuje mi kark. Zapominam wtedy o matematyce i naprawdę odpoczywam. Po czymś takim czuję się dużo lepiej".

Jessica, siedemnaście lat: „Czasami trudno ze mną wytrzymać, jednak rodzice często cierpliwie znoszą moje nastroje. Tak już chyba jest, gdy jest się nastolatką; ale gdy mnie przytulają lub nawet tylko położą rękę na ramieniu, nabieram pewności, że wszystko będzie dobrze. To bardzo uspokaja. Wiem, że naprawdę mnie kochają".

Przypisy

1. Księga Koheleta 3,1.
2. Zob. np. Gary Chapman, *The Other Side of Love: Handling Anger in a Godly Way*, Moody Press, Chicago 1999 lub Ross Campbell, *Sztuka wyrażania gniewu*, Oficyna Wydawnicza „Vocatio", Warszawa 2003.
3. *YOUTHviews*, 6, nr 8, (kwiecień 1999), s.1; wydane przez: The George H. Gallup International Institute, Princeton.

Rozdział piąty

Trzeci język miłości: czas

Gdy wszedłem do pokoju mego nastoletniego syna, dochodziła prawie północ. Przez cały dzień udzielałem porad i byłem wyczerpany – emocjonalnie i fizycznie. Zamierzałem wymienić zwyczajowe „kocham cię, dobranoc", ale Derek stwierdził: „Tato, nie potrafię zrozumieć dziewczyn". Usiadłem na podłodze, oparłem się o bok jego łóżka i zapytałem: „Na jakiej podstawie tak sądzisz?".

Był to początek dwugodzinnej rozmowy. Derek miał wtedy siedemnaście lat. Dzisiaj ma trzydzieści jeden i nadal nie rozumie dziewcząt. Ja także. Ale zawsze byliśmy sobie na tyle bliscy, aby o tym rozmawiać, i dzisiaj myślę, że to najważniejsze.

Kiedy poświęcacie nastolatkowi swoją *uwagę* i *czas*, obdarowujecie go cząstką swojego życia. Kluczowym aspektem *czasu* jako języka miłości jest poświęcanie *niepodzielnej* uwagi. W danej chwili nic innego się nie liczy. Poświęcanie czasu i uwagi jest bardzo skutecznym sposobem komunikowania miłości.

Niestety, posługiwanie się tym językiem miłości jest znacznie trudniejsze niż w przypadku afirmacji słownej czy dotyku, i to z bardzo prostego powodu. Przytulenie nastolatka może zająć kilka sekund, swą afirmację można wyrazić słowami w niespełna minutę, lecz aby okazywać miłość poprzez poświęcanie czasu, potrzeba godzin. W dzisiejszym zagonionym świecie wielu rodzicom coraz trudniej przemawiać do nastoletnich synów i córek tym językiem. Wielu młodych ludzi żyje w domach wypełnionych najróżniejszym przedmiotami, ale ich zbiorniki miłości są puste. Często czują się wręcz jak kolejny okaz w kolekcji swoich rodziców.

Zapracowani rodzice, którzy pragną, aby ich nastolatek czuł się kochany, *muszą* znaleźć czas, aby poświęcić swemu dziecku niepodzielną uwagę. Psychiatra Ross Campbell napisał: „Jeśli nie poświęcimy mu naszej pełnej uwagi, zacznie on odczuwać coraz większy niepokój. Uzna bowiem, że dla jego rodziców wszystko inne jest ważniejsze niż on. Stopniowo będzie tracił pewność siebie, co niekorzystnie odbije się na jego emocjonalnym i psychicznym rozwoju"[1].

Przebywanie ze sobą

Głównym aspektem okazywania miłości poprzez *poświęcanie czasu* jest przebywanie ze sobą. Nie chodzi tylko o samą bliskość fizyczną. Przebywanie w tym samym pomieszczeniu co nastolatek nie jest jeszcze poświęcaniem mu *czasu*. Możecie być w pobliżu, ale nie znaczy to, że przebywacie ze sobą. Przebywanie ze sobą wymaga świadomego utrzymywania kontaktu. Kiedy ojciec i syn oglądają razem mecz w telewizji lub na stadionie, może to, lecz nie musi, być równoznaczne z przebywaniem ze sobą. Jeśli potem nastolatek czuje się samotny i myśli: „Dla taty sport jest ważniejszy niż ja", nie można mówić, że przebywali ze sobą. Lecz gdy nastolatek uświadamia sobie: „W całym meczu najważniejsze jest, że jesteśmy tu razem. Lubię, gdy robimy coś wspólnie", to wtedy między ojcem i synem tworzy się prawdziwa więź. W takim wypadku po skończonym meczu nastolatek będzie się czuł kochany. Celem tego rozdziału jest pomóc rodzicom doświadczać w pełni przebywania z ich nastolatkiem, gdy spędzają razem czas.

Co to znaczy: mieć kontakt z nastolatkiem? Mówiąc najprościej, nastolatek czuje wtedy, że poświęcacie mu niepodzielną uwagę. Nie znaczy to, że za każdym razem, gdy jesteście razem, musicie rozmawiać o poważnych sprawach. Oznacza natomiast, że rodzice muszą świadomie komunikować poprzez kontakt wzrokowy, słowa, dotyk i postawę ciała, że nastolatek jest dla nich daleko ważniejszy niż to, co dzieje się wokół.

Dobrze wyraził to piętnastoletni Clint, który powiedział: „Tata myśli, że robi mi przyjemność, gdy zabiera mnie na ryby. Nazywa to »męską wyprawą«. Ale nigdy nie rozmawiamy o tym, co dzieje się w moim życiu. Mówimy tylko o rybach i przyrodzie, choć mnie to nudzi. Chciałbym porozmawiać z tatą o swoich problemach, ale myślę, że on w ogóle się mną nie interesuje". Znam ojca Clinta i zapewniam was, że był przekonany, iż zabierając syna na ryby, robi coś wspaniałego. Nie miał pojęcia, że zupełnie nie ma z nim kontaktu.

Problem polegał na tym, że skupiał uwagę na tym, co robił, a nie na swoim synu. Gdy w czasie porad powiedziałem, że jego syn wraca z tych wypraw z poczuciem odrzucenia i pomijania, był zaszokowany. Ojciec Clinta musiał wiele nauczyć się o wyrażaniu miłości poprzez *poświęcanie czasu* swojemu synowi.

Szczera rozmowa

Podobnie jak afirmacja słowna i dotyk, także czas jako język miłości posiada wiele dialektów. Jednym z najczęstszych jest szczera rozmowa. Mówiąc o szczerej rozmowie, mam na myśli dialog między rodzicami i nastolatkiem, w której każda ze stron może swobodnie mówić o swoich doświadczeniach, myślach, uczuciach i pragnieniach w przyjaznej i pełnej akceptacji atmosferze. Wymaga to, aby rodzice nauczyli się rozmawiać ze swoim nastoletnim synem lub córką, a nie tylko mówić do nich, nie słuchając tego, co oni mają do powiedzenia.

Zmiana stylu komunikacji

Szczera rozmowa różni się zasadniczo od pierwszego języka miłości. W afirmacji najważniejsze jest to, co *mówimy*, w szczerej rozmowie zaś to, czego *słuchamy*. Jeśli rodzice chcą wyrażać miłość nastolatkowi poprzez poświęcanie czasu i zamierzają przeznaczyć go na rozmowę, to znaczy, że powinni, okazując empatię i zainteresowanie, skupić się na uważnym wysłuchaniu wszystkiego, co syn lub córka chce im powiedzieć. Powinni zadawać pytania – nie natarczywie, ale z zamiarem życzliwego zrozumienia myśli, uczuć i pragnień nastolatka. Większość rodziców będzie musiała włożyć w to pewien wysiłek, jeśli zazwyczaj komunikuje się w sposób bardziej kategoryczny.

Kiedy dzieci były małe, jako rodzice udzielaliśmy im instrukcji i poleceń, jeśli jednak będziemy tak samo zwracać się do nastolatka, odpowie nam: „Traktujecie mnie jak dziecko". I będzie miał rację. Musimy nauczyć się traktować go jak nastolatka, pamiętając o jego coraz większej niezależności i kształtowaniu tożsamości.

To znaczy, że musimy pozwolić naszemu nastoletniemu synowi lub córce mieć własne zdanie, przeżywać własne emocje, mieć własne marzenia i dzielić się nimi bez narażania się na sceptyczne uwagi. Powinniśmy nauczyć się pomagać mu w samodzielnym ocenianiu swoich pomysłów, rozumieniu swoich emocji i podejmowaniu rozsądnych kroków z myślą o realizacji swoich marzeń. Ważne jest także, byśmy również nauczyli się czynić to w atmosferze przyjaznego, zachęcającego dialogu, a nie monologu pełnego niepodważalnych twierdzeń. Dla większości rodziców jest to jedno z największych wyzwań w wychowaniu nastolatka. Dla wielu jest to również bardzo frustrujące doświadczenie.

„Nie wiem, jak wychowywać swoją nastoletnią córkę – powiedziała mi Marlene. – Myślałam, że radzę sobie dość dobrze, dopóki Katie nie skończyła szesnastu lat. Teraz dowiaduję się, że jestem »głupia i nie rozumiem, co dzieje się na świecie« i że ciągle próbuję ją kontrolować. Czuję się sfrustrowana i niedoceniana przez własną córkę. Każde moje słowo jest złe. Nie wiem już, jak z nią rozmawiać".

Znałem Marlene od kilku lat i wiedziałem, że komunikuje się w stylu, który nazywam „bystrym potokiem" (wszystko, co dociera do niej poprzez wzrok lub słuch, wytryskuje na świat ustami, a między jednym a drugim procesem mija mniej niż sześćdziesiąt sekund). Mówiła bez namysłu o wszystkim, co zobaczyła, usłyszała lub poczuła, nie bacząc, czy inni byli tym zainteresowani. Katie, która jako dziecko uważała to za coś normalnego, teraz zaczęła odkrywać własną tożsamość i próbowała uniezależnić się od matki. Nie uważała już matki za nieomylną. Miała teraz swoje przemyślenia i wyrażała je równie swobodnie, jak jej matka.

Wiedziałem, że Marlene będzie musiała wiele się nauczyć. Wiedziałem również, że jeśli nie zacznie porozumiewać się z Katie w inny sposób, utraci bliską relację, jaka łączyła je wcześniej. Marlene będzie musiała nauczyć się hamować „wylewy" swoich słów oraz opanować sztukę aktywnego słuchania i dialogu opartego na empatii.

Zasady szczerej rozmowy

Jest osiem zasad dobrego słuchania i prawdziwego dialogu. Pierwsze pięć pomogą wam nauczyć się aktywnego słuchania waszego nastolatka. Powinniście opanować tę umiejętność, zanim przejdziecie do trzech ostatnich kroków. Poniższe zasady pomogły Marlene nauczyć się sztuki szczerej rozmowy. Stosujcie je, a wasze rozmowy z nastoletnim synem lub córką z pewnością was zbliżą.

1. *Gdy nastolatek mówi, utrzymujcie z nim kontakt wzrokowy.* To pomoże wam zapanować nad rozbieganymi myślami i zakomunikuje nastolatkowi, że poświęcacie mu pełną uwagę. Unikajcie wywracania oczami z dezaprobatą, zamykania ich, gdy usłyszycie coś kłopotliwego, spoglądania ponad głowę syna lub córki lub wpatrywania się w czubek buta.

2. *Gdy słuchacie wypowiedzi nastolatka, powstrzymajcie się od robienia innych rzeczy.* Pamiętajcie, wyrażanie miłości poprzez *czas* polega na poświęcaniu drugiej osobie niepodzielnej uwagi. Jeśli oglądacie, czytacie lub robicie coś, co was bardzo interesuje, i nie możecie odłożyć tego na później, powiedzcie prawdę. Możecie wyrazić to w pozytywny sposób: „Wiem, że próbujesz ze mną porozmawiać, i jestem zainteresowany tym, co chcesz powiedzieć. Ale chcę poświęcić ci pełną uwagę. Teraz nie mogę tego zrobić, ale jeśli dasz mi dziesięć minut, aby to skończyć, usiądziemy i porozmawiamy". Większość nastolatków uszanuje taką prośbę.

3. *Zwracajcie uwagę na uczucia.* Zadajcie sobie pytanie: „Co teraz przeżywa nasz nastoletni syn lub córka?". Jeśli uznacie, że znacie odpowiedź, sprawdźcie to. Na przykład: „Wydaje mi się, że jesteś rozczarowany, ponieważ zapomnieliśmy o...". W ten sposób dajecie nastolatkowi szansę na wyjaśnienie tego, co czuje. Równocześnie komunikujecie mu, że uważnie słuchacie tego, co do was mówi.

4. *Obserwujcie język ciała.* Zaciśnięte pięści, drżące ręce, łzy, zmarszczone brwi i ruch oczu mogą powiedzieć wam, co czuje wasz nastolatek. Czasami język ciała komunikuje zupełnie inną wiadomość niż słowa. Poproście o wyjaśnienie, aby upewnić się, że naprawdę rozumiecie, co czuje i myśli.

5. *Powstrzymajcie się od przerywania i wtrąceń.* Badania pokazują, że człowiek słucha średnio przez siedemnaście sekund, zanim przerwie rozmówcy i wtrąci własne zdanie. Takie wtrącenia często powstrzymują rozmowę, zanim się na dobre rozpocznie. W tym momencie nie powinniście bronić własnego zdania ani przywoływać nastolatka do porządku, lecz starać się zrozumieć jego myśli, uczucia i pragnienia.

6. *Zadawajcie pytania odzwierciedlające.* Kiedy wydaje się wam, że rozumiecie, co wasz nastolatek próbuje zakomunikować, sprawdźcie to, odzwierciedlając jego słowa (tak, jak je zrozumieliście) w formie pytania: „Rozumiem, że według ciebie... czy tak?" lub „Czy chcesz powiedzieć, że...?". Odzwierciedlanie pomaga wyjaśnić nieporozumienia i dotrzeć do sedna tego, o czym mówi nastoletni syn lub córka. Pamiętajcie, że próbujecie odpowiedzieć sobie na pytanie: „Co myśli nasz nastolatek? Co czuje? Czego oczekuje od nas?". Dopóki nie uzyskacie jasnej odpowiedzi na to pytanie, nie jesteście gotowi, aby mówić o własnych przemyśleniach.

7. *Okażcie zrozumienie.* Nastolatek powinien wiedzieć, że został wysłuchany i zrozumiany. Przypuśćmy, że rodzic zada pytanie: „Rozumiem, że chcesz wziąć nasz samochód i jechać z przyjaciółmi nad jezioro. Zamierzasz prowadzić, bo oni nie mają prawa jazdy, oczekujesz także, że zapłacimy za benzynę i pole namiotowe, bo wy nie macie

na to pieniędzy. Czy o to właśnie prosisz?". Jeśli nastolatek odpowie: „tak", możecie okazać swe zrozumienie dla jego prośby: „Rozumiem, że to byłoby dla ciebie bardzo atrakcyjne. Wiem, że moglibyście wspaniale spędzić nad jeziorem te kilka dni". Okazując zrozumienie, wspieracie poczucie wartości waszego nastolatka i traktujecie go jako osobę, która ma prawo do wyrażania swoich pragnień. Teraz jesteście gotowi przejść do ostatniego kroku.

8. *Poproście o pozwolenie na wyrażenie swojego zdania.* „Czy chciałbyś poznać naszą opinię w tej sprawie?". Jeśli nastolatek odpowie „tak", możecie powiedzieć o swoich obawach, pomysłach i uczuciach. Jeśli nastolatek odpowie „chyba nie", wtedy rozmowa dobiegła końca i wyprawa nad jezioro nie zostanie sfinansowana. Jeśli okazaliście zrozumienie dla jego myśli, uczuć i pragnień, bardzo prawdopodobne, że nastolatek będzie gotów wysłuchać waszego zdania. Nawet jeśli nie zgodzi się z wami, wysłucha, co macie do powiedzenia.

W stronę lepszych relacji

Niektórzy rodzice czują się urażeni sugestią, aby prosili o pozwolenie na wyrażenie swojego zdania. „Dlaczego mam pytać własne dziecko, czy mogę mu coś powiedzieć?" – zapytał mnie pewien ojciec. Nie chodzi o to, czy rodzice mają prawo powiedzieć coś do nastolatka. Prawdziwe pytanie brzmi: Czy chcecie, aby wasz nastoletni syn lub córka słuchali tego, co macie im do powiedzenia? Prośba o pozwolenie jest uznaniem faktu, że nastolatek jest samodzielny i może wybrać, czy chce dowiedzieć się, co myślicie i czujecie, czy też nie. W ten sposób potwierdzacie jego samodzielność i tworzycie dobry wstęp do dialogu opartego na empatii. Rodzice zawsze mogą wygłaszać nastolatkom swoje monologi, nie pytając nikogo o pozwolenie, lecz nastolatki, jeśli tylko zechcą, mogą „wyłączyć" rodziców, nie zwracając uwagi na to, co mówią. Wielu młodych ludzi postępuje tak, ponieważ czują się nadal traktowani jak dzieci. Kiedy prosicie o pozwolenie na wyrażenie swojego zdania, nastolatek widzi, że jest traktowany jak dojrzewający człowiek.

Rodzice nadal mają ostatnie słowo w takich sprawach, jak sfinansowanie wyprawy nad jezioro, czy w ogóle pozwolenie, aby ich syn lub córka w takiej wyprawie uczestniczyli. Nie chodzi tu o władzę rodziców, lecz o to, jak wygląda ich relacja z nastolatkiem i jak owa władza jest sprawowana. Zawsze można rządzić nastolatkiem niczym tyran, lecz to na pewno sprawi, że poczuje się on odrzucony i niekochany. Z drugiej strony, można traktować nastolatka z miłością i szacunkiem, uznając fakt, że staje się dorosłą osobą, i próbując sprawić, aby ów etap życia potęgował wzajemną miłość.

Oczywiście, szczera rozmowa wymaga czasu, z którego większą część należy poświęcić na wysłuchanie. Korzyści, jakie to przynosi, są olbrzymie. Nastolatek czuje się szanowany, zrozumiany i kochany – co jest marzeniem każdego rodzica. Takie marzenia nie spełnią się, jeśli tylko powielamy to, co robiliśmy wcześniej. Należy nauczyć się nowych sposób komunikowania, które będą bardziej odpowiednie w relacji z nastolatkiem.

Umiejętność mówienia

Mówienie jest ważnym elementem porozumiewania się. Dlatego niezwykle ważny jest sposób, w jaki mówimy. Mądra wypowiedź powinna dotyczyć waszych myśli, uczuć i pragnień, w przeciwieństwie do różnych werbalnych ataków. Gdy rodzice zaczynają swoją wypowiedź od skrytykowania zdania lub oczekiwań swego nastoletniego syna czy córki, nadają rozmowie wrogi charakter. O wiele lepiej jest zastosować pozytywne podejście i mówić o własnych spostrzeżeniach, odczuciach i oczekiwaniach.

Wypowiedzi w pierwszej osobie

Takiego podejścia najłatwiej się nauczyć, formułując wypowiedzi w pierwszej osobie (ja) zamiast w drugiej (ty): „Myślę, że... czuję się... chciałbym...". Są to stwierdzenia, które mówią coś o was, informują nastolatka, co dzieje się w waszym wnętrzu. Natomiast słowa: „Nie masz racji... nie rozumiesz... nie wiesz, jaka jest sytuacja... jesteś nierozsądny... tylko utrudniasz nam życie" komunikują winę i oskarżanie. Prawie zawsze prowadzą do jednej z dwóch reakcji: gwałtownego sporu lub wycofania się i depresji, w zależności od osobowości nastolatka.

Wypowiedzi w drugiej osobie (ty) niszczą płynność dialogu, natomiast stwierdzenia w pierwszej osobie (ja) otwierają drogę do dalszej dyskusji. Może minąć trochę czasu, zanim nauczycie się nowego stylu mówienia. Jeśli zauważycie, że formułujecie swą wypowiedź w drugiej osobie, zatrzymajcie się. Powiedzcie swemu nastoletniemu synowi lub córce, że próbujecie nauczyć się nowego stylu mówienia i chcielibyście powiedzieć to inaczej. Potem sformułujcie swą wypowiedź w pierwszej osobie.

Na przykład, kiedy zaczniecie mówić: „Denerwujesz mnie, kiedy...", powinniście przerwać i powiedzieć: „Przepraszam, spróbuję jeszcze raz. Denerwuję się, gdy...". Potem zapytajcie swego nastolatka: „Czy rozumiesz, dlaczego staram się nauczyć nowego stylu mówienia? Nie chcę cię potępiać. Chcę zrozumieć, co myślisz i czujesz. Chcę także, abyś ty rozumiał moje uczucia i myśli". Większość nastolatków doceni fakt, że rodzice próbują opanować nowy styl porozumiewania się.

Nauczanie zamiast wygłaszania kazań

Inną ważną zasadą w rozmowie z nastolatkami jest stosowanie nauczania zamiast wygłaszania kazań. Wychowałem się na południu Stanów Zjednoczonych, z dala od wielkich metropolii. Mieliśmy wielki szacunek dla nauczycieli i duchownych. Różnice między nimi nie polegały na tym, co mówili, ponieważ w tamtych czasach treści świeckie i religijne przenikały się, również w szkole. Także miejsce nie było najważniejsze. Z reguły duchowni nauczali w kościele, a nauczyciele w szkole, ale często nauczyciele uczyli także w kościołach, a duchowni okazyjnie mówili kazania w szkołach. Prawdziwa różnica tkwiła w sposobie prezentacji. Duchowni byli bardzo ekspresyjni w swych kazaniach – czasami przemawiali głośno, innym razem cicho, czasami płakali lub śmiali się, ale zawsze robili to z pasją i niemal dogmatyczną pewnością. Natomiast nauczyciele starali się z nami rozmawiać, uczyli materiału, skupiając się na faktach – z niewątpliwą pasją, ale bez przesadnej ekspresji. Rodzice nastolatków, którzy pragną opanować sztukę efektywnego porozumiewania się, powinni naśladować raczej nauczycieli niż duchownych.

Podniesiony głos i teatralne gesty rodziców z reguły skłaniają nastolatka do szukania rady i pomocy u innych osób. Z drugiej strony, jeśli rodzice umieją wyrażać swoje myśli w spokojny i rozsądny sposób, nastolatki często właśnie do nich przychodzą ze swoimi problemami. Nie twierdzę, że rodzice nie mogą być dogmatyczni w kwestii swoich najważniejszych wartości i wierzeń. Uważam natomiast, że ich dogmatyzm powinien zostać złagodzony otwartością na opinie innych, a szczególnie nastoletniego syna lub córki. „Pozwól, że powiem ci, co zawsze myślałem o tej sprawie, i dlaczego uważam, że tak jest najlepiej, a potem powiesz mi, co ty o tym myślisz. Chętnie poznam twoje zdanie". Takie podejście pozwala rodzicom wyrazić swoje przekonania, ale także ułatwia nastolatkowi podzielenie się swoimi przemyśleniami, nawet jeśli będą odmienne od opinii rodziców. Mądrzy rodzice starają się stworzyć w domu atmosferę, która będzie sprzyjać szczerym rozmowom.

Powinniśmy pamiętać, że nastolatki zaczynają myśleć abstrakcyjnie i przywiązują dużą wagę do logiki. Analizują wszystkie dogmaty, które wpajano im w dzieciństwie, i budują własny system wartości. Rodzice, którzy pragną zachować wpływ na ten proces, powinni nauczyć się być nauczycielami, a nie kaznodziejami. Opanujcie sztukę zadawania pytań. Rodzice, którzy wiedzą, jak zadawać pytania, zachęcają swoje nastoletnie dzieci do mówienia. Nie chodzi tu jednak o kontrolujące pytania w stylu: „Gdzie byłeś? O której wróciłaś? Kto jeszcze tam był?", lecz takie, które zachęcają młodego człowieka do dzielenia się swoimi przemyśleniami, np. „Co myślisz o ostatnich demonstracjach politycznych? Czy rozmawiacie o tym z kolegami?". Wysłuchajcie uważnie odpowiedzi, a poznacie nie tylko opinie kolegów, ale także jego własne poglądy na ten temat. Szczere zainteresowanie opinią nastolatka połączone z umiejętnym zadawaniem pytań mogą skłonić go do zapytania o wasze zdanie. Pytania rodzą nie tylko odpowiedzi, ale także kolejne pytania.

Rozsądna argumentacja

Innym dobrym pomysłem dotyczącym rozmów z nastolatkami jest zastąpienie kategorycznego stwierdzenia: „Bo ja tak powiedziałem", słowami: „Spróbuję ci wytłumaczyć dlaczego". Nastolatki cenią rozsądną argumentację. Rozwijają własne umiejętności w tej dziedzinie i reagują pozytywnie na osoby, które potrafią logicznie uzasadnić swoje wierzenia i opinie. Rodzice, którzy żądają bezwarunkowego posłuszeństwa bez podania rozsądnych argumentów, pozbawiają się okazji do szczerego dialogu. Nastolatek czuje się wtedy odrzucony przez rodziców, a jego zbiornik miłości jest pusty.

Rodzice, którzy opanują sztukę umiejętnego słuchania nastolatków i mówienia do nich, z reguły potrafią okazywać im miłość na poziomie emocjonalnym. Szczera rozmowa jest jednym z najlepszych sposobów okazywania tego uczucia.

Wspólne działania

Nastolatki są stworzone do działania. Wiele szczerych rozmów z rodzicami odbywa się właśnie przy okazji jakichś czynności lub w związku z nimi. Niektóre z nich są częścią codziennego życia – szkoła, sport, muzyka, taniec, teatr i kościół. Nastolatki są aktywne w każdej z tych dziedzin. Rodzice, którzy chcą spędzać czas ze swoimi nastolatkami, wiedzą, że istnieje wiele możliwości. Na przykład czas poświęcony na zawożenie i przywożenie syna lub córki z różnych zajęć (zanim będą mogli dotrzeć tam samodzielnie). Jeśli rodzice będą przestrzegać ośmiu zasad mówienia i słuchania, wspólna jazda samochodem stanie się okazją do wielu wartościowych rozmów. Często same wydarzenia stanowią pretekst do wyrażania miłości poprzez poświęcanie czasu synowi lub córce. Kiedy nastolatek wie, że jesteś na meczu lub przedstawieniu, ponieważ chcesz zobaczyć jego występ, że jesteś zainteresowany tym, co go pasjonuje, i jesteś gotowy odłożyć na bok wszystkie inne rzeczy, które zajmują twój czas, będzie to dla niego bardzo wymowny komunikat miłości.

Pewna czternastoletnia dziewczyna powiedziała: „Tata zawsze przychodzi na moje koncerty. Nie jest muzykiem, ale zachęca mnie do gry. Myślę, że to wspaniałe". Inna nastolatka z tej samej orkiestry stwierdziła: „Wiem, że ojciec mnie kocha, ale nigdy nie odłożyłby pracy, aby przyjechać na mój koncert. Ma czas, aby grać w golfa z kolegami, ale nie ma czasu dla mnie". Druga nastolatka wie (intelektualnie), że ojciec ją kocha, ale mimo to jej zbiornik miłości jest pusty. Gdy poświęcacie czas, aby uczestniczyć w tym, co robią nastolatki, oddajecie im część własnego życia, dlatego tak mocno przekonuje ich to o waszej miłości. I odwrotnie, jeśli rodzice nie znajdują czasu na uczestniczenie w wydarzeniach istotnych dla ich nastoletniego dziecka, komunikują mu: „Nie jesteś dla mnie tak ważny, jak inne rzeczy".

Nastolatki radzą sobie lepiej z typowymi wyzwaniami okresu dojrzewania, jeśli rodzice konsekwentnie włączają się w ich życie. Gdy pięciu tysiącom dorosłych zadano pytanie: „Czego najbardziej brakowało ci w zachowaniu rodziców, gdy byłeś(aś) nastolatkiem?", najczęściej odpowiadali: „Że nie byli zaangażowani w moje życie"[2]. Nastolatki pragną, aby rodzice uczestniczyli w tym, co się dzieje z nimi, ich dziećmi. Takie zaangażowanie buduje silną wieź i pomaga zgromadzić wspomnienia, do których będzie można powracać w przyszłości. Okazji do wspólnych działań jest wiele: pomoc w odrabianiu lekcji, udział w uroczystościach, wspólne zakupy itd. Zaangażowanie rodziców komunikuje nastolatkowi: „Twoje zainteresowania mają dla mnie duże znaczenie".

Cechy wartościowego czasu

Rodzice mogą również nauczyć się tworzyć warunki do *spędzania czasu* z nastolatkami, planując i organizując wydarzenia wykraczające poza codzienną rutynę. To wymaga wysiłku, czasu i pieniędzy, ale też korzyści są ogromne. Może to być np. wyjazd pod namiot, wycieczka w góry, spływ kajakowy, wyjazd na mecz, koncert lub przedstawienie w innym mieście, zwiedzanie zabytków – coś, co sprawi nastolatkowi przyjemność.

Wybierzcie wydarzenia, które lubi nastolatek
Kluczem do wybrania korzystnych okoliczności jest dostosowanie się do zainteresowań nastolatka. Zaplanowanie wyjazdu w sposób, który odpowiada jedynie waszym zainteresowaniom, może przynieść skutki odwrotne do zamierzonych. Dowiedzcie się, czym pasjonuje się wasze dziecko, i bądźcie twórczy w tworzeniu warunków, które zachęcą go do *spędzania czasu* z wami.

Pamiętam, jak nasz siedemnastoletni syn zaczął interesować się życiem Buddy'ego Holly, piosenkarza z połowy XX w., który zginął w katastrofie lotniczej. Wybrałem się do biblioteki i przeczytałem wszystko, co mogłem znaleźć o Buddym Holly. Przeczytałem nawet słowa jego piosenek. Potem wciągnąłem Dereka w rozmowę o jego utworach. Zdziwił się, że w ogóle je znam. Kilka tygodni później miałem prowadzić seminarium dla małżeństw w Forth Worth w Teksasie, więc zapytałem Dereka, czy chciałby pojechać ze mną. „Po seminarium – zaproponowałem – moglibyśmy wybrać się do Lubbock i dowiedzieć czegoś więcej o młodości Buddy'ego Holly". Nigdy nie zapomnę wyrazu jego oczu, kiedy powiedział: „Tato, to byłoby wspaniałe!". Nie miałem wtedy pojęcia, jak daleko jest z Forth Worth do Lubbock, ale z pewnością spędziliśmy ze sobą wiele cennego czasu.

Całą drogę przez zachodni Teksas rozmawialiśmy o tym, co spodziewamy się znaleźć w Lubbock. Rozmawialiśmy o życiu Dereka i jak może wyglądać jego przyszłość. Oglądaliśmy szyby naftowe, pola ogrodzone drutem kolczastym, tory kolejowe i pustynną roślinność. Ale przede wszystkim rozmawialiśmy. Czasami zatrzymywaliśmy się, wysiadaliśmy z samochodu i chłonęliśmy ciszę zachodniego Teksasu.

Kiedy dojechaliśmy do Lubbock, w biurze informacji turystycznej wręczono nam niewielką broszurę o Buddym Holly. Poszliśmy tam, gdzie się urodził. (Domu już nie było, ale zrobiliśmy zdjęcie miejsca, na którym kiedyś stał). Pojechaliśmy do studia radiowego, gdzie Buddy Holly odtwarzał swoją pierwszą płytę. Zaproszono nas do środka i pokazano gramofon, który do tego posłużył. Podjechaliśmy pod dom, w którym Buddy Holly zamieszkał po sukcesie swej debiutanckiej płyty. Zrobiłem Derekowi zdjęcie na tle budynku, a jego obecny właściciel wyszedł z nami porozmawiać. Powiedzieliśmy mu, co nas sprowadza, a on odpowiedział: „Nie ma sprawy. Wszyscy tu przychodzą". Weszliśmy do klubu, w którym Buddy miał swój pierwszy koncert. (Obecnie jest tam komis samochodowy, ale nad budynkiem nadal wisi stary, zardzewiały szyld „Cotton Club"). Poszliśmy do szkoły średniej, gdzie uczęszczał, i zrobiłem Derekowi zdjęcie, na którym opiera się plecami o ścianę budynku z cegły w kolorze kremowym. Zwiedziliśmy mały kościół, w którym piosenkarz brał ślub i gdzie potem odbył się jego pogrzeb. Poznaliśmy człowieka, który zajmował się grupą młodzieżową, gdy należał do niej Buddy Holly, a jego syn (obecny lider tejże grupy) opowiedział nam szczegółowo o ślubie i pogrzebie.

Potem pojechaliśmy na skraj miasta, gdzie znajduje się grób Buddy'ego. Patrzyliśmy przez chwilę na marmurowy pomnik i gitarę z brązu, po czym odszedłem na bok, aby dać Derekowi trochę czasu w samotności. Wolnym krokiem wróciliśmy do samochodu i odjechaliśmy. Wyjeżdżając z miasta, rozmawialiśmy o Buddym Holly: jak wyglądałoby jego życie, gdyby nie zginął w katastrofie lotniczej w tak młodym wieku? Jakie były jego wierzenia religijne? Skoro niektórzy ludzie umierają tak młodo, co naprawdę liczy się w życiu? Rozmawialiśmy prawie przez całą drogę powrotną do Forth Worth. *Czas*, który spędziliśmy razem, był tak cenny, że nigdy o nim nie zapomnieliśmy.

Wyobraźcie sobie nasze zdziwienie, gdy kilka lat później, w czasie pobytu w Londynie w ramach kolejnego wspólnego *spędzania czasu*, odkryliśmy musical „Buddy". Wszyscy aktorzy byli Brytyjczykami, ale mówili z teksańskim akcentem. To było niesamowite. Niedługo potem Derek zaczął się interesować muzyką Burce'a Springsteena. Nie będę was zanudzał szczegółami, ale pojechaliśmy razem również do Freeport w stanie New Jersey, aby dowiedzieć się czegoś więcej o młodości tego piosenkarza.

Warunki wartościowego czasu

Próbując poznać lepiej zainteresowania Dereka jako nastolatka, co roku planowałem wspólną podróż. Gorąco polecam taki sposób przygotowywania się do wspólnego *spędzania czasu*. Do dzisiaj Derek często wspomina nasze wyprawy. Jesteśmy na zawsze zjednoczeni wspólnym przeżywaniem nowego.

Zachęcam was do poszukiwania własnych sposobów spędzania czasu z nastoletnim synem lub córką. To nie musi być nic tak kosztownego i czasochłonnego, jak nasza wyprawa do Londynu, Lubbock czy Freeport. Czasami wystarczy wyjazd do pobliskiego miasteczka i zrobienie tam czegoś, czym zainteresowany jest wasz nastolatek. Zaplanowane działania dają możliwość posługiwania się językiem miłości, jakim jest poświęcanie czasu. Nawet jeśli nie jest to podstawowy język waszego syna lub córki, takie wyprawy pomogą wam poznać go (lub ją) lepiej, zgromadzić miłe wspomnienia i pokazać nastolatkowi, że go kochacie.

„Mój nastolatek nie chce ze mną rozmawiać"

Rodzice często skarżą się, że gdy ich dziecko stało się nastolatkiem, przestało z nimi rozmawiać: „Nasz nastolatek nie chce z nami rozmawiać. Po co w ogóle próbować go do tego skłaniać?". To prawda, że u nastolatków potrzeba prywatności jest dużo silniejsza niż u małych dzieci. Jednym z przejawów niezależności jest posiadanie własnych przemyśleń i uczuć, odmiennych od myśli i emocji rodziców. Czasami nastolatki nie chcą rozmawiać z rodzicami, gdyż pragną rozstrzygnąć pewne kwestie samodzielnie. W takiej sytuacji błędem byłoby zmuszanie ich do rozmowy. Należy natomiast powiedzieć nastolatkowi, że jesteśmy do niej gotowi, jeśli będzie tego potrzebował.

Czasami nastolatki nie chcą rozmawiać z rodzicami, ponieważ podejmowane próby kończą się lekceważeniem lub zignorowaniem ich opinii i uczuć. Jako rodzice powinniśmy słuchać, co nastolatki do nas mówią i w jaki sposób. Gdy nastolatek wraca zniechęcony ze szkoły i zaczyna opowiadać o tym rodzicom, a oni przerywają słowami: „Co nabroiłeś tym razem?", rozmowa kończy się niemal natychmiast, a nastolatek odchodzi, czując się niezrozumiany.

Niekiedy rodzice dają obietnice bez pokrycia: „Za tydzień nie będziesz pamiętać, co się dzisiaj wydarzyło". Innym razem za bardzo spieszą się z udzielaniem dobrych rad: „Użalanie się na sobą nic nie pomoże. Może zaczniesz się odchudzać?".

Takie wypowiedzi ograniczają możliwość porozumienia. Sygnalizują postawę „ja wiem najlepiej" i nie uwzględniają uczuć ani myśli nastolatka. Niektóre nastolatki nie chcą rozmawiać z rodzicami, ponieważ wiedzą, że spotkają się z dokładnie taką reakcją z ich strony.

Jeśli okażemy wrażliwość na nastrój nastolatka, możemy stworzyć warunki sprzyjające otwartej komunikacji. Słowa: „Wydaje mi się, że miałeś dzisiaj trudny dzień. Czy chcesz o tym porozmawiać?" są zaproszeniem, z którego wielu nastolatków skorzysta. Stwierdzenie: „Wyglądasz na podekscytowanego. Czy wydarzyło się coś ważnego?" daje nastolatkowi możliwość opowiedzenia o aktualnych przeżyciach. Aktywne i uważne słuchanie (o którym już pisałem) i zadawanie otwartych pytań pomaga stworzyć atmosferę, w której nastolatkom łatwiej rozmawiać. Pamiętajcie, że wasz syn lub córka mają prawo zatrzymać swoje myśli i uczucia dla siebie. Czasami decydują się na to. Próby zmuszenia nastolatka do rozmowy w takiej chwili będą kwestionowaniem jego prawa do niezależności i samodzielności. Powinniście raczej zasygnalizować, że jesteście gotowi porozmawiać, jeśli zmieni zdanie.

Czasami nastolatki chcą rozmawiać z rodzicami, ale nie „na zawołanie", tylko w porze dla siebie dogodniejszej – późno w nocy, w bezpiecznej atmosferze własnego pokoju lub w kuchni, gdy wszyscy poszli już spać. Mądrzy rodzice wykorzystują takie okazje, jeśli tylko się pojawią. Strata dwóch godzin snu nie zmieni wiele w życiu rodziców, te same dwie godziny *poświęcone* nastolatkowi mogą sprawić, iż położy się spać w przekonaniu, że jest kochany, a nie samotny i odrzucony.

„Mój nastolatek nie chce spędzać ze mną czasu"

Uszanujcie potrzebę nowych przyjaciół
Inna skarga rodziców, którzy próbują poświęcać czas swemu nastolatkowi, brzmi: on wcale nie chce spędzać z nami czasu. W pewnym sensie to zrozumiałe. Nastolatek

na tym etapie życia nawiązuje bliskie przyjaźnie z osobami spoza rodziny. Socjolodzy nazywają to tworzeniem grupy rówieśniczej. Doktor Eastwood Atwater definiuje grupę rówieśniczą jako „ludzi, którzy uważają się za równych sobie z powodu wieku, wykształcenia lub posiadanego statusu"[3]. Doktor Atwater wyjaśnia również, że grupa rówieśnicza odgrywa w życiu nastolatka poczwórną rolę:

1. Pomaga nastolatkowi wkroczyć w dorosłość, zapewniając system wsparcia społeczno-emocjonalnego.

2. Ustala standardy, które nastolatek może wykorzystać do oceny własnego zachowania i doświadczeń.

3. Umożliwia budowanie relacji interpersonalnych i rozwijanie umiejętności społecznych.

4. Zapewnia kontekst, w którym nastolatek może kształtować własne poczucie tożsamości[4].

Gdy dziecko staje się nastolatkiem, coraz więcej czasu spędza z kolegami ze szkoły i kościoła. Młodzi ludzie wychodzą razem do kina lub centrum handlowego, nocują u siebie nawzajem, rozmawiają przez telefon lub wymieniają e-maile. „Nowo odkryta przez nastolatka grupa rówieśnicza pomaga mu zaspokoić potrzebę towarzystwa i zabawy, daje także wsparcie emocjonalne, zrozumienie i intymność – zauważa doradca Gary Smalley. – Nastolatki nadal zaspokajają te potrzeby w relacjach z rodzicami i innymi dorosłymi, ale dla ich rozwoju niezbędne jest, aby otrzymywać to wszystko w relacjach z przyjaciółmi"[5].

Rodzice nierzadko błędnie interpretują narastające zainteresowanie nastolatka kontaktami z przyjaciółmi jako brak zainteresowania rodziną. Zakładają więc, że piętnastolatek nie będzie chciał pójść z ojcem na ryby lub na zakupy z mamą, ani wyjechać z rodziną na weekend. Badania pokazują jednak, że większość nastolatków chciałaby spędzać więcej czasu z rodzicami. Jest zatem odwrotnie, niż można by przypuszczać[6].

Planując wspólny czas, pytajcie nastolatka o zdanie

Problem wynika częściowo z faktu, że rodzice często decydują, co zamierzają robić, nie angażując nastolatka w planowanie. W rezultacie okazuje się, że ich syn lub córka umówili się już z przyjaciółmi i nie chcą uczestniczyć w tym, co zaplanowali rodzice. Rodzice interpretują to jako odrzucenie lub niechęć do spędzania czasu z rodziną. Natomiast jeśli rodzice uszanują samodzielność nastolatka (jego niezależności i tożsamość) i zasięgną jego zdania już na etapie planowania wspólnego czasu, może się okazać, że z chęcią będzie towarzyszył pozostałym członkom rodziny. Wrażenie, że nastolatek stroni od rodziców, powstaje najczęściej wtedy, gdy traktujemy go jak małe dziecko.

Siedemnastoletni Brandon powiedział: „Rodzice mówią, że jest im przykro, bo nie chcę jeździć z nimi na wycieczki, które zaplanowali z myślą o nas. Problem w tym, że nie pytają, czy mam wtedy wolny czas. Planują wszystko sami i potem ogłaszają mi to na dzień przed wyjazdem. Często zaplanowałem już coś wcześniej z przyjaciółmi i rodzice denerwują się, bo nie chcę tego odwołać i pojechać z nimi".

Uwzględnijcie zainteresowania nastolatka

Innym powodem, dla którego nastolatki czasami reagują niechętnie na plany rodziców, jest fakt, iż nie uwzględniają one ich zainteresowań. Którzy rodzice nie pamiętają takich rozmów? Mama mówi: „W sobotę jedziemy do wujka i cioci. Chcemy, żebyś pojechała z nami". Nastolatka odpowiada: „Mamo, nie chcę tam jechać". Mama: „Dlaczego?". Nastolatka: „Nudzę się u nich. Tam nie ma nic do robienia". Mama: „Mogłabyś spędzić trochę czasu ze swoim kuzynem. Przecież go lubisz". Nastolatka: „Mamo, to jeszcze dzieciak. Ja jestem starsza. Nie mamy wspólnego języka".

Jeśli rodzice znają zainteresowania swego syna lub córki, przy odrobinie wysiłku mogą zaplanować na czas wyjazdu coś, co wzbudzi ich ciekawość i uczyni całą wyprawę bardziej atrakcyjną. Nie twierdzę, że nigdy nie należy nakłaniać nastolatków do odwiedzania członków rodziny. Zwracam jedynie uwagę, że jeśli taki wyjazd zostanie im narzucony, prawdopodobnie nie będzie to czas wartościowy dla waszej więzi. O wiele lepiej jest pamiętać o zainteresowaniach i planach nastolatka i tak przygotować wyjazdy, aby były satysfakcjonujące dla wszystkich.

Co mówią nastolatki

Powtórzę to, co napisałem na początku rozdziału. Posługiwanie się językiem miłości, jakim jest czas, stanowi znacznie trudniejsze zadanie niż porozumiewanie się za pomocą afirmacji słownej czy dotyku. Niemniej poświęcanie czasu jest jednym z pięciu języków miłości. Dla niektórych młodych ludzi to podstawowy język. Jeśli rodzice nie mają dla nich *czasu*, takie nastolatki nie czują się kochane, nawet jeśli rodzice okazują im miłość, stosując inne języki. Dla rozwoju tych nastolatków konieczne jest, aby rodzice znajdowali dla nich czas i poświęcali im pełną uwagę. Posłuchajcie wypowiedzi młodych ludzi, których podstawowym językiem miłości jest *czas*.

Marissa, czternaście lat, entuzjastka wędkarstwa: „Lubię, gdy tata zabiera mnie na ryby. Mówiąc szczerze, łapanie ryb nie podoba mi się za bardzo. Ale lubię być z tatą. Rozmawiamy wtedy o różnych rzeczach i lubię wstawanie wcześnie rano. To najlepsze chwile, jakie z nim spędzam".

101

David, szesnaście lat, od niedawna dumny posiadacz prawa jazdy: „Teraz, kiedy mogę prowadzić, lubię jeździć w różne miejsca bez rodziców. Ale lubię też robić różne rzeczy razem z nimi. Najbardziej z tatą. Niektórzy koledzy nie mają ojców. Czasami myślę, że jestem prawdziwym szczęściarzem".

Monica, czternaście lat, mieszka z matką i rzadko kontaktuje się z ojcem: „Lubię u mamy to, że możemy o wszystkim porozmawiać. Nie mamy przed sobą sekretów. Jesteśmy sobie naprawdę bliskie. Pomaga mi w wielu problemach. Wiem, że mogę jej powiedzieć o wszystkim, co mnie martwi, a ona mi pomoże".

Jennifer, osiemnaście lat, jesienią wyjeżdża na studia: „Myślę, że najbardziej będzie mi brakować rozmów z mamą i tatą. Czasami rozmawiamy do późna w nocy, ale wiem, że zawsze są gotowi mnie wysłuchać. Nie będę tego miała w akademiku. Wiem, że mogę zadzwonić, ale to nie będzie to samo".

Przypisy

1. Ross Campbell, *Sztuka akceptacji, czyli jak po prostu kochać swego nastolatka*, Oficyna Wydawnicza „Vocatio", Warszawa 1999, s. 39 (tłum. Barbara Kośmider).
2. Gary Smalley i Greg Smalley, *Bound by Honor*, Tyndale, Wheaton 1998, s. 98.
3. Eastwood Atwater, *Adolescence*, Prentice Hall, Englewood Cliffs 1996, s. 198.
4. Tamże, s. 201-202.
5. Smalley i Smalley, *Bound by Honor*, s. 107.
6. Lawrence Steinberg i Ann Levine, *You and Your Adolescent*, Harber & Row, New York 1990, s. 13.

Rozdział szósty

Czwarty język miłości: pomoc

„Myślę, że tym, co sprawiało, że czułem się kochany, był wysiłek, jaki rodzice okazywali, aby mi pomóc, gdy czegoś potrzebowałem". Mark rozpoczął właśnie pierwszą pracę i poważnie rozważał możliwość zawarcia małżeństwa. Kiedy wspominał swój wiek nastoletni, mówił o bardzo konkretnych sprawach: „Pamiętam, jak mama przygotowywała nam śniadania, mimo iż pracowała od rana. Pamiętam, jak tata pomagał mi naprawić stary samochód, który kupiliśmy, gdy skończyłem szesnaście lat. Robili dla mnie mnóstwo rzeczy – małych i wielkich".

Mark, dwudziestoczteroletni mężczyzna, kontynuował wspomnienia: „Widzę to teraz wyraźniej niż wtedy. Ale nawet wtedy wiedziałem, że robią wiele, aby mi pomóc, i zawsze to doceniałem. Mam nadzieję, że kiedyś będę tak samo odnosił się do swoich dzieci".

Mark opisał rodziców, którzy posługiwali się językiem miłości, który można nazwać *praktyczna pomoc*.

Wychowanie dzieci wymaga od rodziców gotowości służenia im. W dniu, w którym zdecydowaliście się mieć dziecko, zobowiązaliście się do długoterminowej pracy dla drugiej osoby. Zanim wasze dziecko stało się nastolatkiem, przez trzynaście lat posługiwaliście się tym językiem. Jeśli chcecie poznać swoje zasługi, policzcie, ile pieluch zmieniliście w życiu, ile posiłków przygotowaliście, ile razy praliście i prasowali ubranka dzieci, ile razy opatrywaliście ich skaleczenia, naprawiali zabawki, słali łóżka, myli głowy, czesali włosy itd. Tylko potem nie pokazujcie tej listy swojemu nastolatkowi. Jednak gdy będziecie sami, możecie odczytać ją na głos, szczególnie gdy będzie się wam wydawało, że zawodzicie jako rodzice. Macie przed sobą przekonujące, niepodważalne dowody, że naprawdę kochacie swoje dzieci.

Lecz teraz wasze dziecko jest nastolatkiem i musicie opanować nowe dialekty porozumiewania się, jeśli nadal chcecie skutecznie komunikować miłość poprzez pomoc. Nie trzeba już zmieniać pieluszek, ale z pewnością jest wiele guzików do przyszycia, posiłków, które trzeba przygotować, opon rowerowych, które wymagają zmiany, ubrań do wyprania (prasowanie możecie pominąć, teraz jest moda na pogniecione), usprawiedliwień, które trzeba napisać itd.

Moc języka pomocy

Cała ta ciężka praca nabiera szlachetnego wymiaru, kiedy zrozumiemy, że praktyczna pomoc jest bardzo dobrym sposobem komunikowania miłości nastoletniemu synowi lub córce. Niektórzy rodzice popadli w pewną rutynę, okazując pomoc z poczucia obowiązku. Mnogość szczegółów uniemożliwia im dostrzeżenie całego obrazu. Mam nadzieję, że lektura tego rozdziału pomoże rozpędzić mgły przyziemności i sprawi, że blask prawdziwej miłości poszerzy horyzonty kontaktów z nastolatkiem. *Praktyczna pomoc* to jeden z najjaśniejszych promieni miłości.

Historia ludzkości jest pełna mężczyzn i kobiet, którzy po mistrzowsku posługiwali się językiem miłości, nazwanym przeze mnie *praktyczną pomocą*. Kto nie słyszał o Matce Teresie? Jej imię jest wręcz synonimem pomocy i miłosierdzia. W Afryce działał Albert Schweitzer, a w Indiach Mahatma Gandhi. Większość osób, które poświęciły się studiowaniu życia Jezusa Chrystusa, kluczowej postaci wiary chrześcijańskiej, jest zgodna, że najlepszym podsumowaniem całego Jego życia było obmycie stóp uczniom. Jezus powiedział o sobie: „[Syn Człowieczy] nie przyszedł, aby Mu służono, lecz aby służyć i dać swoje życia na okup za wielu"[1]. Swoim naśladowcom polecił: „Kto by między wami chciał stać się wielkim, niech będzie waszym sługą"[2].

Prawdziwa wielkość wyraża się w służeniu innym. Praktyczna pomoc okazywana przez rodziców ich nastoletnim dzieciom jest niezwykle przekonującym wyrazem miłości.

Dobrowolna pomoc

Ponieważ opieka nad dzieckiem trwa wiele lat i towarzyszy jej wiele innych obowiązków, rodzice mogą zapomnieć, że codzienne i prozaiczne czynności, które wykonują dla dziecka, są w rzeczywistości wyrażaniem miłości o długotrwałym działaniu. Czasami któreś z rodziców nazywa swoje ciągłe starania niewolniczą pracą, szczególnie jeśli to, co robi, jest lekceważone przez współmałżonka, dzieci lub inne osoby. Jeśli jednak przyjmie taką postawę, nastolatek wyczuje to i nie będzie się czuł kochany mimo wysiłków rodzica.

Pomoc wypływająca z miłości nie jest niewolniczą pracą. Niewolnictwo to coś narzuconego i znoszonego z niechęcią. Pomoc płynąca z miłości jest rezultatem wewnętrznego pragnienia i wysiłków podejmowanych dla dobra innych. Pomoc płynąca z miłości jest darem, a nie obowiązkiem, i powinna być dobrowolna, a nie wynikać z przymusu. Kiedy rodzice pomagają nastolatkom z niechęcią i zgorzknieniem, być może zaspokajają fizyczne potrzeby syna lub córki, lecz rozwój emocjonalny ich dzieci zostanie poważnie zahamowany.

Ponieważ praktyczną pomoc okazujemy niemal codziennie, nawet najlepsi rodzice powinni czasami zatrzymać się i przeanalizować swoją postawę, aby upewnić się, że to, co robią, naprawdę komunikuje miłość. Pamiętam, co powiedziała mi Carmen: „Tata pomaga mi w odrabianiu lekcji, jeśli go o to bardzo poproszę. Ale robi to w taki sposób, że czuję się winna i lekceważona. Wolę go o nic nie prosić". Taka pomoc nie komunikuje miłości. Także matki mogą komunikować niewiele miłości. „Chciałabym, żeby mama pomogła mi przygotować różne pracy do szkoły, ale ona chyba nie ma na to czasu – powiedziała Julia, uczennica pierwszej klasy liceum. – Kiedy ją o coś proszę, mam wrażenie, że pomaga mi tylko dlatego, żebym dała jej spokój". Jeśli pomoc, jaką rodzice okazują nastoletnim synom i córkom, ma zostać odebrana jako wyraz miłości, musi płynąć z dobrej woli.

Manipulacja nie jest miłością

Pomoc może być środkiem do manipulowania nastolatkiem. „Zawiozę cię do miasta na spotkanie z kolegami, jeśli najpierw posprzątasz swój pokój". To próba ubicia targu z nastolatkiem, zawarcia kontraktu: „Ja zrobię to... jeśli ty zrobisz tamto...". Nie uważam wcale, że nigdy nie należy zawierać umów z nastolatkami, ale nie możemy traktować tego jako wyrazu miłości. To tylko kontrakt: zawieziecie nastolatka na spotkanie w zamian za to, że posprząta pokój – wymiana usług, która ma skłonić nastolatka do zrobienia czegoś, co uważacie za ważne, jednak nie jest to sposób wyrażenia miłości.

Jeśli wasza pomoc zawsze zależy od tego, czy syn lub córka zrobią coś, o co prosicie, mamy do czynienia z manipulacją. Manipulacja nigdy nie jest wyrazem miłości. Miłości nie można kupić. To dar całkowicie dobrowolny. Powinniśmy kochać swoje nastoletnie dzieci bezwarunkowo. Może czasami nie podoba się nam ich zachowanie, lecz nadal możemy okazywać im miłość w języku, jakim jest praktyczna pomoc. W rzeczywistości nastolatek będzie czuł się bardziej kochany, kiedy dostrzeże, że wasza miłość jest bezwarunkowa.

Próby zmiany postępowania nastolatka poprzez składanie obietnicy, że zrobimy coś, czego od nas oczekuje, nazywane są w psychologii *modyfikacją zachowania*. Polega ona na nagradzaniu czymś, czego nastolatek pragnie, za zachowanie się w sposób, który rodzice uważają za pożądany, lub odmawianiu mu tego, jeśli nie zastosuje się do woli rodziców. Taka metoda wychowawcza była popularna w latach 70. wieku XX, lecz według mnie nie jest to dobry sposób wychowywania dzieci, a z pewnością nie jest to właściwy sposób postępowania z nastolatkami.

Nie twierdzę, że w ogóle nie powinno się stosować modyfikacji zachowania jako metody wychowawczej. Może być pomocna w przełamywaniu głęboko zakorzenionych wzorców zachowania, które rodzice uznają za nieodpowiednie. Czasami oferowana nagroda wystarczy, aby zmotywować nastolatka do zmiany zachowania, którego w innym wypadku nie byłby skłonny zmienić. Niestety, ta zmiana przeważnie okazuje się nietrwała, jeśli zabraknie elementu nagrody. (Więcej na ten temat – w rozdziale dwunastym, który dotyczy miłości i odpowiedzialności).

Jednocześnie ostrzegam rodziców, że i nastolatki próbują czasami uciekać się do manipulacji. Szesnastoletni Bradley powiedział: „Jeśli chcę, aby mama zrobiła coś dla mnie, wystarczy, że powiem: zaraz posprzątam swój pokój. Zrobi dla mnie wtedy wszystko, o co poproszę”. Bradley nauczył się manipulować swoją mamą. Jeśli jego matka uzna, że to, o co syn ją prosi, jest dla niego dobre, może zgodzić się na taki układ. Lecz rodzice z zasady nie powinni nigdy wyrażać zgody na coś, co uważają za nierozsądne, tylko dlatego, że nastolatek zaoferował się zrobić w zamian coś, co uznali za pożądane.

Niektóre nastolatki są mistrzami manipulacji. „Gdybyście mnie naprawdę kochali, to…" jest wyrazem skrajnej manipulacji ze strony nastolatka. Taki młody człowiek wykorzystuje pragnienie bycia dobrymi rodzicami jako narzędzie, byle uzyskać zgodę na coś, czego chce. W takim wypadku najlepsza odpowiedź brzmi: „Kochamy cię i właśnie dlatego nie pozwolimy na to, co według nas mogłoby ci zaszkodzić, choćbyś bardzo nalegał". Manipulacja nie ma nic wspólnego z miłością, jest to próba kontrolowania innych. Nie jest to pozytywne zjawisko w relacji między rodzicami a nastolatkiem.

Odwzajemniona miłość

Modelowanie i przewodzenie

Dobrzy rodzice pragną przede wszystkim dwóch rzeczy: kochać i być kochanymi. Chcemy, aby nasze nastolatki czuły się kochane, aby ich zbiorniki miłości były pełne, lecz pragniemy również, aby nauczyli się kochać innych. Rodzice pytają czasami: „Jeśli będę ciągle pomagał mojemu nastolatkowi, to kiedy nauczy się dbać sam o siebie i pomagać innym?". Rozwiązaniem tego problemu jest dawanie przykładu i udzielanie wskazówek. Kiedy robimy dla nastolatka rzeczy, których od nas oczekuje (o ile uznamy, że będzie to dla niego korzystne), dajemy mu przykład bezwarunkowej miłości. Musimy jednak przyglądać się temu, na co się godzimy. W innym wypadku wychowamy niesamodzielnego młodego człowieka, który potrafi tylko brać, nie dając nic w zamian. Na przykład, przygotowanie posiłku jest formą praktycznej pomocy, lecz nauczenie nastolatka gotowania jest bardziej pomocne. Oczywiście, łatwiej zrobić coś samemu, niż nauczyć tej czynności nastolatka. Ale co będzie pożyteczne na dalszą metę? Oczywiście, to drugie.

Ogólna zasada brzmi: pomagajcie nastolatkom w tym, czego nie mogą zrobić same. Kiedy byli młodsi, praliście ich ubrania; kiedy stali się nastolatkami, czas, żeby nauczyli się sami dbać o swoje rzeczy. Rodzice, którzy nie widzą tej różnicy, mogą w imię miłości opóźnić dojrzewanie swoich nastoletnich dzieci. Nie znaczy to, że nigdy nie powinniście prać ich rzeczy. Znaczy to natomiast, że nie będziecie robili tego za nich stale. Oprócz dawania przykładu, powinniście również wskazywać im drogę do dojrzałości i niezależności.

Wskazywanie właściwej drogi

Uważam, że dobrze jest, gdy rodzice tłumaczą swoim nastolatkom, co robią. Mama trzynastoletniego Patricka zwróciła się do syna: „Jesteś już nastolatkiem i chcę ci powiedzieć coś ważnego. Kiedy byłeś mały, robiłam dla ciebie wiele rzeczy, bo bardzo cię kocham. Przygotowywałam ci posiłki, prałam twoje ubrania, sprzątałam twój pokój i robiłam inne rzeczy. Mogłabym nadal wykonywać to za ciebie, aż skończysz szkołę średnią, ale teraz nie byłoby to przejawem miłości. Ponieważ nadal bardzo cię kocham, nauczę cię, jak robić to samemu. Nie chcę, żebyś skończył szkołę i wyjechał z domu, nie umiejąc o siebie zadbać.

Patrick, zrobiłam listę rzeczy, których chcę cię nauczyć. Przeczytaj ją i jeśli zechcesz, dopisz do niej to, co według ciebie też jest ważne. Spróbujmy ustalić kolejność, w jakiej chciałbyś się nauczyć tego wszystkiego. Nie będę zmuszała cię do czegoś, czego jeszcze nie potrafisz, ale stopniowo powinieneś opanować te umiejętności".

Mama Patricka przedstawiła swoją wizję okazywania mu miłości poprzez praktyczną pomoc. Prawdopodobnie reakcja jej syna będzie pozytywna, ponieważ pozwoliła mu wybrać, jakich rzeczy chciałby się nauczyć, jak też ustalić kolejność ich wprowadzania. Podobną listę mógłby przygotować także ojciec Patricka. Napisałby, czego pragnie nauczyć swojego syna, a ten dopisałby czynności, których chciałby nauczyć się pod okiem taty.

Nastolatek, którego rodzice potrafią postępować w taki sposób, ma dużo szczęścia. Będzie czuł się kochany przez rodziców i wyrośnie na odpowiedzialnego człowieka, który potrafi zadbać o siebie i okazywać miłość innym poprzez praktyczną pomoc.

Stosując takie podejście, rodzice wyrażają miłość w języku praktycznej pomocy i jednocześnie pomagają nastolatkowi opanować umiejętności niezbędne do pomagania innym. Wskazywanie takiej drogi obejmuje zarówno nauczanie, jak i praktykowanie. Nauczanie polega na słownym instruowaniu. Praktykowanie polega na uczeniu się przez wykonywanie. Obydwa podejścia odgrywają ważną rolę w wychowaniu dzieci. Rodzice najpierw mówią i pokazują, jak coś należy robić, a następnie dają nastolatkowi możliwość samodzielnego przećwiczenia nowej umiejętności.

Na przykład ojciec, który chce nauczyć syna myć samochód, może zacząć od udzielenia najprostszych wskazówek: „Pamiętaj, najpierw trzeba spłukać samochód wodą, aby usunąć wszelkie ziarenka piasku, które mogłyby zarysować karoserię, gdy zaczniesz go czyścić. Zaczynaj od dachu, potem przejdź na przednią maskę, bagażnik i boki. Myj samochód po niewielkim kawałku, spłukując od razu płyn do mycia, aby nie zaschł i nie pozostawił zacieków na karoserii". Potem powinien to zademonstrować, pozwalając nastolatkowi pomagać w myciu. Może przez pewien czas będą myli samochód wspólnie, po czym ojciec pozwoli synowi zrobić to samodzielnie. Potem mogą myć samochód razem lub oddzielnie, zależnie od okoliczności. Kiedy syn sam umyje samochód, ojciec powinien wyrazić wdzięczność i uznanie. Nastolatek nauczy się wówczas nie tylko porządnie myć samochód, ale również okazywać miłość swojemu ojcu.

Pomaganie nastolatkowi w budowaniu tożsamości i niezależności

W dzisiejszym społeczeństwie, cierpiącym na chroniczny brak czasu, niektórzy rodzice nie zdołali nauczyć swoich nastolatków nawet podstawowych umiejętności niezbędnych do samodzielnego życia. W konsekwencji, gdy syn lub córka wstępują w związki małżeńskie, wkrótce się okazuje, że żadne z nowożeńców nie potrafi odkurzać, gotować ani prać. Nie mają najmniejszego pojęcia, jak zadbać o siebie, nie mówiąc już o pomaganiu sobie nawzajem. Rodzice nie nauczyli ich posługiwania się językiem miłości, jakim jest praktyczna pomoc.

Oczywiście, zaprzestanie wyręczania nastolatka we wszystkim i nauczenie go, jak samodzielnie zatroszczyć się o siebie, wymaga od rodziców wiele czasu i energii. Mimo to niewiele jest rzeczy ważniejszych dla rozwoju emocjonalnego i społecznego młodego człowieka. Jeśli nastolatek nauczy się pomagać innym w codziennych obowiązkach, będzie miał o sobie lepsze zdanie, a dzięki temu wzmocni się jego poczucie wartości. Kiedy będzie pomagał ludziom spoza rodziny, otrzyma od nich pozytywną informację zwrotną. Ludzie lubią tych, którzy chętnie pomagają innym. Dzięki temu poczucie osobistej wartości nastolatka zostanie jeszcze bardziej wzmocnione.

Co więcej, opanowanie różnych umiejętności pozwoli nastolatkowi usamodzielnić się w wielu dziedzinach, dzięki czemu zyska większe poczucie niezależności. Rodzice mają wielki wpływ na proces dojrzewania swojego nastoletniego syna lub córki. Jeśli zawiodą w tej dziedzinie, wychowają człowieka znudzonego życiem, borykającego się z niską samooceną, przekonanego, że nie zdoła niczego osiągnąć i mającego trudności w kontaktach społecznych. To niezwykle ważne, aby rodzice kochali swoje nastoletnie dzieci na tyle mocno, by wpoić im umiejętność pomagania innym. Jeśli tego nie zrobią, nastolatki będą miały prawo czuć się oszukane. Miłość polega na opiekowaniu się dziećmi, gdy są małe, i uczeniu ich samodzielności, kiedy staną się nastolatkami.

Praktykowanie pomocy

Dwie zabawy rodzinne

W książce *The Five Signs of a Loving Family* (Pięć cech kochającej się rodziny)[3] zawarłem propozycje pielęgnowania w rodzinie postawy gotowości okazania pomocy. Przedstawiłem dwie zabawy, w których mogą uczestniczyć wszyscy członkowie rodziny[3]. Uważam, że także nastolatki chętnie się do niej przyłączą.

Pierwszą nazwałem „Naprawdę to doceniam!". Zabawa ta pomaga członkom rodziny okazywać wdzięczność i afirmację za wzajemną pomoc w codziennym życiu. Gdy siedzicie razem przy stole lub w pokoju, każda osoba kończy zdanie: „Sposobem, w jaki dzisiaj ci pomogłem(am), było...". Zdanie to trzeba uzupełnić, na przykład: „przygotowanie posiłku", „umycie naczyń", „odkurzenie dywanów", „wyniesienie śmieci" lub „zrobienie zakupów". Następnie osoba, która otrzymała praktyczną pomoc, odpowiada: „Naprawdę to doceniam". Taka gra jest pozytywnym sposobem uświadomienia członkom rodziny, w jaki sposób pomagają sobie nawzajem. To również doskonały sposób wyrażenia afirmacji słownej i wdzięczności.

Druga gra nosi nazwę „Czy wiesz, co mógłbyś dla mnie zrobić?". Każdy członek rodziny kieruje prośbę do innej osoby, zaczynając od pytania: „Czy wiesz, co mógłbyś(łabyś) dla mnie zrobić?", a następnie określa, jakiej konkretnie pomocy oczekuje. Na przykład mama może powiedzieć: „Chciałabym, abyś w sobotę rano zrobiła mi na śniadanie grzanki z dżemem". Julia, do której prośba była skierowana, odpowiada: „Postaram się o tym pamiętać". Zauważcie: osoba, która została poproszona o pomoc, nie obiecuje, że na pewno to zrobi, lecz postara się o tym pamiętać. To do niej należy wybór, czy to zrobi, czy nie. Pamiętajcie, prawdziwa pomoc musi być dobrowolna. Próby wymuszenia jej lub manipulowania są zaprzeczeniem miłości.

W obydwu grach mogą uczestniczyć nastolatki i małe dzieci. Jeśli gra przebiega w dobrej atmosferze, wolnej od osądów i nierealistycznych oczekiwań, może pomóc w pielęgnowaniu wśród członków rodziny zwyczaju okazywania wzajemnej pomocy.

Napełnianie zbiornika miłości Scotta

Dla niektórych nastolatków praktyczna pomoc jest podstawowym językiem miłości. Kiedy rodzice wyrażają im miłość w ten sposób, zbiornik miłości syna lub córki szybko się napełnia. Przykładem jest Scott. Gdy skończył szesnaście lat, rodzice kupili mu samochód, co później uznali za „najgorszą rzecz, jaką mogli zrobić". Sześć miesięcy później chłopak znalazł się w moim gabinecie, ponieważ rodzice zagrozili, że odbiorą mu auto, jeśli nie zgodzi się ze mną spotkać (doskonały przykład manipulacji, lecz prawdopodobnie zarazem jedyny sposób nakłonienia Scotta do takiej wizyty). Rodzice Scotta odwiedzili mnie tydzień wcześniej i opowiedzieli o swoich kłopotach. Od chwili, gdy dostał samochód, Scott stał się całkowicie nieodpowiedzialny. Otrzymał już dwa mandaty za jazdę z nadmierną prędkością i miał na swym koncie stłuczkę.

Rodzice Scotta twierdzili, że ich syn zachowuje się bardzo wrogo wobec nich. „Odkąd ma samochód, nie chce spędzać czasu z rodziną – powiedział ojciec. – Popołudniami pracuje w pizzerii, aby zarobić na benzynę. Wszystkie wieczory spędza z przyjaciółmi. Posiłki je na mieście, więc nie widzi potrzeby, żeby wracać do domu na obiad lub kolację. Zagroziliśmy, że odbierzemy mu samochód, ale nie wiemy, czy to byłoby dobre rozwiązanie. Właściwie nie wiemy, co robić. Dlatego chcieliśmy się z panem spotkać". Rodzice Scotta byli bardzo aktywnymi ludźmi. Oboje odnosili sukcesy zawodowe, a Scott był ich jedynym dzieckiem.

W trakcie kilku rozmów, jakie odbyłem ze Scottem w następnych tygodniach, odkryłem, że miał niewiele szacunku dla swoich rodziców. „Interesują się tylko swoimi karierami – stwierdził. – Zupełnie im na mnie nie zależy". Dowiedziałem się, że rodzice Scotta z reguły wracają do domu dopiero o szóstej lub wpół do siódmej wieczorem. Zanim Scott znalazł pracę w restauracji, wracał do domu o wpół do czwartej, odrabiał lekcje i rozmawiał przez telefon z kolegami. Kiedy przychodzili rodzice, jedli razem kolację. „Najczęściej kupowali coś gotowego, wracając do domu. Mama nie lubi gotować, a ojciec nie potrafi. Po kolacji sprawdzali, czy odrobiłem lekcje. Potem tata jeszcze trochę pracował lub oglądał telewizję, a mama czytała lub rozmawiała przez telefon.

Wracałem do swojego pokoju i włączałem komputer lub dzwoniłem do znajomych. To było nudne. Nie wiedziałem, co ze sobą zrobić" – kontynuował Scott.

Dowiedziałem się również, że wiele razy prosił rodziców, aby pomogli mu w różnych sprawach, ale za każdym razem odnosił wrażenie, że szkoda im na to czasu. „Kiedy miałem trzynaście lat, poprosiłem tatę, aby nauczył mnie jeździć na nartach wodnych, ale odpowiedział, że to niebezpieczne i jestem jeszcze za młody. Kiedy chciałem nauczyć się grać na gitarze, stwierdził, że nie mam słuchu, więc byłaby to tylko strata pieniędzy. Nawet poprosiłem mamę, aby nauczyła mnie gotować. Zgodziła się, ale nigdy do tego nie doszło".

Było dla mnie oczywiste, że Scott czuł się oszukany przez rodziców. Troszczyli się, żeby miał co jeść, gdzie mieszkać i w co się ubrać, ale nie zaspokajali jego potrzeby miłości. Wydawało się, że podstawowym językiem miłości Scotta była praktyczna pomoc, lecz jego rodzice nigdy nie nauczyli się nim posługiwać. Okazywali mu pomoc, zaspokajając podstawowe potrzeby materialne, ale nie zwracali uwagi na jego zainteresowania i nie robili nic, aby pomóc mu opanować umiejętności potrzebne do rozwijania zainteresowań. W rezultacie Scott czuł się odrzucony i niekochany. Jego zachowanie było odzwierciedleniem przeżywanych emocji.

Chciałbym napisać, że relacja Scotta z jego rodzicami szybko uległa poprawie, w rzeczywistości jednak, zanim cokolwiek zmieniło się na lepsze, było coraz gorzej. Podzieliłem się swoimi obserwacjami z rodzicami Scotta, ci je zrozumieli i podjęli szczere próby odbudowania relacji z synem. Jednak Scott nie był tym zainteresowany. Odrzucał większość ich wysiłków. Wydawało się, iż uznał, że to, co robią, to dla niego za mało i za późno.

Minął rok, zanim pojawiła się wyraźna zmiana. Odwiedziłem Scotta w szpitalu, gdzie trafił po wypadku samochodowym. Miał złamaną nogę, biodro i strzaskaną stopę. Było to na początku ostatniej klasy liceum. W trakcie rekonwalescencji Scott odnowił swą więź z rodzicami. Oni przeprosili go za to, że zaniedbywali jego potrzeby, a Scott przyznał, że wykreślił ich ze swojego życia, ponieważ czuł się odrzucony.

Kiedy zmienił się klimat emocjonalny w domu, inne sprawy również uległy znaczącej poprawie. Gdy Scott leżał w gipsie, rodzice dokładali wszelkich starań, aby okazywać mu miłość poprzez praktyczną pomoc i, co ważniejsze, poznali zainteresowania swego syna i pomogli mu je rozwijać. Ostatni rok w liceum był, jak on sam określił, „najgorszym i najlepszym rokiem mego życia". Scott musiał walczyć z silnym bólem fizycznym, ale jednocześnie odkrył na nowo prawdziwą więź emocjonalną z rodzicami. Jeszcze przez dwa lata mieszkał z nimi, uczęszczając na pobliską uczelnię, co dało rodzicom nowe możliwości wyrażania miłości poprzez praktyczną pomoc. Oboje bardzo zaangażowali się w jego studia. Razem z tatą często wyjeżdżał w weekendy nad jezioro. Scott nie był już zainteresowany jazdą na nartach wodnych, ale nauczył się żeglować i nieźle radził sobie na skuterze wodnym. W czasie studiów Scott poszerzył swoje zainteresowania, a rodzice robili wszystko, co mogli, aby pomóc mu je rozwijać. Dzisiaj Scott ma dwadzieścia siedem lat, żonę i syna, któremu sam okazuje miłość w języku praktycznej pomocy.

Rodzice Scotta, podobnie jak inni, chcieli jak najlepiej. Bardzo kochali swojego syna, lecz nie znali jego podstawowego języka miłości i nie umieli się nim posługiwać. Kiedy ten język odkryli i zaczęli go używać, na początku Scott ignorował ich starania. To częsta reakcja, jeśli nastolatek przez długi czas czuje się samotny i odrzucony. Rodzice nie powinni jednak rezygnować. Jeśli będą konsekwentnie próbowali posługiwać się podstawowym językiem miłości syna lub córki, ich uczucie w końcu przeważy nad poczuciem krzywdy i będzie można odbudować bliską więź.

Co mówią nastolatki

Odnowienie bliskich więzi może być punktem zwrotnym w życiu rodziny, o ile rodzice będą kontynuować okazywanie uczucia nastolatkowi w jego języku miłości. Posłuchajmy, co mówią młodzi ludzie, których podstawowym językiem miłości jest praktyczna pomoc.

Grace, trzynaście lat, mieszka z mamą i młodszą siostrą. Ojciec odszedł, gdy miała siedem lat. „Wiem, że mama mnie kocha, bo pierze moje brudne ubrania, codziennie robi obiad i pomaga mi w odrabianiu lekcji, nawet jeśli o to nie proszę. Mama jest pielęgniarką i ciężko pracuje, abyśmy miały co jeść i w co się ubrać. Myślę, że tata też mnie kocha, ale on mi tak nie pomaga".

Krystal, czternaście lat, najstarsza z czwórki rodzeństwa: „Wiem, że rodzice mnie kochają, ponieważ robią dla mnie wiele rzeczy. Mama zawozi mnie na próby i na wszystkie występy. Tata pomaga mi w nauce, szczególnie matematyce, której nie cierpię".

Todd, siedemnaście lat, latem kosi sąsiadom trawniki, właśnie kupił pierwszy samochód: „Mam najlepszego ojca na świecie. Nauczył mnie, jak kosić trawę i dzięki temu zarabiać, abym mógł kupić sobie samochód. W zeszłym tygodniu pokazał mi, jak się zmienia świecę".

Kristin, trzynaście lat: „Wiem, że mama mnie kocha, ponieważ poświęca wiele czasu, aby mnie wszystkiego nauczyć. W zeszłym tygodniu wzięłyśmy się za szydełkowanie. W tym roku sama zrobię prezenty pod choinkę".

Przypisy

1. Ewangelia wg św. Mateusza 20,28.
2. Ewangelia wg św. Mateusza 20,26.
3. Gary Chapman i Derek Chapman, *The Five Signs of a Loving Family*, Northfield, Chicago 1997, s. 35-36.

Rozdział siódmy

Piąty język miłości: prezenty

Trwała popołudniowa przerwa w czasie seminarium dla małżeństw, jakie prowadziłem w dość niezwykłym miejscu – bazie lotniczej NATO w Geilenkirchen w Niemczech. Większość żołnierzy pełniła służbę przez minimum dwa lata, więc mieszkali na terenie bazy z rodzinami. Tego popołudnia zauważyłem trzynastoletniego Aleksa, który siedział przy stole ogrodowym i odrabiał lekcje. Wyglądał jak typowy amerykański nastolatek: krótko ścięte włosy, wypłowiałe dżinsy i znoszona zielona bluza. Uznałem, że nie będzie miał mi za złe, jeśli mu przeszkodzę, więc przedstawiłem się i zaczęliśmy rozmawiać.

Zapytałem go o medalik z wizerunkiem św. Krzysztofa, który nosił na szyi. „To prezent od taty na moje trzynaste urodziny – powiedział Alex. – Tata powiedział wtedy, że kiedy będzie pełnił służbę, ten medalion będzie mi o nim przypominał. Noszę go cały czas".

– A kim był św. Krzysztof? – zapytałem.

– Nie jestem pewien – odpowiedział. – Pewnie jakimś świętym, który zrobił wiele dobrego dla Kościoła.

Było widać, że dla Aleksa medalik w wizerunkiem św. Krzysztofa nie przedstawiał wartości religijnej. Jednak pod względem emocjonalnym był bezcenny. Był symbolem miłości, jaką darzył go ojciec. Pomyślałem, że gdybym spotkał Aleksa za trzydzieści lat, nadal nosiłby ten medalik na szyi.

Co sprawia, że prezent jest prezentem?

Prezenty są namacalnym dowodem miłości. To ważne, aby zrozumieć, co decyduje o istocie prezentu. Prezent to niezasłużony dar, przejaw czyjeś dobrej woli. Z tej definicji wynika, że nastolatek nie może zasłużyć na prezent; otrzymuje go, ponieważ rodzice chcą mu okazać w ten sposób bezwarunkową miłość. Niektórzy rodzice nie potrafią tego zrozumieć. Myślą, że robią prezenty swoim nastolatkom, podczas gdy w rzeczywistości nagradzają ich za wyświadczone przysługi. W takim wypadku nie można powiedzieć, że posługują się językiem miłości, który nazywamy podarowaniem prezentu.

Kiedy na przykład matka mówi do Amandy, swej piętnastoletniej córki: „Jeśli posprzątasz pokój, po obiedzie pojedziemy do sklepu i kupię ci tę sukienkę, o której tyle opowiadałaś". W rzeczywistości matka próbuje manipulować Amandą i nakłonić ją do zrobienia czegoś, na czym to jej zależało, albo chciała zawrzeć kontrakt: „Jeśli ty zrobisz to... ja kupię ci tamto". Możliwe, że miała już dosyć wysłuchiwania próśb Amandy o nową sukienkę i pomyślała, że to dobry sposób, aby skończyć z tym tematem, a jednocześnie zmusić córkę, aby wreszcie zrobiła porządek w swoim pokoju. Niemniej nie można nazwać tej sukienki prezentem. Będzie to zapłata dla Amandy za posprzątanie pokoju. Matka sama ustaliła takie zasady. Może myśli, że kupując córce sukienkę, w rezultacie okazuje jej miłość, lecz Amanda uzna ją za coś, na co zasłużyła, a nie za prezent.

W przypadku niektórych rodziców prawie wszystko, co nazywają „prezentami", jest w rzeczywistości próbą manipulowania synem lub córką i wytargowaniem od nich czegoś lub nagrodzeniem ich pracy. Jedyną okazją, gdy takie nastolatki otrzymują prawdziwe prezenty, są święta Bożego Narodzenia i urodziny. Nie chciałbym być źle zrozumiany: nie twierdzę, że rodzice nie powinni nagradzać nastolatków za to, co one robią. Uważam jedynie, że tych nagród czy zapłat nie należy nazywać prezentami. Nastolatek mógłby prawdopodobnie zawrzeć podobny układ z innymi osobami. Nawet jeśli rodzice proponują mu lepsze warunki niż obcy ludzie, to nadal jest to raczej układ handlowy niż dowód miłości.

Dobrze jest zadać sobie pytanie: „Kiedy ostatni raz daliśmy naszemu synowi lub córce prawdziwy prezent?". Kiedy przypomnicie sobie taką okazję, zadajcie kolejne pytanie: „Czy postawiliśmy mu (jej) jakieś wymagania, zanim daliśmy podarunek?". Jeśli tak, to wykreślcie go z listy, ponieważ nie był to prawdziwy prezent. Zacznijcie od początku, aż przypomnicie sobie, kiedy ostatni raz daliście swemu nastolatkowi prawdziwy prezent. Niektórzy rodzice odkryją, że było to z okazji ostatnich świąt Bożego Narodzenia lub urodzin.

Nastolatki nie mają nic przeciw zawieraniu układów z rodzicami. W rzeczywistości wielu z nich robi to chętnie. Dzięki temu mogą stać się posiadaczami tego, czego pragną. Jeśli nie zdołają osiągnąć tego prośbami, próbują zawrzeć z rodzicami układ. Wiele rodzin funkcjonuje w ten sposób, ale to nie ma nic wspólnego z dawaniem prezentów.

Ceremonia wręczania prezentów

Innym ważnym aspektem związanym z prezentami jest pewien ceremoniał, który powinien towarzyszyć ich wręczaniu. Przypomnijcie sobie cenne prezenty, które otrzymaliście w przeszłości. Co to było? Od kogo je otrzymaliście? Jak były zapakowane? Jak zostały wręczone? Czy przekazaniu towarzyszyły słowa, dotyk lub inny sposób okazania miłości? Prawdopodobnie im większą pomysłowością wykazał się obdarowujący przy zapakowaniu i wręczaniu prezentu, tym bardziej czuliście się kochani. Celem dawania prezentów nie jest jedynie przekazanie jakiegoś przedmiotu jednej osobie przez drugą, lecz także wyrażenie emocji i miłości. Pragniemy, aby obdarowana osoba poczuła, że się o nią troszczymy, że jest dla nas ważna, że ją kochamy. Ten emocjonalny przekaz ulega wzmocnieniu, kiedy wręczenie ma stosowną oprawę.

Dobrze, gdy rodzice nastolatków pamiętają o tym. Kiedy lekceważymy znaczenie ceremoniału, pomniejszamy emocjonalną wartość prezentu. John poprosił rodziców o nowe półbuty, więc zabrali syna do sklepu i kupili obuwie. Chłopak założył je od razu na nogi i sprawa załatwiona. Nie towarzyszył temu żaden ceremoniał. Wielu nastolatków przywykło do takiego sposobu spełniania ich próśb. Lecz takie prezenty komunikują niewiele uczucia i miłości. Jeśli wszystkie podarunki wręczamy w taki sposób, nastolatek zaczyna nabierać przekonania, że to jest coś, co mu się po prostu należy: „Jestem przecież nastolatkiem. Rodzice powinni mi dać wszystko, na co mam ochotę". Przestaje być wdzięczny za to, co otrzymuje, a wartość emocjonalna prezentów spada do minimum.

Lecz jeśli rodzice kupią buty, w domu specjalnie je zapakują i wręczą w obecności innych członków rodziny jako wyraz swojej miłości do nastolatka, okazując ją ponadto poprzez afirmację i dotyk, prezent stanie się mocniejszym komunikatem miłości. Jeśli dotychczas nie przywiązywaliście wagi do oprawy towarzyszącej wręczaniu prezentów, sugerowałbym, abyście powiedzieli synowi lub córce, że postanowiliście wprowadzić więcej radości w życie rodziny i odtąd prezenty będą wręczane w szczególny sposób. Możliwe, że nastolatek wybuchnie śmiechem albo nawet okaże irytację, że próbujecie zmienić dotychczasowy porządek, jednak zapewniam was, że wkrótce zacznie postrzegać wasze podarunki w odmienny sposób. Nauczy się również wyrażać miłość w tym języku, co przyda mu się bardzo w dorosłym życiu.

Prezenty i materializm

Rodzice często pytają mnie: „Czy dając naszemu nastolatkowi dużo prezentów, nie rozbudzamy w nim materializmu, tak powszechnego w naszej kulturze?". To bardzo realne niebezpieczeństwo we współczesnym świecie. Nasze społeczeństwo jest przesiąknięte materializmem. Dorośli i nastolatki gromadzą ulubione „zabawki" z równie wielkim zapałem. Uważamy, że jeśli zdobędziemy najnowsze, najlepsze, najbardziej zaawansowane technicznie gadżety, będziemy szczęśliwi. Podczas gdy dorośli kolekcjonują coraz większe telewizory, droższe samochody czy najnowsze urządzenia domowe, nastolatki próbują zdobyć coraz szybsze komputery, wieże hi-fi o coraz większej mocy, płyty kompaktowe, ubrania znanych firm i markowe buty oraz gotowe są zaakceptować każdy nowy styl w modzie, byle tylko różnić się od swoich rodziców. Wszyscy maszerujemy w tym samym rytmie. Różnica polega jedynie na rodzaju „zabawek".

Jako rodzice powinniśmy zadać sobie pytanie: „Czy tego właśnie pragniemy nauczyć naszego nastolatka?", a także: „Czy naprawdę chcemy, aby nasze życie wyglądało w ten sposób? Czy nie ma nic ważniejszego niż gromadzenie i używanie coraz to nowych »zabawek«?". Większość ludzi uważa, że życie to coś więcej niż rzeczy, które posiadamy, ale wielu, niestety, nie potrafi określić, na czym dokładnie polega różnica.

Myślę, że rozwiązanie tego problemu wymaga dwóch umiejętności. Po pierwsze, okazywania radości z tego, co zwyczajne, i po drugie, dzielenia się z innymi. Przez tysiące lat ludzie obywali się bez tysięcy produktów, które zalały rynek za sprawą rewolucji przemysłowej i technologicznej w XIX i XX wieku. Nie zabiegając tak intensywnie o nowe rzeczy, ludzie potrafili cieszyć się tym, co było dla nich dostępne: jedzeniem, snem, pracą, muzyką, sztuką i kontaktem z przyrodą. Co więcej, dzielili swe życie z innymi ludźmi. Czuli się mocno związani nie tylko z dalszymi krewnymi, ale także z sąsiadami i lokalną społecznością. Dla wielu z nich bardzo istotna była też więź z Bogiem, postrzeganym jako Stwórca całego świata i źródło praw moralnych, które regulowały stosunki człowieka z innymi ludźmi.

Współczesny materializm zrodził się wówczas, gdy człowiek uznał, że dzięki wysiłkom można osiągnąć utopię. Postęp przemysłowy i technologiczny wmówił mu, że nie potrzebuje już praw, a zasady moralne nie pochodzą od Boga, więc można je interpretować według własnej woli. Ludzki rozum zajął miejsce wszechwiedzącego Boga i człowiek zaczął oddawać hołd dziełom swoich rąk. Materializm nie jest niczym innym jak oddawaniem czci fałszywym bożkom. Podstawowym problemem wszystkich form bałwochwalstwa jest to, że kiedy człowiek szuka pomocy u bożków, nie otrzymuje jej. Kiedy więzi międzyludzkie zostają zerwane w wyniku wzajemnie wyrządzonych krzywd, kiedy narkotyki i choroby weneryczne udaremniają przyszłość nastolatków, kiedy małżeństwa kończą się rozwodem, a organizm nie może przezwyciężyć choroby – wtedy się okazuje, że wszystkie rzeczy, jakie zgromadziliśmy wokół, nie są w stanie nas pocieszyć ani nadać życiu sensu. Nasze bożki opuszczają nas.

Wiele osób dochodzi do wniosku, że materializm jest zawodnym substytutem radości, której dostarcza codzienność, i dzielenia tej radości z innymi. Dlatego zwracają się ku sprawom duchowym i poszukują odpowiedzi na pytania o sens i wartość życia, które od zawsze przyciągały serca i umysły. Jeśli wy również doszliście do podobnego miejsca w życiu – z pewnością nie chcielibyście zaszczepiać w swoich dzieciach materializmu, dając im zbyt wiele prezentów lub robiąc to w niewłaściwy sposób. Oczywiście, nie można uciec od świata technologii i maszyn, jednak prezenty, jakie wybieramy dla innych, i sposób, w jaki je wręczamy, mogą odzwierciedlać nasze wartości i przekonanie o słuszności obranej drogi.

Chciałbym zasugerować dwie sprawy, na które, moim zdaniem, rodzice powinni zwrócić szczególną uwagę, stosując język miłości, jakim są prezenty.

Pieniądze

Wartość pieniądza

Pierwszą kwestią jest dawanie pieniędzy. W społeczeństwach zachodnich nastolatki to jedna z głównych grup konsumenckich; wydają najwięcej pieniędzy. Reklamodawcy znaczną część swoich środków przeznaczają na reklamy kierowane do nastolatków. Skąd nastolatki biorą pieniądze? W znacznej części otrzymują je od rodziców. Można by pomyśleć, że jeśli prezenty są jednym z języków miłości, a rodzice dają nastolatkom dużo pieniędzy, to zbiorniki miłości ich nastoletnich dzieci powinny się przelewać. Jednak taki sposób rozumowania kryje w sobie przynajmniej dwa błędy. Po pierwsze, większość tych pieniędzy nie jest przekazywana jako prezent – stanowi raczej element stylu stosunków rodzinnych i nastolatki po prostu oczekują, że je otrzymają. Po drugie, ponieważ nastolatek nie zyskał tych pieniędzy własną pracą, nie przedstawiają one dla niego większej wartości. W związku z tym, gdy rodzice dają pieniądze, syn lub córka wcale nie interpretują tego jako okazania im miłości. Jak zatem powinni postępować rodzice w kwestii dawania pieniędzy nastolatkom?

Myślę, że można podejść do tego problemu dwojako. Przede wszystkim powinniśmy zachęcać do zarabiania pieniędzy. To jedyny sposób, aby syn czy córka zaczęli doceniać wartość pieniądza. Jeśli nastolatek sam zarobi jakąś sumę, którą zamierza wydać na firmowe spodnie, będzie świadomy, ile się natrudził, aby mieć tę rzecz. To zmusi go do zadania sobie pytania: „Czy spodnie były naprawdę warte aż takiego wysiłku?". W ten sposób nastolatek staje się świadomym klientem. Jeśli będzie sam zarabiał pieniądze, będzie mógł dokonywać wyboru, na co je przeznaczyć. Jeśli nie można mieć wszystkiego, trzeba zastanowić się i zadecydować, co jest najważniejsze lub najbardziej potrzebne. W ten sposób przygotowuje się do życia w świecie dorosłych.

Jeśli rodzice uważają, że praca popołudniami nie pozwoli ich synowi lub córce rozwijać dodatkowych zainteresowań, np. sportowych, gry na instrumencie lub nauki języka, to mogą ewentualnie rozważyć wynagradzanie nastolatka za pracę, jaką wkłada w te dziedziny (treningi, granie gam i próby), w podobny sposób, jak choćby za roznoszenie ulotek. Rozwijanie tych zainteresowań wymaga takiego samego wysiłku i wytrwałości, jak praca popołudniami, po zajęciach w szkole. Z tego względu powinny dawać takie same korzyści, jak praca w wolnym czasie.

Jeśli chcemy, aby nasze nastoletnie dzieci nie popadły w materializm, nie dawajmy im pieniędzy za każdym razem, gdy o nie poproszą. Nie powinny uważać, że to im się po prostu należy.

Pieniądze na konkretne cele
Drugie podejście polega na tym, że rodzice dają nastolatkowi pieniądze wyłącznie na określone cele, np. opłacenie obozu sportowego, bilet na koncert, kurs fotograficzny, lekcje gry na gitarze. Wtedy mogą dać je jako prezent, stosując zasady, o których wspomnieliśmy wcześniej, mianowicie: powinni dawać je bez żadnych warunków, w specjalnych okolicznościach, okazując jednocześnie miłość przez afirmację słowną i dotyk, oraz – o ile to możliwe – w obecności innych członków rodziny.

Nastolatek, który pracował, jest bardziej świadomy wartości pieniądza, dlatego potrafi docenić taki prezent. Ma pojęcie, ile czasu potrzeba, aby zarobić kwotę, którą ofiarowali rodzice, dzięki temu potrafi dostrzec emocjonalną wymowę ich gestu.

Kiedy rodzice często dają nastolatkowi pieniądze – 20 zł, 50, 100 – nie przestrzegając zasad dawania prezentów, ich hojność może być niedoceniana, a w rezultacie wcale nie przyczyniać się do napełnienia zbiornika miłości nastoletniego syna lub córki. Uważam, że większość rodziców nastolatków nigdy nie nauczyła się, jak dawać dzieciom pieniądze, aby stały się skutecznym sposobem komunikowania miłości. Jestem przekonany, że powyższe sugestie pomogą robić to mądrzej.

Prezenty

Po pierwsze: dobro nastolatka

Rodzice powinni zastanowić się, jaki prezent będzie dla ich syna lub córki najodpowiedniejszy. Pamiętajcie, że celem prezentu jest przekazanie nastolatkowi komunikatu „kocham cię". Z tego względu rodzice powinni zadać sobie pytanie: „Czy jesteśmy pewni, że ten prezent będzie odpowiedni dla naszego dziecka?". Jeśli odpowiedź będzie przecząca, to nie mogą go dać nastolatkowi z czystym sumieniem. Ta zasada wyklucza dawanie nastolatkom alkoholu czy innych używek, ale także innego rodzaju podarunków. Wśród zamożnych rodziców popularne stało się kupowanie nastoletnim dzieciom samochodu, kiedy tylko mogą samodzielnie go prowadzić. Nie twierdzę, że w każdym wypadku jest to absolutnie niewskazane, ale uważam, że rodzice powinni zadać sobie pytanie: „Czy kupienie samochodu naszemu nastolatkowi naprawdę wpłynie na niego korzystnie?".

Udzielając odpowiedzi na takie pytania, należy uwzględnić wiele czynników. Pierwszym jest poziom dojrzałości i odpowiedzialności nastolatka. Niektórzy młodzi ludzie nie są na tyle dojrzali emocjonalnie, aby posiadać własny samochód. Nie okazali się wystarczająco odpowiedzialni w innych dziedzinach, aby już teraz otrzymać taki podarunek.

Powiedzmy, że rodzice uznali, iż ich nastoletniemu synowi lub córce naprawdę jest potrzebny samochód. Wtedy pojawia się drugie pytanie: „Czy kupienie samochodu w prezencie jest najlepszym rozwiązaniem? Czy nie byłoby lepiej, gdyby nastolatek najpierw zarobił przynajmniej część potrzebnej kwoty? Czy to przyczyni się do bardziej odpowiedzialnego korzystania z samochodu, niż gdybyśmy to my zapłacili całość?". Mądrzy rodzice zadają sobie takie pytania przed podjęciem decyzji. Nie ma reguł, które sprawdzałyby się w życiu wszystkich rodziców i ich synów lub córek. Jednak rodzice, którzy nie zastanawiają się na tymi kwestiami, częściej żałują pochopnej decyzji.

Podobne pytania należy zadać, rozważając problem studiów na prywatnej uczelni. Czy rodzice uważają, że jeśli dysponują odpowiednimi środkami, ich obowiązkiem jest zapewnić synowi lub córce możliwości bardzo kosztownego studiowania? Także w tym wypadku należy zacząć od postawienia pytania: „Co będzie najlepsze dla naszego nastoletniego syna lub córki?". Rodzice chcą oczywiście okazać miłość, starając się zadbać o przyszłość nastolatka. Czy jednak nie będzie lepiej będzie zaproponować synowi lub córce, aby samodzielnie pokryli część opłat? A jeśli to rodzice w całości opłacają studia, czy powinni oczekiwać czegoś w zamian od syna lub córki? Czy należy traktować to jako bezwarunkowy prezent, czy jako sposób uczenia nastolatka odpowiedzialności? Może to nie jest najlepszy czas, aby obdarowywać dziecko kwotą kilku tysięcy złotych rocznie przez kilka kolejnych lat, nie stawiając zarazem żadnych warunków? Może to nie jest czas, aby wyrażać nastolatkowi miłość w języku prezentów, ale raczej pora, aby to nastolatek uczył się okazywać swe emocje w języku praktycznej pomocy?

A może należy połączyć ze sobą oba języki? Uważam za ważne, aby rodzice wiedzieli, co i dlaczego robią.

Jeśli rodzice zdecydują się dać nastolatkowi bezwarunkowy prezent – opłacić w całości pierwszy rok studiów – mają do tego prawo. Lecz być może powinni ograniczyć ten prezent do opłacenia pierwszego roku i obserwować, jak syn czy córka będą się uczyć, a nie deklarować od razu gotowości pokrycia kosztów całych studiów.

Jeśli jako rodzice rozważamy, jak postąpić, istnieje mniejsze prawdopodobieństwo, że spotka nas zawód. Jeśli jednak bez zastanowienia robimy nastolatkom takie prezenty, jak kupno samochodu lub opłacanie studiów, trudno będzie uniknąć rozczarowania w przyszłości. Iluż rodziców żaliło się: „Opłaciliśmy całe jego studia, nie wymagając niczego w zamian, a on w ogóle nie okazuje wdzięczności za to, co dla niego zrobiliśmy". Możliwe, że rodzice zlekceważyli zasadę starannego rozpatrzenia wszystkich „za" i „przeciw" przed podjęciem decyzji. Nastolatki rozumują niekiedy tak: „Nie musiałem iść na uczelnię, to oni chcieli, abym poszedł. Ciągle powtarzali mi, że powinienem się dalej uczyć, ale wykłady były nudne, więc przerwałem studia. Dlaczego robią z tego taki wielki dramat?". Nie doceniając wysiłku, jaki rodzice włożyli w opłacenie kosztów nauki, nastolatek nie tylko nie okazuje im wdzięczności, ale czuje się wręcz odrzucony z powodu robionych mu wymówek. Jego zbiornik miłości jest pusty, a prezent, który miał komunikować miłość rodziców, okazał się źle wybrany.

Po drugie: zainteresowania nastolatka
Innym aspektem, który należy wziąć pod uwagę, gdy dajemy prezenty nastolatkom, są zainteresowania. Pomyślcie o prezentach, które otrzymaliście w przeszłości i nie wiedzieliście, co z nimi zrobić. Możliwe, że ofiarodawcy wydali na nie znaczne sumy pieniędzy. Docenialiście ich dobre intencje, ale sam prezent nie przedstawiał dla was większej wartości. Także rodzice

dają takie prezenty dzieciom. Jeśli chcemy, aby nasze prezenty skutecznie komunikowały miłość, musimy wziąć pod uwagę zainteresowania nastolatków. Zamiast kupować im coś, co zaspokaja nasze pragnienia, dlaczego nie kupić czegoś, z czego oni będą szczerze zadowoleni? Można do tego podejść zupełnie otwarcie i zapytać nastolatka: „Czy mógłbyś wymienić dwie lub trzy rzeczy, które bardzo chciałbyś mieć? Gdybyśmy postanowili kupić ci w tym miesiącu jakiś prezent, wiedzielibyśmy, co to ma być. I prosimy, bądź bardzo konkretny – podaj fason, kolor i inne rzeczy, na które powinniśmy zwrócić uwagę". Większość nastolatków bardzo chętnie spełni taką prośbę. (Także wiele żon chciałoby, aby mężowie zadawali im od czasu do czasu takie pytania). Jeśli informacje, których udzielił nastolatek, są dla was niejasne, możecie poprosić, aby pojechał z wami do sklepu i wskazał dokładnie, jaką rzecz chciałby otrzymać, gdy postanowiliście kupić mu coś w najbliższym czasie. Potem sami wróćcie do sklepu i kupcie prezent, a następnie zapakujcie go i wręczcie zgodnie z zasadami, o których pisałem wcześniej. Po co kupować płytę, której wasz nastolatek nie będzie słuchał, koszulę, której nie będzie nosił, lub buty, które będzie się wstydził włożyć?

Prezenty osobiste i pamiątkowe

Nie wszystkie prezenty powinny być wręczane w obecności innych członków rodziny. Wartość niektórych z nich wzrasta, jeśli zostaną wręczone bez świadków. Kiedy moja córka Shelley miała szesnaście lat, zaprosiłem ją na spacer do Old Salem, odrestaurowanej starówki naszego miasta. Sam spacer nie był niczym szczególnym, ponieważ często wychodziliśmy razem. Lecz tego dnia usiedliśmy przy niewielkim stawie i wręczyłem jej złoty kluczyk na złotym łańcuszku. Powiedziałem potem, najlepiej jak potrafiłem, jak wiele dla mnie znaczy i jak bardzo cieszę się z jej osiągnięć. Powiedziałem, że ten klucz jest symbolicznym kluczem do jej serca i ciała, i chciałbym, aby zachowała je w czystości do dnia, w którym wręczy go swojemu mężowi. Był to szczególny moment dla nas obojga. Kilka lat później, ku swej rozpaczy, Shelly zgubiła złoty kluczyk, lecz na zawsze zachowała wspomnienie chwili, kiedy go otrzymała. Prezent zaginął, lecz to, co symbolizował, pozostało w jej sercu i myślach na długie lata. Obecnie wychowuje własną córeczkę, Davy Grace, i nie będę zaskoczony, jeśli pewnego dnia Davy otrzyma od swojego ojca złoty kluczyk.

To był przykład *osobistego* prezentu, lecz są również prezenty *pamiątkowe*. Każda rodzina posiada takie przedmioty. Nie muszą one mieć wielkiej wartości materialnej, ale są cenione z powodów sentymentalnych. Takim skarbem może być pierścionek, naszyjnik, nóż, książka, pióro, Biblia, kolekcja znaczków – rzeczy przekazywane w rodzinie z pokolenia na pokolenie, ale także przedmioty zakupione przez rodziców jako prezent dla nastoletniego syna lub córki. Są to prezenty o szczególnej wartości emocjonalnej.

Takie podarunki mogą być wręczane na osobności lub w obecności innych członków rodziny – zawsze jednak w uroczystej oprawie, z informacją o specjalnej wartości i symbolice prezentu. Nie zapomnijmy o wyrażeniu nastolatkowi miłości słowami i dotykiem.

Prezenty szczególne przez wiele lat pozostaną dla nastolatka symbolem miłości i troski. Kiedy będzie przeżywał trudne chwile, leżący gdzieś na półce prezent przypomni mu o miłości rodziców. Często jedno spojrzenie na daną rzecz potrafi przywołać afirmujące słowa i uczucia rodziców. Każdy nastolatek potrzebuje kilku takich prezentów.

Fałszywe prezenty

Są również prezenty, których nikt nie powinien otrzymywać. Nazywam je *fałszywymi prezentami*. Są to przedmioty, które mają zastąpić prawdziwą miłość. Najczęściej dają je zapracowani rodzice, nieobecni ciałem lub duchem. Niektórzy prowadzą tak aktywne życie zawodowe, że nie mają nawet czasu okazać swoim dzieciom miłości w językach afirmacji słownej, czasu, pomocy lub dotyku, próbują więc pokryć wszelkie deficyty przez wręczenie prezentu – czasami bardzo kosztownego.

Pewna samotna matka powiedziała: „Za każdym razem, kiedy moja szesnastoletnia córka odwiedza swojego ojca, wraca z naręczem prezentów. On nie chce pomóc mi w opłacaniu jej wizyt u lekarza i dentysty, ale zawsze ma pieniądze na podarunki. Rzadko do niej dzwoni, a w czasie wakacji spędza z nią tylko dwa tygodnie. Uważa jednak, że prezenty powinny jej to wszystko wynagrodzić". Rodzice, którzy uchylają się od opieki nad dzieckiem, często postępują w taki sposób. Nastolatek z reguły przyjmuje od nich prezenty, dziękuje… i wraca do domu z pustym zbiornikiem miłości. Kiedy podarunki są jedynie substytutem prawdziwego uczucia, nastolatek dobrze ocenia ich rzeczywistą wartość: są to fałszywe prezenty.

Do takich sytuacji dochodzi nie tylko po rozwodzie rodziców, ale niekiedy także gdy rodzina żyje i mieszka wspólnie. Najczęściej przyczyną tego jest fakt, że oboje rodzice prowadzą bardzo aktywne życie zawodowe. Mają pieniądze, lecz ciągle brakuje im czasu. Nastolatek w samotności zjada śniadanie, wychodzi do szkoły, wraca do pustego mieszkania i robi, co chce, dopóki wyczerpani całodzienną pracą rodzice nie zjawią się w domu wieczorem. Wspólnie jedzą kolację – takie czy inne »danie w 5 minut«, po czym każdy zasiada przed telewizorem lub komputerem, a następnego dnia wszystko zaczyna się od nowa. W takich domach rodzice bardzo regularnie obdarowują swoje dzieci fałszywymi prezentami. Chętnie dają im pieniądze lub kupują jakieś rzeczy, więc nastolatek ma wszystko, czego tylko zapragnie… z wyjątkiem miłości rodziców. Fałszywe prezenty nigdy nie napełnią zbiornika miłości samotnego nastolatka, nie uciszą również poczucia winy nieobecnych rodziców.

To dobre miejsce, aby powtórzyć to, co napisałem na początku książki. Nastolatki potrzebują, aby rodzice okazywali im miłość we wszystkich pięciu językach miłości. Okazywanie im uczucia jedynie w ich podstawowym języku miłości i ignorowanie czterech pozostałych jest zignorowaniem przesłania tej książki. Staram się pokazać, że podstawowy język miłości nastolatka przemawia do niego najmocniej i najszybciej napełni jego zbiornik miłości, jednak powinno temu towarzyszyć okazywanie miłości także w czterech pozostałych językach. Kiedy nastolatek otrzymuje wystarczająco wiele miłości w swym podstawowym języku, uczucie wyrażane w pozostałych czterech nabiera tym większego znaczenia. Z drugiej strony, jeśli rodzice ignorują podstawowy język miłości nastoletniego syna lub córki, jest mało prawdopodobne, że pozostałe języki napełnią jego zbiornik miłości.

Jeśli podstawowym językiem miłości waszego nastolatka jest otrzymywanie prezentów, zasady, które opisałem w tym rozdziale, są dla was szczególnie ważne. Pod wieloma względami jest to najtrudniejszy spośród pięciu języków. Niewielu rodziców potrafi biegle się nim posługiwać. O wiele więcej spośród nich traci zdrową równowagę w okazywaniu miłości swym nastolatkom poprzez obdarowywanie ich prezentami. Jeśli podejrzewacie, że podstawowym językiem miłości waszego syna lub córki są prezenty, powinniście jeszcze raz przeczytać ten rozdział i wspólnie ocenić, jak w świetle jego treści wypada sposób, w jaki dotychczas obdarowywaliście syna lub córkę.

Co mówią nastolatki

Zastanowienie się, jakie błędy mogliście popełniać w przeszłości i jak wykorzystać przedstawione w tym rozdziale wskazówki dotyczące dawania prezentów, pomoże wam lepiej posługiwać się językiem miłości zwanym prezenty. W następnym rozdziale opiszę, jak odkryć podstawowy język miłości waszego nastolatka, ale najpierw posłuchajcie, co mówią młodzi ludzie, którzy uważają, że ich podstawowym językiem miłości są prezenty.

Michelle, piętnaście lat. Zapytana, jak rodzice okazują jej miłość, bez wahania wskazała na bluzkę, spódnicę i buty. Potem powiedziała: „Wszystko, co mam, dostałam od nich. Dają mi nie tylko to, czego potrzebuję, ale nawet o wiele więcej. Mam tyle, że mogę dzielić się z przyjaciółkami, których rodziców nie stać na kupowanie takich rzeczy".

Serena, uczennica ostatniej klasy liceum. Mówiąc o rodzicach, stwierdziła: „Gdy rozglądam się po pokoju, wszędzie widzę dowody tego, że rodzice mnie kochają. Moje książki, komputer, meble i ubrania – wszystko to dostałam od nich. Pamiętam, jak dali mi komputer w prezencie urodzinowym. Tata podłączył go wcześniej, a mama zapakowała w złoty papier. Kiedy przecięłam wstążkę i zdjęłam papier, na włączonym monitorze widniały słowa: »Wszystkiego najlepszego, Serena. Kochamy cię«".

Ryan, czternaście lat: „Wiem, iż rodzice mnie kochają, ponieważ dali mi wiele rzeczy. Często robią mi niespodzianki i dają coś, o czym wiedzieli, że chciałbym to mieć. Nie chodzi tylko o to, co od nich dostaję, ale także o sposób, w jaki to robią. W naszej rodzinie dawanie prezentów to naprawdę ważna sprawa i wcale nie muszą to być prezenty urodzinowe".

Jeff, siedemnaście lat, dumny posiadacz samochodu: „Ten samochód jest prezentem od całej rodziny. Tata i ja zapłaciliśmy za niego po połowie, a całe wyposażenie dostałem jako prezent. Siostra dała mi w prezencie dywaniki na podłogę. Na siedemnaste urodziny mama i ojciec kupili mi radio. Zagłówki dostałem od mamy – dawała mi jeden co tydzień przez cztery tygodnie, zawsze w inny dzień, aby zrobić mi niespodziankę".

Sean, piętnaście lat, uczeń drugiej klasy gimnazjum. Dużo choruje i opuścił wiele zajęć w szkole: „Wiem, że mam wiele problemów. Większość chłopców gra w piłkę i robi różne fajne rzeczy. Z powodu choroby straciłem rok w szkole. Ale według mnie, jestem najszczęśliwszym chłopakiem na świecie. Moi rodzice bardzo się kochają; kochają również mnie i moją siostrę. Zawsze robią mi prezenty-niespodzianki. Jestem zapalonym komputerowcem, ale tata zawsze potrafi wywiedzieć się o nowych programach przede mną. Kiedy przy kolacji na stole pali się świeczka, wiem, że wieczorem wydarzy się coś szczególnego. Najczęściej się okazuje, że tata kupił mi nowy program, co jest okazją, aby to wspólnie uczcić".

Rozdział ósmy

Jak odkryć podstawowy język miłości nastolatka

– Nie wiem, czy kiedykolwiek uda mi się odkryć podstawowy język miłości Alice – powiedziała pewna matka o swojej czternastoletniej córce. – Wydaje się, że każdego dnia jest inna. Jednego dnia zachowuje się tak, a następnego zupełnie inaczej. Miewa ciągle jakieś nastroje. Nigdy nie wiem, czego się po niej mogę spodziewać.

Odkrycie podstawowego języka miłości nastolatka nie jest tak łatwe, jak odkrywanie podstawowego języka miłości małych dzieci. Wszystkie nastolatki – podobnie jak opisana dziewczyna – przechodzą przez okres bardzo intensywnych zmian emocjonalnych. To doświadczenie trudne dla każdego człowieka. Rzeczywistość dookoła nich ulega nieustannym przemianom, a w ich wewnętrznym świecie myśli, uczuć i pragnień brak równowagi – dlatego tak różnie reagują w rozmaitych sytuacjach.

Zwróćcie uwagę na wasze własne zachowanie w obliczu poważnych zmian. Zastanówcie się, jak wówczas reagujecie na typowe postępowanie współmałżonka czy dzieci. Prawdopodobnie wasze odpowiedzi są krótsze i bardziej rzeczowe; możecie odczuwać napięcie, a nawet silną irytację. To nie są typowe dla was reakcje, lecz jeśli ktoś próbowałby na ich podstawie określić wasz podstawowy język miłości, prawdopodobnie wprowadziłyby go one w błąd.

Wyzwanie

Nastroje nastolatków

Niezrównoważony nastolatek – to określenie dobrze pasuje do większości nastolatków przez kilka lat. Czasami brak równowagi w reakcjach emocjonalnych jest szczególnie widoczny, dlatego często mówimy, że nie sposób przewidzieć, jak w danej sytuacji nastolatek się zachowa. Jako dorośli z reguły zakładamy, że jeśli kolega w pracy w zeszłym miesiącu zareagował pozytywnie na przyjazne klepnięcie w plecy, z podobnym zachowaniem z jego strony spotkamy się następnym razem. W przypadku dorosłych takie założenia są w dużej mierze uzasadnione, lecz nastolatek funkcjonuje zupełnie inaczej. Jego reakcje zależą od nastroju, w jakim się znajduje, a ten potrafi się zmienić nawet kilka razy w ciągu doby. Próby okazania nastolatkowi uczucia, które rano spotkały się z jego aprobatą, po południu mogą zostać przez niego odrzucone.

Ponieważ nastolatek przechodzi przez okres intensywnych zmian, dotyczy to także jego postaw, często zależnych od szybko zmieniających się emocji. Zmieniają się także pragnienia. Wczoraj jego największym marzeniem było stanie się posiadaczem reklamowanego obuwia do koszykówki. Powtórzył to tyle razy, że daliście się przekonać i kupiliście mu je. Dwa dni później idzie pograć w kosza i zakłada starą, znoszoną parę, a wy potrząsacie głową z niedowierzaniem i mówicie: „Nie rozumiem tego chłopaka". Doświadczenia matki Alice są typowym przykładem frustracji, jakie przeżywają rodzice każdego typowego nastolatka – choć normalności często zdaje się w tym brakować.

Nastolatek niezależny

Innym powodem, dla którego trudno jest określić podstawowy język miłości nastolatka – oprócz zmiennych nastrojów, pragnień i zachowań – jest rosnące poczucie niezależności. Wspomnieliśmy o tym kilkakrotnie w poprzednich rozdziałach. W okresie dojrzewania naturalnym zjawiskiem jest rozluźnianie więzi z rodzicami i budowanie własnej tożsamości. Alice nie chce, aby ciągle uważano ją tylko za córkę jej matki. Próbuje zyskać własną tożsamość, niezależną od tej rodziców. Zdobywanie niezależności jest ważnym krokiem w budowaniu własnej tożsamości.

Ponieważ kształtowanie tożsamości jest procesem, Alice próbuje określić, czy woli być znana jako znakomita koszykarka, najlepsza uczennica, troskliwa przyjaciółka, krótkowłosa blondynka, dobra tancerka czy jeszcze ktoś inny. Ponieważ nie zdecydowała jeszcze, która z tych „tożsamości" najbardziej jej odpowiada, często zmienia je, dopasowując się do cech każdej z nich. Kiedy myśli o sobie jako o znakomitej koszykarce, może jej nie zależeć na spędzaniu czasu z mamą. Kiedy jednak pomyśli o sobie jako o troskliwej przyjaciółce, może go wręcz wymagać. W ten sposób rosnąca niezależność i kształtująca się tożsamość utrudniają poznanie podstawowego języka miłości nastolatka.

Nastolatek niedostępny lub rozgniewany

Czasami wydaje się, że nastolatek odrzuca wszelkie próby okazania mu miłości. Rodzice okazują mu afirmację, a on odpowiada: „Nie bądźcie tacy wylewni". Gdy próbują go objąć lub przytulić, sztywnieje cały lub robi dwa kroki w tył. Rodzice dają mu prezent i słyszą w zamian tylko mechaniczne: „Dzięki". Pytają, czy chciałby pojechać z nimi do kina, a on odpowiada, że umówił się już z przyjaciółmi. Gdy matka proponuje, że przyszyje do kurtki oderwany guzik, stwierdza: „Nie, teraz nie zapina się guzików". Rodzice próbowali okazywać mu miłość w każdym z pięciu języków miłości, ale za każdym razem spotkali się z odrzuceniem.

Czasami nastolatek nie przyjmuje miłości rodziców z powodu nierozwiązanego konfliktu między nim a rodzicami, który nadal wzbudza w nim gniew. (Omówimy to w rozdziale dziewiątym). Z reguły jednak takie sytuacje można wytłumaczyć zmianami nastroju, poglądów młodego człowieka oraz jego rosnącą niezależnością i kształtowaniem tożsamości. Inaczej mówiąc, nastolatek zachowuje się tak, jak na nastolatka przystało.

Na szczęście większość nastolatków miewa przebłyski, kiedy potrafią pozytywnie reagować na uczucia okazywane im przez rodziców. Sprawa nie jest przegrana. A zatem wy również możecie odkryć podstawowy język miłości syna lub córki.

Czy jego język miłości się zmienił?

Przypuszczam, że wielu czytelnikom znana jest również moja książka, pt. *Jak okazywać miłość dzieciom* („Vocatio", 2004). Możliwe, że kiedy wasz nastolatek był dzieckiem, określiliście jego podstawowy język miłości i posługiwaliście się nim konsekwentnie przez kilka lat. Teraz się zastanawiacie: „Czy język miłości naszego syna lub córki zmienił się?". Mam dobrą wiadomość: wcale się nie zmienił. Wiem, że niektórzy rodzice powiedzą: „Ale gdy próbujemy okazywać mu miłość tak samo, jak wtedy, gdy był dzieckiem, reaguje inaczej". Rozumiem to i za chwilę więcej o tym powiem. Ale najpierw chciałbym zapewnić, że podstawowy język miłości nie zmienia się, gdy dziecko staje się nastolatkiem.

Dlaczego nastolatki wydają się zmieniać swój podstawowy język miłości

Jest kilka powodów tego, że rodzice dochodzą czasami do wniosku, iż podstawowy języki miłości ich dziecka się zmienił. Po pierwsze, nastolatki mogą ignorować język miłości, który wcześniej wyyraźnie napełniał ich zbiornik miłości. Ten opór można wytłumaczyć tym, o czym już wspomnieliśmy: zmiennymi nastrojami, poglądami i pragnieniami, rosnącą niezależnością i kształtującą się tożsamością. Czasami nastolatek na pewien czas odcina się nie tylko od swojego podstawowego języka miłości, ale wręcz od wszystkich form okazywania jej.

Drugi powód, dla którego czasami wydaje się, że podstawowy język miłości nastolatka jest inny niż w dzieciństwie, określiłbym następująco: kiedy nastolatek otrzymuje wystarczająco dużo miłości w podstawowym języku, wtedy *ważniejszą rolę zaczyna odgrywać jego drugi język miłości*. Piętnastoletni Jared zawsze lubił przytulać się do rodziców. Kiedy miał dziesięć lat, rodzice rozpoznali, że jego podstawowym językiem miłości jest dotyk. Obojgu łatwo było posługiwać się tym językiem, więc kiedy tylko mogli, okazywali synowi miłość w ten sposób. Ostatnio jednak Jared zaczął powtarzać: „Wiesz, wiele rzeczy robię w domu, ale nikt tego nie docenia". W ten sposób wyrażał życzenie, aby okazać mu afirmację werbalną. Rodzice wiele razy słyszeli takie uwagi z ust syna, więc zaczęli się zastanawiać, czy może zmienił się jego podstawowy język miłości. W rzeczywistości afirmacja słowna jest drugim, aczkolwiek bardzo ważnym, językiem miłości Jareda. Jeśli rodzice chcą nadal skutecznie zaspokajać jego potrzebę bycia kochanym, powinni okazywać mu więcej afirmacji, kontynuując jednocześnie stosowanie jego podstawowego języka miłości: dotyku.

Po trzecie, *możliwe, że rodzice niewłaściwie odczytali język miłości swego dziecka*. Nie jest to takie rzadkie zjawisko, ponieważ rodzice są skłonni postrzegać swoje dzieci przez pryzmat własnych doświadczeń, zamiast spojrzeć na nie oczami syna czy córki. Łatwo uznać, że skoro ich językiem miłości jest dotyk, tak samo będzie w przypadku ich potomstwa. Wolimy wierzyć w to, w co chcemy, zamiast dostrzec to, co jest prawdą z perspektywy drugiej osoby. Jak długo rodzice wyrażają dziecku uczucie we wszystkich pięciu językach miłości, niewykluczone, iż otrzymuje ono na tyle dużo miłości w swoim podstawowym języku, że napełnia swój zbiornik miłości. Niekiedy jednak, gdy dziecko staje się nastolatkiem, rodzice, zdezorientowani jego zachowaniem, zaprzestają stosowania jednego lub więcej języków miłości, pozostając przy tym, który uważają za podstawowy dla ich syna lub córki. W takim wypadku podstawowy język miłości młodego człowieka bynajmniej się nie zmienił. Po prostu został niewłaściwie określony.

Czas opanować nowy dialekt

Co zatem można radzić rodzicom, którzy twierdzą: „Okazujemy mu miłość tak samo jak wtedy, gdy był dzieckiem, więc dlaczego teraz nie reaguje?". Do takich osób należy matka Toma: „Od dawna wiedziałam, że podstawowym językiem miłości mojego syna jest afirmacja. Zawsze okazywałam mu ją słowami, ale teraz, kiedy skończył czternaście lat, mówi mi: »Mamo, nie mów tak« lub »Mamo, przestań, nie chcę tego słuchać. To mnie denerwuje«".

– Proszę mi zaprezentować, jakimi słowami okazuje pani synowi afirmację – poprosiłem.

– Mówię mu: „Jesteś najlepszy. Jestem z ciebie dumna. Jesteś taki inteligentny. Jesteś bardzo ładny". Po prostu to, co zawsze mu mówiłam.

I w tym problem. Ta matka mówiła mu dokładnie to samo, co wówczas, gdy był dzieckiem. Nastolatki bardzo rzadko chcą, aby rodzice posługiwali się tym samym dialektem, którym przemawiali do nich w dzieciństwie. Ponieważ słyszeli te słowa, gdy byli dziećmi, utożsamiają je z tamtym okresem. Poszukują niezależności i nie życzą sobie być traktowane jak dzieci.

Rodzice, którzy chcą, aby ich nastoletni syn lub córka czuli się kochani, muszą nauczyć się nowych dialektów. Zasugerowałem matce Tomka, aby wyeliminowała dialekt, z którego dotychczas korzystała, i znalazła nowe sposoby wyrażania miłości w bardziej dorosły sposób, np. „Cenię to, jak zdecydowanie wystąpiłeś przeciwko segregacji rasowej... Dziękuję za czas, jaki poświęciłeś na sprzątnięcie balkonu... Ufam ci, bo wiem, że szanujesz innych". Takie stwierdzenia wyrażają wysokie mniemanie o nastolatku, lecz nie brzmią dziecinnie. Zasugerowałem również, aby zaczęła go nazywać pełnym imieniem, zamiast zdrobnieniem. Spojrzała na mnie zaskoczona i powiedziała: „A wie pan, że Tomcio mówi mi to samo? Ale trudno zwracać się do niego Tomku, jeśli przez całe życie mówiłam Tomuś". Wiedziałem, że ta kobieta musi nad sobą mocno popracować, ale byłem również przekonany, że zacznie inaczej odnosić się do swego syna.

Również pewien ojciec, który opowiedział mi o nowych zachowaniach swego nastoletniego syna, potrzebował opanować nowe dialekty języka miłości. „Od dawna wiedziałem, że językiem miłości Brada jest praktyczna pomoc. Kiedy był mały, znosił do mnie zabawki, abym je naprawił. Myślę, że był święcie przekonany, że jego tata potrafi wszystko. Kiedy odchodził ze zreperowaną zabawką lub wspólnie odrobionym zadaniem domowym, po błysku w jego oczach było widać, że czuje się kochany. Jednak odkąd stał się nastolatkiem, nie prosi mnie tak często o pomoc. Pewnego dnia majstrował coś przy rowerze. Kiedy zaproponowałem, że pomogę, powiedział: »Dzięki, poradzę sobie sam«. Rzadko prosi, aby mu pomóc w lekcjach. Wydaje mi się, że nie jesteśmy już sobie tak bliscy, jak wcześniej, i zastanawiam się, czy on również tak to odbiera".

Jeśli językiem miłości Brada jest praktyczna pomoc, możliwe, że zachowanie taty nie komunikuje mu miłości tak silnie, jak w przeszłości. Oczywiste, że nie oczekuje od ojca tego, czego oczekiwał, będąc dzieckiem. Nauczył się robić różne rzeczy samodzielnie, co wzmacnia jego niezależność i tożsamość.

Jego ojciec musi się nauczyć posługiwać nowym dialektami praktycznej pomocy. Zasugerowałem, aby pomyślał o rzeczach, których Brad nie potrafi jeszcze robić, i zaofiarował się, że go ich nauczy. To zrozumiałe, że Brad stał się bardzo samodzielny. To sprzyja jego poczuciu dojrzałości. Jeśli ojciec zaproponuje, że nauczy go czyścić gaźnik, wymienić świece, ustawić klocki hamulcowe, zawiesić półkę na książki lub cokolwiek innego, czym Brad byłby zainteresowany, prawdopodobnie przekonana się, że syn nadal jest otwarty na jego pomoc. To wzmocni także relacje miedzy nimi, a syn będzie się czuł przekonany o miłości swego taty.

Uczenie się nowych dialektów może nie być proste. Wszyscy mamy jakieś nawyki. Najłatwiej przychodzi nam okazywanie miłości nastoletnim synom lub córką w sposób, jaki stosowaliśmy, gdy byli dziećmi. To wygodne. Opanowanie nowych dialektów wymaga czasu i wysiłku, lecz jeśli chcemy, aby ci młodzi ludzie czuli się kochani, musimy ponieść ten trud i nauczyć się nowych dialektów ich podstawowego języka miłości.

Odkrywanie podstawowego języka miłości nastolatka

Jeśli po raz pierwszy spotykacie się z koncepcją języków miłości i nie próbowaliście określić podstawowego języka miłości swego syna lub córki, gdy byli jeszcze dziećmi, a zatem nie wiecie, jaki jest język miłości waszego nastolatka, chciałbym zasugerować trzy kroki. Po pierwsze – zadawajcie pytania, po drugie – obserwujcie, po trzecie – eksperymentujcie. Oto jak może wyglądać każdy z tych etapów.

1. Zadawanie pytań
Jeśli chcecie się dowiedzieć, co dzieje się w umyśle waszego nastolatka, jednym z najlepszych sposobów jest zadanie pytań.

„Niech pan o tym zapomni – powiedział pewien ojciec. – Bez względu na to, o co zapytam, otrzymuję jedną z trzech odpowiedzi: »Nie wiem«, »Dobrze«, »Cokolwiek«. Czasami mam wrażenie, że mój syn uważa, że nie potrzebuje innych słów, aby się z nami porozumiewać". Dobrze rozumiem frustrację tego ojca i prawdą jest, że nastolatki czasami pomrukują, zamiast rozmawiać, jednak o tym, co nastolatek myśli i czuje, możemy dowiedzieć się tylko wtedy, kiedy zechce nam o tym powiedzieć.

Nastolatki są bardziej skłonne powiedzieć cokolwiek o sobie, jeśli zadaje się im pytania. Niewielu młodych ludzi rozpoczyna rozmowy od słów: „Chciałbym powiedzieć wam, co myślę i czuję". Z drugiej strony bardzo prawdopodobne jest, że zaczną od stwierdzenia w rodzaju: „Powiem wam, czego chcę". Nastolatkom o wiele łatwiej jest mówić o swoich pragnieniach niż o myślach i emocjach. Często pozostają one ukryte w ich wnętrzu, dopóki rodzice nie zadadzą właściwego pytania.

Pytania mogą się okazać najbardziej pomocne podczas odkrywania podstawowego języka miłości nastolatka. Oto co pewna matka powiedziała do Kerstin, swojej piętnastoletniej córki: „Przeczytałam kilka książek na temat wychowania dzieci. Zdaję sobie sprawę z tego, że nie jestem doskonałą matką. Zawsze chciałam tego, co najlepsze, ale czasami robiłam lub mówiłam rzeczy, które cię raniły. Z drugiej strony nie wiem, czy zawsze wydaję ci się dostępna, kiedy mnie potrzebujesz. Chciałabym zadać ci ważne dla mnie pytanie: Co, według ciebie, mogłoby poprawić naszą więź?".

Stwierdziła, że nigdy nie zapomni odpowiedzi swojej córki: „Mamo, jeśli naprawdę chcesz wiedzieć, to ci powiem, ale nie gniewaj się na mnie. Kiedy próbuję z tobą rozmawiać, wydaje mi się, że nigdy nie poświęcasz mi dość uwagi. Zawsze coś robisz – szydełkujesz, czytasz, oglądasz telewizję, prasujesz lub robisz co innego. Myślę wtedy, że tylko ci przeszkadzam. Chciałabym, abyś czasami po prostu usiadła i porozmawiała ze mną, nie robiąc w tym czasie niczego innego".

Matka zadała szczere pytanie i otrzymała szczerą odpowiedź, która dodatkowo wskazała na podstawowy język miłości Kerstin – jej córka pragnęła *czasu poświęconego* tylko dla niej, niepodzielnej uwagi matki.

Ojciec Kerstin zadał inne pytanie jej szesnastoletniemu bratu, Ronowi, i otrzymał równie szczerą odpowiedź. Pewnego wieczoru, jadąc z synem na mecz, rozpoczął rozmowę: „Myślałem ostatnio o różnych rzeczach, które chciałbym zmienić w swoim życiu. Konkretnie myślałem o tym, jak mogę być lepszym mężem dla twojej mamy i lepszym ojcem dla ciebie i Kerstin. Chciałbym wiedzieć, co ty o tym myślisz, więc pozwól, że zadam ci pytanie: Jeśli mógłbyś coś we mnie zmienić, co by to było?".

Ron zastanawiał się przez chwilę, która dla ojca trwała wieczność, po czym powiedział: „Właściwie to jesteś bardzo dobrym ojcem. Doceniam twoją ciężką pracę i wszystko, co mi kupujesz. Ale czasami wydaje mi się, że nigdy nie zdobędę twojej aprobaty. Bez względu na to, jak się staram, ty mnie zawsze krytykujesz. Wiem, że chcesz nakłonić mnie do wykorzystania mego potencjału, ale kiedy mówisz mi tylko, co muszę poprawić, mam ochotę ze wszystkiego zrezygnować".

Na szczęście ojciec zadał to pytanie szczerze i był gotów wysłuchać odpowiedzi syna. Odrzekł więc: „Rozumiem, że według ciebie za często cię krytykuję i nie okazuję uznania za wysiłek, jaki wkładasz w to, co robisz". Ron dodał: „Tak. Nie chodzi mi o to, żebyś mnie nie krytykował w ogóle, lecz miło byłoby wiedzieć, że czasami zrobiłem coś, co ci się podoba". Słowa syna bardzo ojca dotknęły, więc odpowiedział tylko: „Dziękuję, że mi to mówisz. Chciałbym to zmienić". Potem poklepał syna po plecach.

Przez cały mecz ojciec myślał o tym, co usłyszał. Nie uświadamiał sobie, że tak często krytykował swego syna. W rzeczywistości w ogóle nie uważał tego za krytykę. Obserwując grę, kontynuował w myślach ich rozmowę: *Tak, często poprawiam*

Rona. Wskazuję mu miejsca, które pominął, myjąc samochód, i przypominam, żeby wyniósł śmieci, ale żeby zaraz nazywać to krytyką? A jednak on odbiera to w taki sposób. Uważa, że nigdy nie można mnie usatysfakcjonować, że wszystko, co robi, nie podoba mi się. Ojciec prawie zapomniał, że zadał pytanie po to, żeby odpowiedź Rona dała mu pewne wskazówki na temat podstawowego języka miłości syna.

Nagle uświadomił sobie, że Ron określił swój język miłości: afirmujące słowa. Chciał, aby okazywać mu uznanie. Przecież ja zdobywam się tylko na negatywne, krytyczne uwagi, zamiast mówić coś pozytywnego i afirmującego. Nic dziwnego, że czasami wydaje mi się, że Ron nie ma ochoty spędzać ze mną czasu. Postanowił, że porozmawia z żoną i poprosi ją, aby powiedziała mu, kiedy krytykuje syna, i pomogła nauczyć się okazywać Ronowi więcej afirmacji. Mężczyzna poczuł, że do oczu napływają mu łzy. Otarł je dyskretnie i gdy wszyscy wokół głośno dopingowali drużynę, odwrócił się do Rona i powiedział: „Kocham cię. Cieszę się, że jesteśmy tutaj razem".

Ron szturchnął ojca w ramię, uśmiechnął się i odpowiedział: „Dzięki, tato". Potem obaj zaczęli kibicować swojej drużynie.

Dzięki jednemu pytaniu ojciec odkrył podstawowy język miłości swego nastoletniego syna.

Istnieją różne pytania, które rodzice mogą zadać, aby uzyskać od nastolatka informację o tym, jaki jest jego podstawowy język miłości. Na przykład: „Kto jest twoim najlepszym przyjacielem?". Kiedy nastolatek odpowie „David", mogą zapytać: „Co takiego David robi, że uważasz go za swego najlepszego przyjaciela?". „Gdy rozmawiamy, słucha mnie uważnie i próbuje zrozumieć". W ten sposób nastolatek wskazuje, że jego podstawowym językiem miłości jest poświęcanie czasu.

Możecie zapytać córkę: „Co byś zrobiła, gdybyś chciała okazać babci, że ją kochasz?". Takie pytania mogą udzielić wskazówek na temat podstawowego języka miłości nastolatka. Tworzą również atmosferę, sprzyjającą komunikacji między młodym człowiekiem i rodzicami.

Nie uważam, że należy tłumaczyć nastolatkowi koncepcję pięciu języków miłości i pytać wprost: „Więc który z nich jest twoim podstawowym językiem miłości?". Po pierwsze, takie pytanie może wzbudzić przekonanie, że próbujecie nim w jakiś sposób manipulować. Pamiętajcie, że młodzi ludzie poszukują autentyczności i szczerości. Nie mają ochoty na gry i taktyki. Po drugie, jeśli nastolatek dobrze zrozumie koncepcję języków miłości, może zdecydować się wykorzystać ją, aby manipulować waszym zachowaniem. Którzy rodzice nie usłyszeli od swoich dzieci: „Gdybyście naprawdę mnie kochali, to...". W rzadkich przypadkach żądania nastolatków mogą wskazywać na ich podstawowy język miłości, lecz o wiele częściej jest to jedynie próba zaspokojenia zachcianek. Mimo iż nastolatek uzyska od rodziców to, o co prosił, rzadko czuje się z tego powodu kochany. W praktyce każde podejście jest lepsze niż zapytanie wprost: „Jaki jest twój podstawowy język miłości?".

2. Obserwacja

Świadomie *obserwujcie zachowanie nastolatka*. Zwróćcie uwagę, w jaki sposób okazuje innym miłość lub uznanie. Notujcie to, co zauważyliście. Jeśli okaże się, że w ciągu miesiąca syn lub córka dał innym kilka prezentów, istnieje spore prawdopodobieństwo, że jego podstawowym językiem miłości są prezenty. Większość ludzi wyraża swoje uczucie we własnym języku miłości. Robią dla innych to, co chcieliby, aby tamci zrobili dla nich. Lecz nie zawsze się to sprawdza. Na przykład nastolatek może czasami wyrażać komuś miłość, obdarowując go prezentami, ponieważ takie zachowanie widział u ojca. Pamięta jego rady: „Synu, jeśli chcesz uszczęśliwić kobietę, kupuj jej kwiaty". Więc daje prezenty nie dlatego, że jest to jego język miłości, ale dlatego, iż nauczył go tego tata.

146

Rejestrujcie skargi nastolatka. To, na co narzeka dana osoba, często wiele mówi o jej podstawowym języku miłości. Tak było w przypadku przytoczonej rozmowy ojca i Rona. Gdy ten powiedział: „Ale czasami wydaje mi się, że nigdy nie zdobędę twojej aprobaty. Bez względu na to, jak się staram, ty mnie zawsze krytykujesz. Wiem, że chcesz nakłonić mnie do wykorzystania mego potencjału, ale kiedy mówisz mi tylko, co muszę poprawić, mam ochotę ze wszystkiego zrezygnować" – słowami wyrażonej skargi ujawnił, że jego podstawowym językiem miłości jest afirmacja. Narzekał nie tylko na to, jak ojciec go krytykuje, ale również, że rzadko okazuje mu uznanie i skąpi pochwał.

Zazwyczaj gdy nastolatek zaczyna narzekać, rodzice przyjmują postawę obronną. Syn mówi: „Nie możecie wchodzić do mojego pokoju i przestawiać wszystkiego. Potem nie mogę niczego znaleźć. Nie macie szacunku dla mojej prywatności. To niesprawiedliwe". W takiej sytuacji wielu rodziców odpowiada: „Gdybyś sprzątał swój pokój, nie musielibyśmy tam wchodzić. Dopóki jednak sam nie będziesz tego robił, będziemy wchodzić i sprzątać za ciebie". Rozmowa przechodzi w kłótnię albo zostaje przerwana i obydwie strony rozchodzą się wrogo usposobione.

Jeśli jednak rodzice zwrócą uwagę na skargę nastolatka, może się okazać, że jego krytyczne uwagi coś sygnalizują. Ich syn nie pierwszy raz się skarży na przestawianie jego rzeczy. Możliwe, że jego podstawowym językiem miłości jest otrzymywanie prezentów. Przechowuje w swoim pokoju wiele darowanych rzeczy, każda ma określone miejsce, i kiedy ktoś je przekłada, narusza porządek, który dla niego jest wyrazem miłości.

Ważne jest wytropienie powtarzających się wątków w skargach nastolatka. Jeśli kilka skarg należy do tej samej kategorii, może to być wskazówką na temat podstawowego języka miłości nastolatka. Zwróćcie zwłaszcza uwagę na następujące stwierdzenia: „Nie pomagacie mi już w odrabianiu lekcji. To dlatego mam złe stopnie... Gdybyście zawieźli mnie na mecz, mógłbym poznać nowych kolegów i nie siedziałbym cały czas w domu... Nie mogłem posprzątać za szafą, bo nikt nie chciał pomóc mi jej odsunąć... Gdybyś naprawił mój rower, mógłbym jeździć na nim do szkoły...". Prawdopodobnie językiem miłości tego nastolatka jest praktyczna pomoc. W każdej skardze nakłania rodziców, aby coś dla niego zrobili.

Analizujcie także prośby swego nastolatka. Rzeczy, o które najczęściej prosi, zwykle wskazują na jego podstawowy język miłości. Sara zaproponowała mamie: „Czy możemy pójść dzisiaj na spacer do parku? Chcę ci pokazać kwiaty, które widziałam przy stawie". Sara prosi, aby poświęcić jej czas. Jeśli często prosi mamę, aby robiły coś wspólnie, prawdopodobnie jej podstawowym językiem miłości jest *czas*. Podobnie, kiedy trzynastoletni Peter pyta: „Tato, kiedy znowu pojedziemy na biwak?... Kiedy pojedziemy na ryby?...Czy pójdziemy dzisiaj zagrać w piłkę?", wskazuje w ten sposób, że jego podstawowym językiem miłości jest *poświęcanie czasu*.

Jeśli rodzice zwrócą uwagę, jak ich nastolatek wyraża innym miłość i uznanie, na co najczęściej się skarży i o co najczęściej prosi, istnieje duże prawdopodobieństwo, że odkryją jego podstawowy język miłości.

3. Eksperymentowanie

Trzecim sposobem odkrywania podstawowego języka miłości nastolatka jest swoiste eksperymentowanie. Stosujcie po kolei wszystkie języki miłości, poświęcając tydzień na każdy z nich, i obserwujcie reakcje syna lub córki. Przez cały tydzień okazujcie nastolatkowi więcej niż zazwyczaj czułości poprzez *dotyk*. Próbujcie objąć go lub przytulić kilka razy w ciągu dnia. Następnego tygodnia ograniczcie dotyk i okazujcie więcej *afirmacji słownej*. Każdego dnia poszukujcie nowych sposobów wyrażania pochwał nastolatkowi. W kolejnym tygodniu starajcie się okazywać mu *praktyczną pomoc* tak często, jak to tylko możliwe, szczególnie w tych dziedzinach, w których syn lub córka mają jakieś oczekiwania. Przygotujcie specjalny posiłek, wyprasujcie ubranie, pomóżcie w odrobieniu zadania z matematyki, wykąpcie jego psa. Zróbcie dla waszego nastolatka tak wiele, jak tylko możecie.

W czwartym tygodniu starajcie się spędzać *czas* z nastolatkiem. Wyjdźcie razem na spacer, zagrajcie w piłkę, zróbcie wspólnie coś, co syn czy córka lubi. Poświęćcie tyle czasu, ile się da. Rozmawiajcie za każdym razem, kiedy wyrazi na to ochotę. Okazujcie mu waszą niepodzielną uwagę.

W ostatnim tygodniu skupcie się na *prezentach*. Sporządźcie wcześniej listę wymarzonych prezentów i kupcie kilka rzeczy, które się na niej znalazły. Zapakujcie je w kolorowy papier i dajcie nastolatkowi w obecności innych członków rodziny. Zróbcie z tego wielkie wydarzenie. Każdego wieczoru znajdźcie jakiś powód do świętowania.

W tygodniu, w którym będziecie stosować podstawowy język miłości waszego nastolatka, zauważycie zmianę w jego zachowaniu i nastawieniu do was. Jego zbiornik miłości zacznie się napełniać i będzie was traktował o wiele serdeczniej niż zazwyczaj. Prawdopodobnie wasz syn lub córka będzie się zastanawiać, co wam się stało – dlaczego zachowujecie się tak dziwnie. Nie musicie im tego tłumaczyć. Powiedzcie po prostu, że próbujecie być lepszymi rodzicami.

Inny eksperyment polega na dawaniu nastolatkom wyboru pomiędzy dwiema rzeczami i obserwowaniu decyzji. Na przykład ojciec może powiedzieć do trzynastoletniego syna: „Mam dzisiaj wolne popołudnie. Czy wolałbyś pójść puszczać latawce czy pojechać do sklepu i kupić baterie do twojego aparatu fotograficznego?". Nastolatek wybiera pomiędzy prezentem i wspólnym spędzaniem czasu. Jego tata honoruje dokonany wybór i zapamiętuje, co było ważniejsze dla syna. Trzy lub cztery dni później stawia go przed kolejnym wyborem: „Zostaliśmy sami w domu, więc jedziemy zjeść coś na mieście (spędzanie czasu) czy może upieczemy razem twoją pizzę (praktyczna pomoc)?".

W następnym tygodniu tata pyta: „Gdybyś czuł się zniechęcony, a ja chciałbym cię pocieszyć, co byś wolał, abym zrobił – napisał krótki list przypominający ci o wszystkich pozytywnych rzeczach, które zrobiłeś, czy po prostu mocno cię przytulił?". Tym razem syn ma wybrać pomiędzy afirmacją a dotykiem.

Jeśli będziecie śledzić wybory dokonywane przez nastolatka, prawdopodobnie ułożą się one w pewną całość, która wskaże podstawowy język miłości syna lub córki.

Kiedy odkryjecie język miłości swojego nastolatka, powinniście opanować możliwie najwięcej dialektów – różnych sposobów wyrażania miłości w tym języku – i używać ich regularnie, pamiętając, że czasami nastolatek może zareagować negatywnie nawet na uczucie wyrażane w jego najważniejszym języku miłości. Szanujcie jego wolę. Nigdy nie zmuszajcie nastolatka do przyjęcia wyrazów waszej miłości. Jeśli na przykład wiecie, że językiem miłości syna jest dotyk, ale kiedy obejmujecie go, wyrywa się z waszych objęć, nie jest to czas na masaż karku. Powinniście raczej odsunąć się i uszanować to, że w tym momencie wasz nastolatek nie chce, by go dotykać.

Następnego dnia spróbujcie innego rodzaju dotyku. Jeśli nastolatek będzie w odpowiednim nastroju, nie skąpcie mu gestów miłości. Nie ma nic złego w tym, jeśli skończy się to zapasami na podłodze, jak długo tylko interakcja między wami a nastolatkiem będzie pozytywna. Jeśli będziecie przemawiać do nastolatka jego językiem miłości tak często, jak tylko na to pozwoli, jego zbiornik miłości będzie pełny. Jeśli jednak zrezygnujecie z okazywania miłości przez dotyk, ponieważ nie chcecie ryzykować odrzucenia, z czasem zbiornik miłości nastolatka opróżni się i relacja między wami będzie coraz gorsza. Aby efektywnie okazywać miłość młodemu człowiekowi, rodzice muszą regularnie się posługiwać jego podstawowym językiem miłości, wykorzystując wszystkie dialekty, co sprawi, że syn czy córka będą czuli się kochani.

Mówienie *wszystkimi* pięcioma językami

Korzyści dla nastolatka

Chciałbym powtórzyć to, co napisałem wcześniej. Nie sugeruję, że powinniście wyrażać naszą miłość synowi lub córce tylko w ich podstawowym języku. Nastolatki potrzebują, aby okazywać im miłość we wszystkich pięciu językach, i sami również powinni nauczyć się okazywania jej w każdym z nich. Najlepiej, jeśli uczą się tego, obserwując rodziców. Sugeruję natomiast, że najlepiej jest okazywać miłość w dużych dawkach podstawowego języka miłości i uzupełniać w pozostałych czterech tak często, jak to tylko możliwe. Jeśli nastolatek posiada wyraźny drugorzędny język miłości, rodzice powinni skupić się także na nim. Kiedy rodzice posługują się pięcioma językami miłości, nastolatek uczy się, jak okazywać miłość innym za pomocą wszystkich języków.

Jest to szczególnie ważne dla więzi w dorosłym życiu. W przyszłości syn lub córka będą mieć sąsiadów, współpracowników, przyjaciół, sympatie i najprawdopodobniej także współmałżonka i dzieci, którym będą chcieli okazywać miłość i uznanie. Jeśli nastolatki opanują biegle wszystkie języki miłości, wiele zyskają na tym ich kontakty z ludźmi. Z drugiej strony, jeśli poznają tylko jeden język lub dwa języki, ich relacje z innymi będą zdecydowanie słabsze. Spotkają ludzi, z którymi nie będą potrafili nawiązać kontaktu emocjonalnego. Mogą to być osoby, z którymi chcieliby mieć dobrą i trwałą więź. Powinno być dla nastolatka oczywiste, że w jego interesie leży nauczenie się okazywania i przyjmowania miłość we wszystkich pięciu językach. Młody człowiek, który opanuje je wszystkie, będzie w przyszłości o wiele lepiej radził sobie w kontaktach społecznych.

Dla rodziców, którzy sami nie potrafią posługiwać się wszystkimi pięcioma językami miłości, może być to niezwykle trudne zadanie. W takim wypadku sugerowałbym ponowną lekturę rozdziałów poświęconym poszczególnym językom, zwłaszcza tym, które niełatwo jest im opanować. Zwróćcie uwagę na podpowiedzi, jak okazywać uczucie w danym języku, i stosujcie je nie tylko wobec nastoletniego syna lub córki, lecz także wobec pozostałych członków rodziny. Z czasem będziecie w stanie posługiwać się każdym z języków. Niewiele rzeczy sprawia więcej satysfakcji niż wyrażanie innym miłości w języku, który najlepiej zaspokaja ich emocjonalną potrzebę bycia kochanym.

Korzyści dla małżeństwa

Wiele małżeństw, ucząc się lepiej wyrażać miłość swoim nastoletnim dzieciom, odnowiło również wzajemną więź. Uświadomili sobie, że przez lata zaniedbywali okazywanie uczucia w języku miłości męża lub żony. Nigdy nie jest za późno, aby się tego nauczyć. Wiele par, które poznały swoje języki miłości i nauczyły się posługiwać nimi, w ciągu stosunkowo krótkiego czasu zdołało odmienić klimat emocjonalny ich związku.

Pewien mąż powiedział: „Doktorze Chapman, jesteśmy małżeństwem od trzydziestu trzech lat. Ostatnie dwadzieścia pięć lat było okropne. Przyjaciel podarował mi egzemplarz pańskiej książki – *Sztuka wyrażania miłości w małżeństwie*. Kiedy ją przeczytałem, wszystko stało się jasne. Uświadomiłem sobie, że przez wszystkie te lata nie okazywałem mojej żonie miłości w jej języku, a ona nie okazywała mi jej w moim. Wręczyłem jej pańską książkę, rozmawialiśmy o niej i postanowiliśmy, że zaczniemy wyrażać sobie nawzajem miłość we właściwych językach. Gdyby ktoś powiedział mi, że w ciągu dwóch miesięcy można zupełnie odmienić małżeństwo, nigdy bym w to nie uwierzył. Lecz po dwóch miesiącach odrodziło się we mnie uczucie do żony i ona również okazuje mi wiele ciepła. Nasze małżeństwo całkowicie się odrodziło. Nie możemy się doczekać, aby opowiedzieć o tym naszym dorosłym dzieciom".

Ponieważ miłość jest najbardziej podstawową potrzebą emocjonalną człowieka, to kiedy ktoś zaspokaja tę naszą potrzebę, my również zaczynamy obdarowywać go uczuciem. Atmosfera w małżeństwie i rodzinie może znacznie się poprawić, jeśli członkowie rodziny nauczą się posługiwać podstawowymi językami miłości swych najbliższych.

Rozdział dziewiąty

Miłość i gniew
w przypadku rodzica

Nastolatki odczuwają gniew wobec rodziców, a rodzice bywają rozgniewani na nastolatków. Czasami obydwie strony mówią i robią rzeczy, które głęboko ranią drugą stronę. Abrose Bierce powiedział kiedyś: „Mów, kiedy jesteś rozgniewany, a wypowiesz słowa, których będziesz żałował do końca życia".

Większość rodziców i nastolatków wygłosiło co najmniej kilka przemówień, jakie miał na myśli Abrose Bierce. Może teraz chcieliby cofnąć czas, wymazać niszczące słowa i lekceważące gesty. Niewłaściwie wyrażany gniew bywa powodem zerwania wielu więzi łączących rodziców z nastolatkami.

A jaki to ma związek z miłością? Większość ludzi uważa, że słowa „miłość" i „gniew" są przeciwieństwami i tych dwóch pojęć nie można ze sobą pogodzić. Lecz w rzeczywistości są to jakby dwie strony medalu. Miłość ma na względzie dobro drugiej osoby, identycznie jest w przypadku właściwie wyrażonego gniewu. Odczuwamy gniew, kiedy w zachowaniu innych osób pojawia się coś, co uważamy za złe. Rodzice gniewają się na nastolatka, kiedy mówi lub robi coś, co oni uważają za nieodpowiednie. Nastolatki gniewają się na rodziców, kiedy uważają, że ich zachowanie jest niesprawiedliwe lub egoistyczne.

Celem gniewu jest nakłonienie do podjęcia działań wypływających z miłości, to znaczy do zrobienia czegoś, co skierowałoby nastolatka (lub rodziców) na właściwą drogę. Niestety, wielu z nas nigdy nie nauczyło się, jak podejmować takie działania z miłością, więc często dają one negatywny rezultat. Niekiedy również sposób, w jaki reagujemy na gniew drugiej osoby, pogarsza sytuację. Ten rozdział ma podwójny cel: po pierwsze, pomóc rodzicom zapanować na własnym gniewem i wyrażać go w miłości, po drugie pokazać im, jak mogą nauczyć nastoletniego syna lub córkę radzić sobie z ich gniewem.

Panowanie nad własnym gniewem

Trudno przypuszczać, że zdołamy nauczyć nastolatków czegoś, czego sami nie potrafimy. Wielu rodziców mogłoby utożsamić się z mężczyzną, który powiedział mi pewnego razu: „Dopóki się nie ożeniłem, nie wiedziałem nawet, że potrafię się naprawdę gniewać. A gdy nasze dzieci stały się nastolatkami, pojąłem, jak bardzo potrafię być rozgniewany". Doświadczamy gniewu we wszystkich dziedzinach życia, jednak często uczucie to jest najsilniejsze w relacjach z członkami najbliższej rodziny, a szczególnie nastolatkami.

Dlaczego nastolatki wywołują w nas gniew
Z jakiego powodu większy gniew odczuwamy częściej wobec nastolatków niż małych dzieci? Głównie z powodu zmian, jakie następują w życiu nastolatka, o których wspomnieliśmy we wcześniejszych rozdziałach. Wzrastające zdolności intelektualne nastolatka i wynikająca z nich umiejętność krytycz-

nego myślenia sprawiają, że często kwestionuje nasze zdanie w sposób, w jaki nie robił tego jako dziecko. Rozwojowi umysłowemu towarzyszy dążenie do niezależności i ukształtowania własnej tożsamości, które może skłonić nastolatka nie tylko do kwestionowania naszych opinii, ale wręcz otwartego sprzeciwiania się im. Teraz nie tylko myśli samodzielnie, ale również podejmuje własne decyzje. To często prowadzi do konfliktu z rodzicami, wzbudzając w nich gniew na nastoletniego syna lub córkę.

Rodzice postrzegają zachowanie nastolatka jako bunt, upór i brak odpowiedzialności. Myślą: *To nie jest dobre dla naszego syna (córki). W ten sposób zrujnuje sobie życie. Nie możemy pozwolić na takie postępowanie.* Gniew motywuje ich do podjęcia działania. Niestety, jeśli rodzice nie będą pamiętać, że mają przed sobą nastolatka, a nie małe dziecko, taka ich postawa może tylko pogorszyć sytuację.

Dlaczego należy skończyć ze złymi nawykami wyrażania gniewu

Jeśli nastolatek nie podporządkowuje się prośbie rodziców, aby zmienił swoje zachowanie, często zaczynają oni formułować żądania. Oznajmiają stanowczo i chłodno: „Zrobisz tak, albo...", a nastolatek, chcąc dowieść, że nie jest już dzieckiem, wybiera „albo..." i konflikt przybiera na sile. Wkrótce po tym obydwie strony wypowiadają raniące słowa, a gdy emocje opadną, wszyscy czują się odrzuceni i niekochani. Źle wyrażony gniew jedynie pogorszył sytuację. Wybuchy gniewu, którym towarzyszy agresja werbalna czy fizyczna rodziców (albo nastolatka), nigdy nie dadzą dobrych rezultatów.

Podczas swej trzydziestoletniej praktyki doradcy małżeńskiego i rodzinnego często płakałem z nastoletnimi pacjentami, kiedy opowiadali o raniących słowach i destruktywnych zachowaniach rodziców, którzy nie potrafili zapanować nad swoim gniewem. Jeszcze większą tragedią jest fakt, że wielu ludzi, którzy doświadczyli agresji ze strony rodziców, niemal tak samo traktuje własne dzieci. Nigdy nie zapomnę siedemnastoletniego Ericka, który powiedział: „Doktorze Chapman, kiedyś myślałem, że tata mnie kocha, ale teraz wiem, że nie. Myśli tylko o sobie. Jeśli robię wszystko, co on chce i jak on chce, to traktuje mnie dobrze. Ale jak ja mam dorosnąć, jeśli nie mam prawa myśleć samodzielnie i podejmować własnych decyzji? Czasami chciałbym, aby któryś z nas zginął – on lub ja. Przynajmniej wszystko by się skończyło".

Wzorce niewłaściwego wyrażania gniewu są często przekazywane z pokolenia na pokolenie. Trzeba z tym skończyć. Mam bardzo zdecydowane zdanie na ten temat. Jako rodzice musimy zapanować nad własnym gniewem i nauczyć się wyrażać go w odpowiedzialny i pozytywny sposób. Inaczej zniszczymy wszystko, co wcześniej osiągnęliśmy w wychowaniu dzieci. Nastolatek, który doświadcza agresji werbalnej lub fizycznej ze strony rozgniewanego rodzica, nie pamięta już afirmacji, pomocy, poświęconego czasu, gestów świadczących o bliskości i prezentów, które otrzymał w dzieciństwie. W jego pamięci pozostaną tylko raniące uwagi i słowa potępienia wykrzyczane przez rodziców. Nie będzie czuł się kochany, lecz odrzucony.

Jeśli zauważacie u siebie złe nawyki wyrażania gniewu powinniście przeczytać ten rozdział bardzo uważnie i podjąć kroki niezbędne do uzdrowienia relacji z nastoletnim dzieckiem.

Złe wzorce z przeszłości *mogą* zostać usunięte. Nie musimy być niewolnikami niekontrolowanych wybuchów gniewu. Każdy rodzic, jeśli naprawdę tego chce, może zastąpić destruktywne zachowanie działaniami podyktowanymi przez miłość.

Zerwanie z niszczącymi nawykami

Chciałbym zasugerować rodzicom pewne kroki, które pomogą zerwać z destruktywnymi nawykami i zastąpić je płynącym z miłości sposobem wyrażania gniewu.

1. Uznanie prawdy

Po pierwsze, musimy ocenić, jak naprawdę wygląda sytuacja. Nikt nie zmieni drogi, którą podąża, bez uznania, że jest to droga zła. Przyznaj się do niewłaściwego wyrażania gniewu przed sobą, Bogiem i członkami rodziny: „Popełniłem błąd, zachowując się w ten sposób. Nie potrafiłem zapanować nad swoim gniewem. Mówiłem i robiłem rzeczy, które są złe. Moje słowa raniły, zamiast komunikować miłość. Powodowały ból i zniszczenie w naszej rodzinie. Jednak z Bożą pomocą chcę to zmienić". Nie obawiaj się prosić Boga, by pomógł ci przejść ten proces. Potrzebujesz wszelkiej pomocy, jaką tylko możesz znaleźć.

Zapisz powyższe słowa na kartce. Jeśli chcesz, wyraź to samo własnymi słowami. Przeczytaj je sobie na głos i staw czoło bolesnej prawdzie: „Popełniłem błąd, zachowując się w ten sposób...". Potem wyznaj swoje złe postępowanie Bogu i poproś Go o przebaczenie.

Następnie, kiedy wszyscy członkowie rodziny będą w domu, zbierz ich razem i powiedz, że chciałbyś czymś się podzielić. Weź kartkę i przeczytaj głośno, co zapisałeś. Powiedz, że przyznałeś się do tego przed sobą i przed Bogiem, a teraz przyznajesz się przed nimi. Powiedz, że naprawdę chcesz się zmienić. Możesz wyrazić to na przykład w taki sposób: „Będę pracował nad tym w ciągu najbliższych kilku tygodni. Jeśli jednak wybuchnę gniewem wobec kogokolwiek z was i zacznę krzyczeć, okażcie mi pomoc: po prostu zatkajcie sobie uszy i wyjdźcie z pokoju; możecie nawet pójść na spacer. Zapewniam was, że zanim wrócicie, zapanuję nad sobą i powstrzymam się od raniących słów. Poproszę was o przebaczenie i spróbujemy rozwiązać problem. To wszystko może trochę potrwać, ale wierzę, że z Bożą pomocą zmienię swoje zachowanie". Kiedy znajdziesz w sobie tyle pokory, aby wypowiedzieć te słowa, będziesz na dobrej drodze do zmiany na lepsze.

2. Opracowanie strategii

Teraz jesteś gotowy do wykonania drugiego kroku: opracowania skutecznego planu zerwania ze złymi nawykami. Przyznałeś przed sobą, że dotychczas postępowałeś niewłaściwie. Jak więc zamierzasz skończyć ze złymi nawykami? Przedstawiłeś z grubsza pewną strategię, gdy poprosiłeś członków rodziny, aby wychodzili, jeśli zaczniesz tracić panowanie nad sobą. Za każdym razem, kiedy tak się stanie, będziesz zmuszony przyznać się do porażki. Przyznanie się do porażki jest upokarzające. Sam akt wyznania błędu motywuje do innego zachowania w przyszłości. Co jednak można zrobić, aby zapobiec niekontrolowanym wybuchom gniewu?

Udało się to Robertowi. W czasie konferencji dla małżeństw, w której uczestniczył wraz z żoną, opowiedział mi o swojej walce z gniewem i przyznał, że często wybucha i bardzo rani żonę i dzieci. Podsunąłem mu kilka praktycznych sposobów zapanowania nad wypowiedziami i ukierunkowania gniewu w pozytywnym kierunku. Dwa lata później spotkałem go na innej konferencji. Robert powiedział: „Doktorze Chapman, nie wiem, czy pamięta mnie pan, ale rozmawialiśmy już kiedyś, opowiedziałem o moich napadach gniewu. Chciałem tylko powiedzieć, że pańskie sugestie naprawdę zadziałały i nadal je stosuję".

– Proszę mi o tym opowiedzieć – odparłem.

– Pamięta pan sugestię, aby policzyć do 100, zanim coś powiem? Stosuję to – odpowiedział Robert. – Kiedy wpadam w gniew, zaczynam liczyć i wychodzę na spacer, jak pan radził. Nie zwracam wtedy uwagi na pogodę – nawet jeśli pada, wychodzę na dwór i liczę na głos. Gdyby ktoś mnie usłyszał, pewnie by pomyślał, że zwariowałem. Jednak ja wiem, że to jedna ze skuteczniejszych rzeczy w moim przypadku. Wcześniej zachowywałem się jak wariat. Dręczyłem żonę i dzieci. Spacer i liczenie daje mi czas, aby się uspokoić i zastanowić, jak wyrazić mój gniew w pozytywny sposób.

Robert znalazł sposób, aby zerwać ze złymi nawykami wyrażania gniewu – w jego przypadku była to agresja werbalna. Stare, destruktywne nawyki zastąpił nowymi, pozytywnymi. Istnieją inne strategie niż liczenie do stu. Pewien mężczyzna powiedział mi: „Kiedy wpadam w gniew, biorę rower i jadę przed siebie, aż się uspokoję. Czasami przejeżdżam kilkanaście kilometrów". Pewna kobieta stwierdziła: „Kiedy gniewam się na męża, mówię mu: »Przepraszam, ale muszę iść do parku«. Spaceruję lub siedzę na ławce, dopóki emocje nie opadną. Mąż także uważa, że to o wiele lepsze od tego, co robiłam wcześniej".

Oto dwie kolejne strategie, z jakich korzystają małżeństwa. O jednej z nich opowiedziała Brenda: „Uzgodniliśmy z mężem, że kiedy któreś z nas będzie bliskie wybuchu, zarządzi »przerwę« i wyjdzie z pokoju. Postanowiliśmy również, że gdy się już uspokoi, w ciągu pięciu godzin poprosi o rozmowę w tej sprawie. Jeśli atmosfera znowu zrobi się gorąca, zarządzimy drugą przerwę. Sądzę, że lepiej jest przerwać rozmowę, niż powiedzieć coś, czego będziemy żałować". W tym samym czasie Brenda stosowała drugą strategię – kiedy odczuwała gniew wobec któregoś z członków rodziny, szła podlać kwiatki: „Kiedy zaczęłam stosować tę taktykę, niemal utopiłam moje petunie, ale to lepsze, niż zalać bliską osobę potokiem gorzkich słów".

Wszystkie te osoby znalazły sposób na zastąpienie złych zachowań nowymi, które pomagały im zapanować nad odczuwanym gniewem.

3. Analiza własnego gniewu i sposobu postępowania

Trzeci krok to analiza własnego gniewu i rozważenie wszelkich możliwości. Jeśli doliczysz do 100[1], a nawet do 500, nie znaczy to wcale, że gniew ustąpił, ale prawdopodobnie uspokoiłeś się na tyle, aby zadać sobie pytania: Dlaczego jestem rozgniewany? Co złego zrobiła ta osoba? Czy oceniłem jej zachowanie, znając wszystkie fakty? Czy naprawdę znam jej motywy?

Czy mój nastolatek zachowuje się niewłaściwe, czy może to ja jestem przewrażliwiony? Biorąc pod uwagę jego wiek, czy moje oczekiwania nie są zbyt wygórowane? (Czasami rodzice wybuchają gniewem na nastolatków tylko dlatego, że zachowują się jak nastolatki).

Kiedy przeanalizujecie sytuację, łatwiej zdecydować, jakie działania mogą okazać się najwłaściwsze. Spośród wielu możliwości jedynie dwie stanowią pozytywną reakcję na gniew. Pierwsza z nich to przyznanie, że to ja sam jestem przyczyną problemu, a nie członkowie rodziny. Może to wynikać z różnych okoliczności: nastroju, stresującej pracy, niedostatku snu, czy frustracji, bo coś potoczyło się inaczej niż chcieliśmy lub powinno.

Cokolwiek jest przyczyną wybuchu gniewu, powinieneś przyznać, że jest on twoim problemem. Możesz powiedzieć na głos do siebie: „Mój gniew pokazuje, jak wiele jest we mnie egoizmu. Dlatego nie będę go okazywać, widząc, jak bardzo jest niesłuszny. Ta osoba nie zrobiła mi nic złego. Po prostu jestem poirytowany jej zachowaniem". Czasami dobrze jest wyrazić swoje przemyślenia w formie modlitwy: „Boże, uznaję, że mój gniew jest nieuzasadniony. Myślę głównie o sobie i zbyt wiele wymagam od rodziny. Przebacz mi moją złą postawę. Zabierz mój gniew. Pomóż mi lepiej okazywać miłość członkom rodziny. Amen". W ten sposób podejmujesz świadomą decyzję wyzbycia się swojego gniewu i przyznajesz, że jego przyczyną mogą być twoje własne błędy.

Z drugiej strony twój gniew może być uzasadniony. Być może ktoś rzeczywiście cię skrzywdził. Masz „prawo" być rozgniewany. Policzyłeś do 500, byłeś na spacerze, przeanalizowałeś swój gniew i wiesz, że musicie o tym porozmawiać. To nie jest coś, nad czym można przejść do porządku dziennego. Wyrządzono ci krzywdę, zostałeś zraniony i należy rozwiązać ten problem. Zatem drugą pozytywną reakcją jest zajęcie się sprawą i rozmowa z osobą, na którą jesteś rozgniewany. Zanim jednak rozpoczniesz rozmowę z żoną lub nastoletnim synem czy córką, dobrze jest zastanowić się, kiedy i jak ją przeprowadzić.

W mojej książce *The Other Side of Love* (Druga strona miłości) wydrukowano na końcu kartkę, którą można oderwać i zachować. Znajdują się na niej słowa, przydatne na początek rozmowy: „Gniewam się na ciebie, ale nie obawiaj się – nie mam zamiaru cię atakować. Potrzebuję jednak twojej pomocy. Czy uważasz, że to dobry czas, aby o tym porozmawiać?". Dobrze jest umieścić tę kartkę na lodówce, aby zawsze, kiedy jedna ze stron jest gotowa do rozmowy, mogła ją zdjąć i przeczytać drugiej na głos. W ten sposób pokażesz, że czujesz gniew, ale zarazem zapewniasz członków rodziny (i siebie), że nie wybuchniesz, pamiętając jednocześnie, że należy coś zrobić z waszym problemem. Jeśli nie jest to najlepszy czas na taką rozmowę, można uzgodnić, kiedy do niej powrócicie.

4. Szczera rozmowa z członkiem rodziny

Czwarty krok to rozpoczęcie rozmowy z drugą osobą – przedstawienie problemu, abyście mogli się do niego ustosunkować. Jeśli w danej chwili ogląda interesujący program w telewizji, przygotowuje posiłek lub sprząta, prawdopodobnie wybrałeś nieodpowiednią porę. Spróbuj znaleźć czas, kiedy będziecie mogli być sami, bez innych członków rodziny, nawet jeśli będzie to możliwe dopiero za kilka godzin. Jeśli będziesz nalegać i powiesz: „Musimy o tym porozmawiać tu i teraz", sprawisz, że rozmowie od samego początku będzie towarzyszyć napięcie.

Kiedy znajdziesz odpowiedni czas i miejsce, sugerowałbym rozpoczęcie rozmowy w następujący sposób: „Chciałbym powiedzieć ci o swoich odczuciach, bo zależy mi na dobrych stosunkach między nami. Zdaję sobie sprawę, że mogłem niewłaściwie zinterpretować sytuację. Chcę jednak powiedzieć ci, co zobaczyłem i jak się poczułem. Potem chciałbym poznać twój punkt widzenia. Może coś umknęło mojej uwadze i potrzebuję twojej pomocy, aby to zrozumieć".

Przedstawiając swój punkt widzenia, bądź maksymalnie konkretny. Opowiedz o tym, co usłyszałeś, co zobaczyłeś, jak to zinterpretowałeś, jakie to wywołało w tobie emocje i dlaczego jesteś zdenerwowany. Ogranicz swoją wypowiedź do jednego wydarzenia. Nie przypominaj podobnych zdarzeń z przeszłości. Robiąc to, będziesz wzbudzał w drugiej osobie przekonanie, że ją potępiasz. Próbując się bronić, może odpowiedzieć atakiem i wówczas rozmowa zamieni się w kłótnię. Większość osób potrafi rozmawiać spokojnie o pojedynczym wydarzeniu, kiedy jednak wylicza się kolejne ich błędy z przeszłości, z reguły są tym przytłoczone i zaczynają się bronić.

Kiedy przedstawisz swój punkt widzenia, powiedz rozmówcy: „Myślę, że rozumiesz teraz, jak to wygląda z mojej strony. Jednak mogłem o czymś nie wiedzieć lub niewłaściwie to interpretować. Proszę, powiedz, jak ta sytuacja wygląda z twojej perspektywy". Takie słowa pomogą drugiej osobie rozmawiać otwarcie i szczerze. Kiedy będzie mówić, powstrzymaj się od wtrąceń. Jeśli rozmówca powie coś, a ty od razu zareagujesz: „To nieprawda!", wymiana zdań może się przerodzić w kłótnię. Zarzucając drugiej osobie kłamstwo, wzbudzisz w niej silne negatywne emocje. Zamiast tego wysłuchaj uważnie, co ma do powiedzenia. Zadawaj pytania, które pomogą ci lepiej zrozumieć jej punkt widzenia. Na przykład takie: „Czy chcesz przez to powiedzieć, że...?" lub „Czy dobrze rozumiem, że...?". W ten sposób zachęcasz, aby mówiła dalej, i pokazujesz, że naprawdę chcesz poznać myśli i uczucia dotyczące tego wydarzenia.

Jeśli nie zgadzasz się z jej punktem widzenia, możesz powiedzieć: „Wydaje się, że patrzymy na ten problem zupełnie inaczej. Może dlatego, że mamy różne osobowości. Czego możemy się jednak dzięki tej sytuacji nauczyć, co poprawi łączącą nas więź?". Dzięki takiemu podejściu łatwiej znaleźć pozytywne rozwiązanie. Lecz jeśli będziesz powtarzać, że to ty masz rację, a twój rozmówca się myli, może zdołasz mieć ostatnie słowo w rozmowie, ale problem pozostanie nierozwiązany. Ponadto dystans między wami jeszcze się zwiększy.

Jeżeli będziesz konsekwentnie dążyć do znalezienia rozwiązania i wyciągnięcia pozytywnych wniosków z całego wydarzenia, skorzystają na tym obie strony. Opanowałeś swój gniew i osiągnąłeś pozytywne rezultaty. Umiejętne radzenie sobie z własnym gniewem czyni bardzo prawdopodobnym przekazanie tej umiejętności nastoletniemu synowi czy córce.

Uczenie nastolatka radzenia sobie z gniewem

Miłość i gniew: dwa klucze do każdej relacji
Oczywiście, nie powinniśmy czekać, aż nauczymy się panować nad swym gniewem, i dopiero wtedy zacząć wpajać tę umiejętność nastolatkom. Wielu rodziców nie uświadamia sobie nawet, że nie panuje nad swoim gniewem, dopóki nie zobaczą syna czy córki, powielających ich zachowanie. Kiedy widzicie, jak wasz nastolatek wykrzykuje w gniewie gorzkie słowa, rodzi się logiczne pytanie: „Gdzie on się tego nauczył?". Zapewne naśladuje zachowanie jednego z rodziców. Myśl, iż „mój syn (córka) może stać się taki jak ja", motywuje niejednego z rodziców do zmiany złych nawyków związanych z gniewem. Dlatego często musimy uczyć się *wspólnie* z nastolatkami konstruktywnie wyrażać gniew.

Dwie najważniejsze umiejętności dotyczące relacji z innymi, jakich powinien się nauczyć każdy nastolatek – to wyrażanie miłości i radzenie sobie z własnym gniewem. Są one powiązane ze sobą. Jeśli nastolatek czuje się kochany, jest mu o wiele łatwiej nauczyć się wyrażać gniew w pozytywny sposób. Jeśli jednak zbiornik miłości nastolatka jest pusty, prawie na pewno nie będzie umiał poradzić sobie z gniewem. Dlatego tak ważne jest, aby rodzice poznali podstawowy język miłości nastolatka i posługiwali się nim często.

Niestety, to, że zbiornik miłości nastolatka jest pełen, nie znaczy wcale, że będzie on wiedział, jak radzić sobie z gniewem. Pozytywne wyrażanie gniewu jest umiejętnością, której trzeba się nauczyć. Rodzice, którzy kochają swoje dzieci, są z reguły najlepszymi nauczycielami tej umiejętności. Jakie ważne elementy powinni poznać, aby odnieść sukces w edukacji syna lub córki?

Kierunek gniewu nastolatka – do wewnątrz czy na zewnątrz?

Przede wszystkim należy zacząć od tego, jak nastolatek wyraża gniew. Zanim dziecko stanie się nastolatkiem, nabiera określonych nawyków wyrażania gniewu. Pewna matka powiedziała mi: „Doktorze Chapman, jak skłonić nastolatka do rozmowy o jego gniewie? Kiedy moja piętnastoletnia córka gniewa się, zamyka się w sobie. Pytam ją, co się stało, a ona nie chce nic powiedzieć. Nie wiem, jak mogę jej pomóc, skoro nie wolno mi z nią o tym rozmawiać". Inna matka stwierdziła: „Mam zupełnie inny problem. Kiedy moja nastoletnia córka wpada w gniew, wszyscy o tym wiedzą. Nie można jej uspokoić. Krzyczy, trzaska drzwiami, w czasami nawet podskakuje jak dwulatek w napadzie złości". Te dwie młode dziewczyny znajdują się na przeciwnych krańcach pewnego spektrum. Większość nastolatków skłania się ku jednemu z dwóch destruktywnych sposobów wyrażania gniewu: implozji lub eksplozji.

Mówiąc o *implozji* mam na myśli nastolatka, który, będąc rozgniewany, milczy, a tłumiony wewnątrz i „nieprzepracowany" gniew powoli niszczy go od środka. Pamiętajmy, że nastolatek wpada w gniew, kiedy uważa, że rodzice lub inne osoby skrzywdziły go lub potraktowały niesprawiedliwie. Poczucie krzywdy, jeśli nie zostanie „przepracowane" z osobą, która go wywołała, często prowadzi do powstania urazów, osamotnienia, izolacji, a nawet depresji. Gniew skierowany do wewnątrz może również prowadzić do biernej agresji. Na zewnątrz nastolatek jest bierny, nie chce rozmawiać o swoim gniewie, lecz narastające urazy znajdują wyraz w postawach, które w różnym stopniu szkodzą osobie, na którą jest zły – najczęściej rodzicom lub jemu samemu. Bierna agresja może przejawiać się w bardzo różny sposób: zaniedbanie nauki lub kariery sportowej, sięganie po narkotyki, nawet rozpoczęcie współżycia seksualnego. Każde z tych zachowań jest wyrazem gniewu na rodziców. Czasami długo tłumiony gniew nastolatka daje o sobie znać w gwałtownym wybuchu agresji i przemocy.

Wiele nastolatków demonstruje inaczej gniew – przez *eksplozję*. Kiedy taki młody człowiek uzna, że rodzice powiedzieli lub zrobili coś krzywdzącego czy niesprawiedliwego, wyraża swoje niezadowolenie w sposób gwałtowny i hałaśliwy, nierzadko uciekając się do raniących lub niecenzuralnych słów. Niektóre nastolatki okazują gniew w sposób fizyczny: rzucają przedmiotami, niszczą meble lub „przypadkowo" tłuką naczynia. Jeśli te destruktywne zachowania nie zostaną zmienione, prawdopodobnie za kilka lat przerodzi się to w werbalną i fizyczną agresję wobec własnego współmałżonka i dzieci.

Większości nastolatków udaje się unikanąć skrajności, lecz właściwie wszyscy młodzi ludzie najczęściej gniewają się według jednego z opisanych schematów: do wewnątrz lub na zewnątrz. Niewiele nastolatków potrafi panować nad swoim gniewem i wyrażać go w dojrzały i produktywny sposób, jaki opisaliśmy w tym rozdziale. Tymczasem dla niektórych rodziców próby nauczenia syna lub córki właściwego wyrażania gniewu mogą się okazać niezwykle trudnym zadaniem. W każdym przypadku należałoby zaczynać od rozpoznania nawyków, które decydują o obecnym zachowaniu nastolatka. Dopóki nie poznacie tych przyzwyczajeń, trudno będzie zmienić je na lepsze. Sugeruję więc, abyście obserwowali syna lub córkę, gdy wpadają w gniew, i notowali, jak wyrażają go wobec was i innych osób. Dwa miesiące takiej obserwacji pozwolą stwierdzić, jak dużo nastolatek musi zmienić, aby nauczyć się panować nad swoim gniewem i wyrażać go w pozytywny sposób.

To pierwszy krok, jaki muszą zrobić rodzice, którzy chcą pomóc nastolatkowi w opanowaniu tej ważnej umiejętności. Trzy kolejne kroki, które pozwolą rodzicom pomóc nastolatkowi nauczyć się panować nad gniewem, omówimy w następnym rozdziale.

Przypisy

1. Liczenie do 100, 500 czy nawet 1000 może być skutecznym sposobem uniknięcia niekontrolowanego wybuchu gniewu. Więcej sugestii na ten temat można znaleźć w książce Gary'ego Chapmana pt. *The Other Side of Love*, Moody, Chicago 1999, s. 38.

Rozdział dziesiąty

Miłość i gniew
w przypadku nastolatka

Tom podszedł do mnie po wykładzie na temat gniewu, który wygłosiłem w czasie pewnej konferencji. Zauważyłem, że kiedy słuchał, do oczu napływały mu łzy. „Zawiodłem. Dzisiaj zrozumiałem, że zmusiłem moją córkę do zamknięcia się w sobie. Kiedy wpadała w gniew, mówiłem jej, że jest głupia. Powtarzałem, że musi dorosnąć, że nie powinna być taka wrażliwa. Teraz widzę, że odepchnąłem ją w ten sposób od siebie. Od sześciu miesięcy prawie się do mnie nie odzywa".

Jak można pomóc nastolatkom, którzy gromadzili przez lata gniew – odseparowali się od świata zewnętrznego i nie chcą z nami rozmawiać? Kiedy dowiemy się, w jaki sposób nasz nastolatek postępuje ze swoim gniewem – kierując go do wewnątrz (implozja) lub na zewnątrz (eksplozja) – możemy spróbować zaradzić temu. Ten rozdział jest poświęcony krokom, jakie należy podjąć, aby pomóc nastoletniemu synowi czy córce zdobyć umiejętności radzenia sobie z gniewem i wyrażania go w pozytywny sposób.

Trudna lekcja słuchania

Kiedy określicie błędy, jakie syn lub córka popełniają w radzeniu sobie z gniewem, możecie zrobić kolejny krok dalej i pomóc im nauczyć się konstruktywnego sposobu wyrażania gniewu. Ten etap polega na podjęciu *wysiłku* wysłuchania nastolatków odczuwających gniew. Wyróżniłem słowo *wysiłek*, ponieważ – zapewniam was – nie będzie to łatwe.

W dalszej części rozdziału doradzimy, jak pomóc zamkniętemu nastolatkowi (stosującemu implozję). Pod pewnymi względami jest to trudniejsze zadanie. Najpierw zastanówmy się więc, jak słuchać nastolatka, który otwarcie wyraża swój gniew (w akcie eksplozji). To przypadek, z którym miałem więcej osobistych doświadczeń. Nasz syn często wybuchał gniewem.

Słuchanie gwałtownych, agresywnych wypowiedzi

Jestem doradcą małżeńskim i rodzinnym. Moja praca w dużej mierze polega na słuchaniu ludzi, jednak wcale nie było mi łatwo słuchać pełnych gniewu słów własnego syna. Być może mówienie o wysiłku słuchania nie oddaje dobrze istoty rzeczy. W rzeczywistości wysłuchanie nastolatka wybuchającego gniewem jest niewiarygodnie trudnym zadaniem. Mimo to jestem przekonany, że jedynym sposobem, w jaki możemy pozytywnie wpływać na rozgniewanego nastolatka, jest właśnie wysłuchanie tego, co ma do powiedzenia – bez względu na to, jak raniące czy agresywne będą jego słowa. Wiersz, który mój syn napisał wiele lat później, zamieszczony na końcu tego rozdziału, upewnił mnie, że nie słuchałem go na darmo.

Nadal uważam, że musimy cierpliwie wysłuchać nastolatka, choćby jego słowa wzbudzały w nas żywy protest. Dlaczego tak ważne jest, aby nie odwracać się od nastolatka w takiej chwili? Ponieważ nie jest on w stanie „przepracować" swojego gniewu, dopóki nie powie o tym, co jest jego źródłem. Także rodzice nie mogą zająć stanowiska w tej kwestii dopóki nie poznają przyczyny wybuchu.

Wróćmy zatem do początku. Dlaczego nastolatek wpada w gniew? Ponieważ stało się coś, co w jego mniemaniu jest niesprawiedliwe, głupie lub nieludzkie. To prawda, może nie mieć racji, jednak patrząc na to z jego perspektywy, został skrzywdzony. (Nastolatek wpada w gniew z tej samej przyczyny, co dorośli: kiedy uważa, że został niesprawiedliwie potraktowany lub zadano mu ból). Więc kiedy rozgniewany nastolatek wyraża swój gniew słowami – nawet gdy je wykrzykuje – rodzice powinni być mu za to wdzięczni. Jeśli będą słuchać, mają szansę dowiedzieć się, co syn czy córka myśli i czuje. Dla każdego rodzica, który chce pomóc swemu nastolatkowi nauczyć się radzić sobie z gniewem, będą to cenne informacje.

Rodzice muszą się dowiedzieć, dlaczego nastolatek jest rozgniewany – co sprawiło, że poczuł się skrzywdzony, czy jakiej to, w jego opinii, dopuścili się niesprawiedliwości lub wręcz zdrady. Jeśli rodzice nie zdobędą tych ważnych informacji i nie przedyskutują ich z nastolatkiem, będzie on trwał w swoim gniewie, a to, co tak gwałtownie wyraził, jeszcze bardziej ich rozdzieli. Lecz jeśli rodzice wysłuchają tego, co nastolatek ma do powiedzenia, i dotrą do sedna problemu, wówczas będą mogli zareagować w mądry sposób.

Utrata samoopanowania

Problem w tym, że większość rodziców reaguje negatywnie na wybuchy gniewu nastolatków, zanim wysłucha, co syn lub córka ma do powiedzenia. Nie odpowiada nam sposób, w jaki się do nas zwracają, więc często tracimy cierpliwość i krzyczymy. Nierzadko rodzice mówią: „Milcz i marsz do swojego pokoju. Nie będziesz rozmawiał ze mną w ten sposób!". Postępując tak, zrywają komunikację i pozbawiają się możliwości poznania źródła gniewu nastolatka. Może i w domu panuje cisza, lecz wewnątrz nastolatka i jego rodziców gniew nadal wrze – i nie przestanie, dopóki nie zostanie „przepracowany".

Nazywam takie postępowanie „butelkowaniem gniewu nastolatka". Przypomina to nałożenie kapsla na gniew, który rozrywa młodego człowieka od wewnątrz. W rezultacie gniew narasta. Nastolatek jest rozgniewany tym, co się wydarzyło wcześniej, oraz tym, jak został potraktowany przez rodziców. Rodzice jedynie pogłębili problem, zamiast wykorzystać szansę pokazania nastolatkowi, jak można wyrażać gniew w pozytywny sposób.

Mądrzy rodzice koncentrują się na tym, co nastolatek chce im powiedzieć, a nie na sposobie, w jaki to robi. W danej chwili najważniejsze jest odkrycie źródła gniewu nastolatka. On zaś jest jedyną osobą, która może udzielić tych informacji. Jeśli syn lub córka krzyczą do was w gniewie, próbują wam coś w ten sposób zakomunikować. Mądrzy rodzice skupiają się w takiej chwili na słuchaniu. Dobrze jest sięgnąć po kartkę i zacząć notować, co nastolatek mówi. W ten sposób łatwiej zwrócić uwagę na treść wypowiedzi, a nie na formę przekazu. Zapiszcie, co – waszym zdaniem – syn lub córka usiłuje wam zakomunikować. W czym – ich zdaniem – zostali niesprawiedliwie potraktowani? Nie brońcie swego zdania. To nie czas na argumenty, tylko na słuchanie. Na negocjacje i spory przyjdzie czas później, teraz macie jedynie gromadzić informacje, niezbędne do opracowania traktatu pokojowego z waszym dzieckiem.

Druga runda słuchania

Kiedy nastolatek zakończy swoją gniewną wypowiedź, powiedzcie mu, co zrozumieliście z jego wypowiedzi, i poproście, aby wyjaśnił wszystko, co było dla was niejasne. Możecie powiedzieć: „O ile dobrze zrozumieliśmy to, co powiedziałeś, jesteś rozgniewany, ponieważ... Czy to właśnie chciałeś powiedzieć?". Takie stwierdzenie dowodzi nastolatkowi, że go słuchacie i chcecie się dowiedzieć czegoś więcej. Prawie na pewno zareaguje na waszą prośbę i doda coś. Możliwe, że będzie to wypowiedź równie gwałtowna lub nieco spokojniejsza, najważniejsze jednak, że syn lub córka będą nadal mówić, dlaczego są na was zdenerwowani.

Nadal zapisujcie istotne informacje. Nie ulegajcie pokusie powiedzenia w tym momencie czegoś we własnej obronie. Pamiętajcie, że trwa druga runda słuchania.

Kiedy nastolatek skończy, powtórzcie mu, co według was chciał powiedzieć, i dajcie mu możliwość potwierdzenia, co zrozumieliście właściwie. Po trzeciej rundzie słuchania nastolatek powinien dojść do wniosku, że traktujecie go poważnie. Prawdopodobnie będzie zaskoczony faktem, że robiliście notatki i uważnie go słuchaliście. Dopiero wtedy i tylko wtedy, kiedy nastolatek uzna, że naprawdę go wysłuchaliście, można przejść do trzeciego kroku. Nie sposób przecenić znaczenia wysłuchania rozgniewanego nastolatka.

Przypadek zamkniętego nastolatka

A jak postępować, jeśli nastolatek kieruje gniew do wewnątrz, a nie na zewnątrz? Pod pewnymi względami trudniej jest pomóc nastolatkowi, który zamyka się w sobie. Ponieważ nie chce mówić o tym, co go denerwuje, co wywołało jego gniew, rodzice są bezsilni. Nie mogą w żaden sposób zareagować na to, co dzieje się we wnętrzu syna lub córki, dopóki nie poznają ich myśli i uczuć. W niektórych przypadkach właśnie dlatego nastolatek milczy.

Milczenie i władza
Kiedy rodzice kontrolują każdy aspekt życia nastolatka i podejmują wszystkie decyzje za niego, czuje się on bezsilny. Nie może budować swojej niezależności i tożsamości, więc uważa,

że milczenie jest jedynym sposobem skutecznego przeciwstawienia się rodzicom. Dzięki milczeniu ma nad nimi władzę, przynajmniej na krótki czas. Dysponuje czymś, czego rodzice pragną, a on odmawia im tego.

Kiedy jedno z rodziców wpada w panikę i narzeka przed drugim lub innymi dorosłymi, że syn lub córka nie chce z nim rozmawiać, albo kiedy rodzice wybuchają i krzyczą: „Jak mamy ci pomóc, jeśli nie chcesz nam powiedzieć, o co chodzi?", nastolatek odnosi małe zwycięstwo. Tego właśnie pragnął: wyrwać się spod kontroli. Ma dosyć śledzenia każdego jego kroku, pragnie być niezależny. W tym okresie milczenie jest jedynym sposobem zaakcentowania owej niezależności.

Rodzice skrytego nastolatka muszą zadać sobie trudne pytania: Czy nie nadmiernie kontrolujemy naszego syna lub córkę? Czy dajemy mu tyle swobody, że może samodzielnie myśleć i podejmować decyzje? Czy pozwalamy mu być nastolatkiem, czy nadal traktujemy go jak dziecko? W przypadku nadmiernie kontrolujących rodziców najlepszym rozwiązaniem jest zakomunikowanie: „Wiemy, że czasami za bardzo wtrącamy się w twoje życie. Zdajemy sobie sprawę, że teraz jesteś nastolatkiem i masz prawo nie mówić nam o tym, co myślisz i czujesz. Lecz jeśli będziesz chciał z nami porozmawiać, chętnie cię wysłuchamy. Jesteśmy gotowi poświęcić ci całą naszą uwagę". Następnie okażcie nastolatkowi miłość w jego podstawowym języku miłości. Takie słowa, jeśli towarzyszy im wyrażanie miłości, umożliwiają stworzenie atmosfery, w której nastolatek czuje się dowartościowany. Jeśli rodzice zachowają takie podejście, mogę niemal zagwarantować, że nastolatek zacznie się otwierać w sytuacji, gdy ogarnie go gniew na rodziców.

Innym powodem, dla którego niektórzy rozgniewani młodzi ludzie wybierają milczenie, jest to, że gdy ujawnią swój gniew, spotykają się z agresywną reakcją ze strony rodziców. Takie nastolatki, zmęczone ciągłymi konfliktami, wolą wszystko przemilczeć, niż po raz kolejny wysłuchiwać gniewnych tyrad matki czy ojca. Byli już wystarczająco wiele razy zawstydzani, poniżani i potępiani. Łatwiej im zamknąć się w sobie i nie mówić nic o swoich uczuciach.

Rodzice takich nastolatków nigdy nie zdołają nakłonić ich do mówienia. Wszelkie wysiłki w tym kierunku będą odbierane jako „czepianie się" i tylko popchną nastolatka w jeszcze bardziej zdecydowane milczenie. Zanim cokolwiek się zmieni, rodzice muszą przyznać się do popełnionych błędów. Pierwszym krokiem do tworzenia atmosfery, w której nastolatek zacznie mówić o swoim gniewie, jest zerwanie z rodzicielskimi złymi nawykami.

Czas na wyznanie

Właśnie tak postanowił postąpić wspomniany na początku rozdziału ojciec. Nie ograniczył się do łez i żalu, lecz postanowił stanąć przed swoją córką, Tracy, i zrobić wszystko, co potrafi, byle uzdrowić sytuację, nawet jeśli okazałoby się to dla niego upokarzające. Po tym, jak oznajmił mi, iż zawiódł jako ojciec, przedstawił następujący plan: „Gdy wrócę wieczorem do domu, przyznam się do swoich błędów. Może dostanę jeszcze jedną szansę". Poprosił mnie o pomoc w przygotowaniu wyznania, aby nie ulec emocjom, gdy będzie rozmawiał z córką.

Oto, co przygotowaliśmy. Takie wyznanie może pomóc rodzicom, którzy są gotowi przyjąć odpowiedzialność za popełnione błędy i wyznać je, aby przerwać milczenie nastolatka:

„Tracy, czy mogę zająć ci kilka minut, aby powiedzieć o czymś, co jest dla mnie naprawdę ważne? Jeśli to nie jest dobry czas, chętnie poczekam". Jeśli córka wyrazi zgodę, ojciec miał kontynuować: „Kilka dni temu byłem na seminarium i słyszałem wykład na temat gniewu. Uświadomiłem sobie, że w przeszłości bardzo cię krzywdziłem. Kiedy przychodziłaś do mnie ze swoimi problemami, najczęściej brakowało mi wrażliwości i zrozumienia, więc traktowałem cię źle. Pamiętam, że wiele razy mówiłem ci, że jesteś głupia, że musisz wydorośleć i nie możesz być tak wrażliwa. Teraz widzę, jak bardzo niedojrzale się zachowywałem. To ty byłaś dojrzalsza, ponieważ chciałaś mówić mi o tym, co cię boli. Przykro mi, że tak się do ciebie odnosiłem.

Chcę, abyś wiedziała, że kiedy znowu się na mnie rozgniewasz, zrobię wszystko, aby cię wysłuchać. Postaram się poświęcić ci całą swą uwagę i odpowiedzieć w jak najpełniejszy sposób. Wiem, że czasami byłaś na mnie zdenerwowana, i jestem pewny, że to się jeszcze wiele razy powtórzy. Jeśli kiedykolwiek zechcesz powiedzieć mi, dlaczego jesteś zdenerwowana, spróbuję cię wysłuchać. Postaram się uszanować twoje uczucia, abyśmy mogli wspólnie rozwiązać problem. Dobrze?".

Powiedziałem temu ojcu, że córka może przyjąć jego wyznanie w milczeniu. Zachęciłem go, aby nie próbował od razu nakłaniać jej do rozmowy, ale raczej starał się okazywać jej miłość, stosując jej podstawowy język miłości. Tego wieczoru tata Tracy zrobił pierwszy krok, aby odbudować relację z córką i stworzyć atmosferę, w której będzie mogła powiedzieć mu o swoim gniewie.

Kiedy nastolatki widzą, że mogą bez zagrożenia mówić o swoim gniewie rodzicom, będą to robić. Jeśli jednak czują się zastraszeni, lekceważeni, poniżani, zawstydzani i niesprawiedliwie traktowani, wielu z nich postanawia milczeć. Celem rodziców zamkniętego nastolatka powinno być stworzenie takiego klimatu emocjonalnego, w którym syn lub córka będą mogli swobodnie ujawniać swój gniew. Kiedy zamknięty w sobie nastolatek znowu zacznie mówić, rodzice muszą podjąć wysiłek słuchania, o którym już pisaliśmy.

Uznanie prawa nastolatka do gniewu

Trzecim krokiem w uczeniu nastolatka pozytywnych sposobów wyrażania gniewu – po wcześniejszym określeniu złych nawyków radzenia sobie z gniewem i uważnym wysłuchaniu tego, co on sam mówi w jego przyczynie – jest uznanie jego prawa do gniewu. Niektórzy rodzice mogą zaprotestować: „Chwileczkę, naszym zdaniem jego gniew jest często nieuzasadniony. Niewłaściwie interpretuje nasze zachowanie. Czasami nie zna wszystkich faktów. Jak możemy uznać jego prawo do gniewu, jeśli nie zgadzamy się z jego punktem widzenia?".

To ważne pytanie, ponieważ w tym właśnie miejscu wielu rodziców popełnia poważny błąd. Mylą fakty z uczuciami. W rezultacie wdają się z nastolatkiem w dyskusję o faktach, ale ignorują jego uczucia. Jeśli dyskusja przeradza się w kłótnię, wywołuje jeszcze więcej emocji, które potem także zostają zignorowane.

Ignorowanie uczuć nigdy nie sprzyja budowaniu dobrej relacji między rodzicami a nastolatkami. Dlatego trzeci krok jest tak ważny. Jeśli nie będziecie umieli uznać prawa nastolatka do odczuwania gniewu, nigdy nie nauczycie go wyrażać gniewu w pozytywny sposób. To, co przeczytacie poniżej, jest niezwykle ważne.

Nastolatek wpada w gniew, kiedy jest przekonany, że została mu wyrządzona jakaś krzywda lub został niesprawiedliwie potraktowany. W innym wypadku nie ma powodu do gniewu. Oczywiście, może mylić się w ocenie faktów, jeśli jednak nie uznamy jego prawa do odczuwania gniewu, prawdopodobnie nie będzie nawet chciał słuchać, jaki jest nasz pogląd na dany problem. To uznanie prawa drugiej osoby do odczuwania gniewu tworzy atmosferę, w której osoba ta będzie skłonna wysłuchać naszego zdania.

Jednym z najlepszych sposobów uznawania czyjegoś prawa do własnych emocji jest *empatia*, czyli postawienie się na czyimś miejscu i spojrzenie na sytuację czyimiś oczami. To znaczy, że rodzice na moment muszą znowu stać się nastolatkami, jeszcze raz poczuć zagubienie, przypomnieć sobie zmienność nastrojów, pragnienie niezależności i własnej tożsamości, troskę o akceptację rówieśników i olbrzymią potrzebę miłości i zrozumienia ze strony rodziców. Matkom i ojcom, którzy nie okazują empatii swoim nastolatkom, trudno będzie uznać ich prawo do odczuwania gniewu.

Pewien ojciec potwierdził moc jaką niesie z sobą empatia w czasie rozmowy ze mną: „Zadziwiające, jak wszystko się zmieniło, kiedy zacząłem okazywać empatię. Moja córka była rozgniewana, ponieważ zabroniłem jej jeździć samochodem przez tydzień. Krzyczała, że to niesprawiedliwe i wstydzi się powiedzieć koleżankom, że nie będzie mogła zawozić ich do szkoły, bo ojciec zabronił jej korzystać z auta. W przeszłości zacząłbym jej wyjaśniać, że powinna się cieszyć, że zabrałem jej samochód tylko na tydzień, a jej przyjaciółki mogą dostać się do szkoły w inny sposób i nie ma się czego wstydzić. Oczywiście, to wzbudziłoby tylko większy gniew. Zaczęłaby wykrzykiwać pod moim adresem różne uszczypliwe uwagi. Ja odpowiedziałbym krótko i ostro, po czym wyszedłbym z pokoju, zostawiając ją we łzach. Takie sceny rozgrywały się w naszym domu częściej, niż mam odwagę wyznać. Lecz teraz, po wysłuchaniu twojego wykładu o empatii, postawiłem się w jej sytuacji i przypominałem sobie, jak trudno było mi pogodzić się z odebraniem samochodu choćby na tydzień.

Kiedy byłem w jej wieku, nie miałem auta, ale pamiętam, że tata zabronił mi prowadzić jego samochód. Pamiętam, jak było mi wstyd. To zadziwiające, jak inny wydał mi się świat, kiedy spojrzałem na niego jej oczami. Mogłem zrozumieć jej uczucia. Powiedziałem więc:»Kochanie, rozumiem, że jesteś na mnie rozgniewana. Rozumiem również, że będzie ci wstyd, że nie będziesz mogła zawozić koleżanek do szkoły. Gdybym był nastolatkiem, a kiedyś byłem, również odczuwałbym gniew i wstyd. Ale pozwól, że powiem ci, jak patrzę na to jako twój ojciec:

Uzgodniliśmy, że jeśli dostaniesz mandat za przekroczenie prędkości, za pierwszym razem nie będziesz mogła jeździć samochodem przez tydzień. Jeśli to się powtórzy w ciągu roku, zabierzemy ci prawo jazdy na dwa tygodnie. Znasz zasady. Wspólnie je uzgodniliśmy. Jeśli nie dopilnuję, abyś poniosła konsekwencje, będę złym rodzicem, ponieważ takie jest życie: jeśli łamiemy zasady, musimy ponieść tego konsekwencje. Bardzo cię kocham i dlatego właśnie muszę przestrzegać zasad, chociaż doskonale rozumiem, jak się teraz czujesz«. Przytuliłem ją i wyszedłem z pokoju – zakończył ze łzami w oczach. – Ale po raz pierwszy poczułem, że właściwie zareagowałem na gniew mojej córki".

Fakt, iż rodzice okazują nastolatkowi empatię, nie zmniejsza napięcia, ale z pewnością łagodzi gniew. Kiedy rodzice okazują zrozumienie dla gniewu nastolatka i uznają jego prawo do takich emocji, gniew syna lub córki maleje, ponieważ zostali potraktowani z godnością, a nie wyśmiani czy poniżeni przez swoich rodziców. Wynika z tego, że drugi krok – uważne wysłuchanie – musi poprzedzić krok trzeci: okazanie zrozumienia dla gniewu nastolatka. Rodzice nie mogą okazać prawdziwej empatii, jeśli najpierw nie wysłuchają, jak nastolatek postrzega całą sytuację.

Córka była rozgniewana na swą matkę, ponieważ ta nie chciała jej kupić „absolutnie niezbędnej" sukienki. To miał być trzeci taki zakup w ciągu kilku tygodni, bo matka kupiła już dwie. Jednak tym razem nie było po prostu na to pieniędzy. Mama próbowała wytłumaczyć to córce. Kiedy dziewczyna wyrzucała z siebie gniewne słowa, oskarżając matkę, że jej nie kocha, ta wysłuchała uważnie zarzutów, zamiast odpowiadać atakiem, jak robiła dotychczas. Sięgnęła po notatnik i zapisała najważniejsze. Potem, zamiast się do nich ustosunkować, powiedziała do Nicole: „Myślę, że potrafię zrozumieć, dlaczego jesteś na mnie rozgniewana. Na twoim miejscu też bym była". Gdyby matka nie wysłuchała najpierw słów córki, nie mogłaby okazać jej zrozumienia. Słuchanie sprawia, że empatia jest możliwa.

Wyjaśnienie własnej perspektywy
i poszukiwanie rozwiązania

Kiedy rodzice wysłuchują nastolatka i okazują mu empatię, próbując zrozumieć jego gniew i inne emocje, są gotowi do uczynienia ostatniego kroku w „przepracowaniu" gniewu: wyjaśnienia własnej perspektywy i poszukiwania rozwiązania.

Teraz i dopiero teraz rodzice są gotowi przedstawić nastolatkowi swoje zdanie. Jeśli zrobią to wcześniej, zanim wykonają poprzednie kroki, może to doprowadzić do eskalacji konfliktu z nastolatkiem, a wówczas padną gorzkie i raniące słowa, których potem obie strony będą żałować. Jeśli wysłuchacie syna lub córki i okażecie zrozumienie dla ich gniewu, oni z kolei będą gotowi wysłuchać waszego zdania. Mogą się z nim nie zgodzić, ale wysłuchają tego, co macie do powiedzenia, stwarzając szansę na rozwiązanie problemu.

Matka, po okazaniu zrozumienia i uznaniu prawa Nicole do własnych uczuć, powiedziała: „Gdybym miała dużo pieniędzy, kupiłabym ci tę sukienkę. Ale nie mam. Niedawno kupiłam dwie sukienki, o które prosiłaś. Zawsze jest jakiś limit tego, na co możemy sobie pozwolić i właśnie go osiągnęłyśmy". Nicole może być niezadowolona z jej decyzji. Może nadal się gniewać, ale w głębi serca będzie wiedziała, że mama ma rację. Ponieważ matka wysłuchała jej uważnie i okazała zrozumienie dla jej uczuć, nie ma niebezpieczeństwa, że córka będzie pielęgnować w sobie poczucie krzywdy. Przypuśćmy jednak, że gdy Nicole poprosiła o sukienkę, matka zareagowała na jej prośbę gwałtownie: „Nie mam zamiaru kupować ci jeszcze jednej sukienki! Kupiłam ci już dwie, to wystarczy. Uważasz, że musisz mieć wszystko, co tylko zechcesz? Nie mogę uwierzyć, jaką jesteś egoistką. Czy nie widzisz, że inni także potrzebują nowych ubrań?". Spotykając się z taką reakcją, Nicole poczułaby się odrzucona i niemal na pewno żywiłaby do matki urazę.

Kiedy nastolatek ma rację (co się zdarza)

Czasami, gdy rodzice wysłuchają nastolatka, uświadamiają sobie, że ich syn lub córka ma rację. Pewna matka opowiedziała mi następującą historię: „Nigdy nie zapomnę, jak moja córka, Christy, rozgniewała się na mnie za to, że weszłam do jej pokoju i posprzątałam na biurku. Powiedziała mi bardzo wyraźnie, że jest na mnie zła, że naruszyłam jej prywatność, że nie miałam prawa wchodzić do jej pokoju i przestawiać rzeczy na biurku, że wyrzuciłam coś, co było dla niej ważne, i że jeśli jeszcze raz to zrobię, ucieknie z domu. Uświadomiłam sobie wtedy, jak głęboko ją zraniłam i jak silne wzbudziło to w niej emocje. Mogłam dowodzić, że mam prawo wchodzić do jej pokoju i robić tam, co chcę. Mogłam powiedzieć, że jeśli sama sprzątałaby na biurku, nie musiałabym robić tego za nią. Ale wówczas po prostu jej wysłuchałam. Myślę, że tego dnia po raz pierwszy uświadomiłam sobie, że moja siedemnastoletnia córka jest już prawie dorosła i nie mogę jej dłużej traktować jak dziecko. Powiedziałam: »Przepraszam cię. Widzę teraz, że popełniłam błąd. Chciałam jedynie posprzątać na biurku, ale rozumiem, co chcesz mi zakomunikować – rzeczywiście nie miałam prawa ruszać twoich rzeczy. Jeśli mi przebaczysz, obiecuję, że już tego nie zrobię«. Myślę, że tego dnia zaczęłam odnosić się do mojej córki jak do prawie dorosłej kobiety".

Rodzice nie są doskonali i często popełniają błędy, które wywołują gniew nastolatków. Jeśli wysłuchamy ich uważnie i będziemy uczciwi wobec siebie, stanie się dla nas jasne, w czym zawiedliśmy. Kiedy uświadomimy sobie, że skrzywdziliśmy syna lub córkę, zawsze najlepszym rozwiązaniem jest przyznanie się do tego i poproszenie o przebaczenie. Większość nastolatków wybaczy rodzicom, jeśli uczynią to szczerze.

Z drugiej strony rodzice często postrzegają sytuację zupełnie inaczej niż nastolatek. Należy wówczas wskazać na to otwarcie, ale zarazem uprzejmie i stanowczo. Pewien ojciec wysłuchał uważnie, co jego syn miał mu do zarzucenia. Jacob był rozgniewany, ponieważ tata nie chciał pożyczyć mu pieniędzy na ubezpieczenie samochodu. Kiedy Jacob skończył szesnaście lat, miał dostać w prezencie od rodziców używany samochód, pod warunkiem, że będzie sam płacił za benzynę, naprawy i ubezpieczenie. To było półtora roku wstecz. Raty za ubezpieczenie należało wpłacać co sześć miesięcy. Pierwsze dwie raty Jacob spłacił samodzielnie, ale teraz brakowało mu pieniędzy i uważał, że rodzice powinni mu je pożyczyć, aby mógł nadal jeździć. Jacob wiedział, że zamożni rodzice mogą to zrobić bez problemu.

Ojciec wysłuchał uważnie syna, robiąc jednocześnie notatki. Potem zapytał:

– Sądzisz, że powinienem pożyczyć ci pieniądze, bo mam ich dużo, więc tego nie odczuję?

– Tak – odparł Jacob. – Dla ciebie to drobna kwota, a dla mnie znaczna. Jeśli mi ich nie pożyczysz, przynajmniej przez dwa tygodnie nie będę mógł używać samochodu.

Tata słuchał dalej, podczas gdy Jacob wyjaśniał swój punkt widzenia. Potem ojciec powiedział:

– Potrafię zrozumieć, dlaczego chciałbyś, abym to zrobił. Wiem, że to dla ciebie kłopotliwe – nie móc korzystać z samochodu przez dwa tygodnie. A teraz zobacz, jak to wygląda z mojej perspektywy. Moim obowiązkiem jako ojca jest pomóc ci nauczyć się zarządzać własnymi pieniędzmi. Uzgodniliśmy na początku, że będziesz sam płacił za paliwo, ubezpieczenie i naprawy. Wiedziałeś od sześciu miesięcy, że trzeba będzie wpłacić kolejną ratę. Zamiast odłożyć pieniądze, wydałeś je. Ponieważ dokonałeś takiego wyboru, zabrakło ci pieniędzy na ubezpieczenie.

Myślę, że tak naprawdę wcale bym ci nie pomógł, pożyczając te pieniądze. Uważam, że to dobra lekcja, jak należy dysponować pieniędzmi. Zrobimy tak: w ciągu następnych dwóch tygodni, jeśli to będzie możliwe, będę ci pożyczał swój samochód, a kiedy nie będę mógł tego zrobić, postaram się zawieźć cię tam, gdzie musisz pojechać. Nie pożyczę ci jednak pieniędzy na ubezpieczenie. Gdybym to zrobił, zawiódłbym jako rodzic. Czy rozumiesz, o co mi chodzi?".

Jacob zwiesił głowę i wymamrotał: „Chyba tak". Nie był zadowolony, ale rozumiał, co jego ojciec chciał powiedzieć. Jednocześnie był gotów zaakceptować jego decyzję, ponieważ tata uważnie go wysłuchał, uznał jego prawo do własnych uczuć i okazał mu zrozumienie.

Naszym celem jako rodziców zawsze powinna być pomoc nastolatkom w „przepracowaniu" ich gniewu i znalezieniu rozwiązania. „Nieprzepracowany" gniew jest jedną z najgorszych rzeczy, jakie mogą ich spotkać. Pielęgnowanie gniewu prowadzi do urazów i zgorzknienia. Nastolatek czuje się odrzucony i niekochany. „Nieprzepracowany" gniew w istocie uniemożliwia przyjmowanie miłości okazywanej przez rodziców. Wielu rodziców jest sfrustrowanych, gdy ich syn lub córka odrzucają uczucie, jakie próbują im okazać, więc potęgują wysiłki, by w rezultacie spotkać się z ponownym odrzuceniem. Jeśli nastolatek trwa w gniewie przez dłuższy czas, rodzice będą musieli zabiegać o stworzenie klimatu, w którym syn lub córka będą mogli swobodnie powiedzieć, co wywołuje ich gniew.

W celu stworzenia takiego klimatu konieczne może się okazać przyznanie do błędów popełnionych w przeszłości. Na przykład, możecie powiedzieć: „Wiemy, że w przeszłości nie zawsze chcieliśmy cię wysłuchać, gdy byłeś na nas rozgniewany. Czasami mówiliśmy rzeczy, które mogły cię zranić i upokorzyć, czego bardzo teraz żałujemy. Nie jesteśmy doskonałymi rodzicami i naprawdę chcemy zmienić to, co robiliśmy źle. Jeśli się zgodzisz, moglibyśmy kiedyś szczerze porozmawiać, a wówczas miałbyś możliwość powiedzenia nam otwarcie, w jaki sposób cię zraniliśmy. Wiemy, że taka rozmowa może być trudna dla nas wszystkich, ale chcemy, żebyś wiedział, iż jesteśmy gotowi cię wysłuchać".

Takie podejście daje nastolatkowi okazję do ujawnienia skrywanego gniewu, a rodzicom stwarza możliwość rozwiązania problemu. Jeśli nastolatek nie odpowie na propozycję rodziców, konieczne może być zwrócenie się o pomoc do specjalisty. Jeżeli nastolatek nie zamierzam rozmawiać z doradcą lub psychologiem, rodzice mogą pokazać mu, że poważnie traktują tę sytuację, udając się do doradcy bez niego. Po pewnym czasie nastolatek może przecież zmienić zdanie i przyłączyć się do terapii.

Nauczenie nastoletniego syna lub córki, jak radzić sobie z gniewem i wyrażać go w pozytywny sposób, jest jedną z najlepszych rzeczy, jaką możecie zrobić dla jego rozwoju emocjonalnego, społecznego i duchowego. Nastolatek uczy się tego najlepiej w praktyce. Należy zacząć od miejsca, w którym się obecnie znajduje, i pomagać mu „przepracowywać" odczuwany gniew, nawet jeśli na początku będzie to oznaczać znoszenie jego gwałtownych reakcji. Później rodzice będą mieli okazję nauczyć go właściwszych sposobów wyrażania gniewu. Nie można jednak dopuścić, aby sposób, w jaki nastolatek coś komunikuje, przesłonił nam to, co chce nam powiedzieć.

Gdy mój syn miał dwadzieścia kilka lat, napisał dla mnie wiersz. To jeden z powodów, które mnie przekonały, że wysłuchanie nastolatka w jego gniewie posiada uzdrawiającą moc.

TATA

Słuchałeś do najgłębszej nocy.
To był właśnie twój dar.
Uważnie się wsłuchiwałeś
w gwałtowną symfonię mej młodości –
stalowe słowa i ostre sylaby przecinające powietrze.
Inni odchodzili.
Ty zostawałeś
i słuchałeś.

Kiedy pociski okrzyków, wystrzeliwane serie
dziurawiły sufit i utrącały skrzydła aniołom,
ty czekałeś,
opatrywałeś skrzydła,
i jakoś udawało się nam przetrwać.
Do następnego poranka.
Do następnego posiłku.
Do następnego wybuchu.

I kiedy wszyscy uciekali w popłochu
　　dla ocalenia,
　　dla spokoju,
ty zostawałeś na polu walki
wystawiony na atak z każdej strony.
Ryzykowałeś swe życie
dla mnie.
Ryzykowałeś życie, słuchając
do późna w nocy.

Derek Chapman

grudzień 1993

Rozdział jedenasty

Miłość i niezależność

Pewni rodzice zgłosili się po poradę do lekarza rodzinnego i opowiedzieli mu o swoich obawach związanych z trzynastoletnim synem, Seanem. „Jego osobowość jest teraz całkowicie inna – zaczął ojciec. – Stał się kompletnie nieprzewidywalny". „Nigdy się nie buntował – dodała matka – a teraz sprzeciwia się prawie wszystkiemu, co mu powiemy. Zmienił się również jego sposób mówienia. Czasami zupełnie nie rozumiemy, o co mu chodzi. Dwa tygodnie temu obrzucił mnie wyzwiskami. Sean nigdy wcześniej nie przeklinał".

– Obawiamy się, że Sean ma jakieś zaburzenia neurologiczne – powiedział mężczyzna.

– Może to guz mózgu – dodała matka. – Zastanawialiśmy się, czy nie mógłby pan go przebadać i powiedzieć, co o tym myśli.

Lekarz zgodził się i dwa tygodnie później Sean zgłosił się do kliniki. Po dokładnych badaniach, łącznie z tomografią mózgu, lekarz oznajmił rodzicom, że Sean jest całkowicie zdrowym nastolatkiem. Nie cierpi na żadne schorzenia neurologiczne. Problemy, których doświadczają, są zupełnie normalne w wieku dojrzewania. Rodzice Seana odetchnęli z ulgą, ale jednocześnie byli zdezorientowani. Ucieszyli się, że ich syn na nic nie choruje, ale nie wiedzieli, jak powinni się zachowywać w tym budzącym przerażenie okresie rozwoju syna. Wiedzieli jedno: nie mogą zignorować jego zachowania.

Rodzice Seana doświadczali typowego dramatu rodziców, których dzieci nagle stały się nastolatkami. Cały świat stanął na głowie. To, co robili wcześniej, przestało przynosić rezultaty, a dziecko, które tak dobrze znali, z dnia na dzień stało się obcym osobnikiem.

Wspominaliśmy wielokrotnie o tym, że nastolatki poszukują niezależności i własnej tożsamości. W tym rozdziale chciałbym omówić zmiany, które zazwyczaj następują w tym okresie rozwoju. Kiedy rodzice poznają, w jaki sposób może się manifestować owe dążenie do niezależności i określenia tożsamości, łatwiej będzie im znaleźć sposób okazywania swym synom i córkom miłości i wsparcia. Będą w stanie bardziej efektywnie posługiwać się ich językiem miłości.

Dwa etapy konfliktów

Czy wiecie, w jakich dwóch okresach dojrzewania dochodzi do wyraźnie większej ilości konfliktów między rodzicami a dziećmi? Uczeni twierdzą, że pierwszy taki okres następuje około drugiego roku życia dziecka – stąd określenie „zbuntowany dwulatek", a drugi w czasie dojrzewania. Oba te okresy łączy wspólny motyw: niezależność. „Zbuntowany dwulatek" próbuje osiągnąć i zademonstrować fizyczną niezależność od rodziców. Małe nóżki starają się umknąć czujnemu spojrzeniu rodziców, a małe rączki potrafią zrobić rzeczy, które są w stanie załamać nerwowo dorosłych. Wszyscy rodzice mogą przytoczyć wiele takich zdarzeń – opowiedzą o drzewach narysowanych na ścianie szminką, cukrze wysypanym na dywan, otwartych i opróżnionych szufladach itp.

Zajmijmy się teraz początkiem dojrzewania, czyli drugim okresem, kiedy to dochodzi do nasilenia konfliktów między rodzicami a dziećmi. Podobnie jak w pierwszym okresie, i tym razem dotyczą one niezależności. Oczywiście, nastolatek jest o wiele bardziej zaawansowany w rozwoju, więc bałagan, jaki potrafi zrobić, i zasady, które odważa się łamać, mają znacznie poważniejsze konsekwencje. Także konflikty z rodzicami są o wiele bardziej intensywne. Innymi słowy, rodzice mogą się spodziewać częstszych konfrontacji, kiedy ich dziecko wkroczy w okres dojrzewania. Według Lawrence'a Steinberga i Ann Levine, ekspertów w tej dziedzinie, na szczęście „konfrontacje między rodzicami a dzieckiem zazwyczaj osiągają szczyt w drugiej lub trzeciej klasie gimnazjum, a potem są coraz rzadsze"[1].

W trakcie tych obu etapów rozwoju, jakże frustrujących dla dorosłych, dobrze byłoby gdyby rodzice wiedzieli, czego mogą się spodziewać i jak mogą pozytywnie reagować na zachowanie syna lub córki. Ze zrozumiałych względów zajmiemy się drugim okresem – początkowym etapem dojrzewania nastolatka.

Potrzeba niezależności... i miłości

Przyjrzyjmy się najpierw pewnym typowym zachowaniom, jakich możecie się spodziewać. Potrzeba niezależności w życiu nastolatka manifestuje się w wielu dziedzinach. Pomimo marzeń o niezależności, młody człowiek nadal bardzo potrzebuje miłości rodziców. Jednak rodzice często interpretują rodzącą się niezależność nastolatka jako odrzucanie uczuć, które starają się mu okazywać. To poważny błąd.

Celem rodziców powinno być zachęcanie nastolatka do niezależności, przy jednoczesnym kontynuowaniu zaspokajania jego potrzeby miłości. Zmiany w zachowaniu, które towarzyszą poszukiwaniu niezależności, zazwyczaj koncentrują się na następujących dziedzinach.

Potrzeba przestrzeni osobistej

Nastolatek chce być częścią rodziny, ale jednocześnie być od niej niezależny. To często się manifestuje jako potrzeba przestrzeni zarezerwowanej tylko dla niego. Młodzi ludzie zazwyczaj unikają pokazywania się ze swoimi rodzicami w miejscach publicznych, szczególnie jeśli istnieje możliwość, że spotkają tam swoich rówieśników. Nie znaczy to, że nie chcą bliskości rodziców, lecz że pragną wyglądać na starszych i bardziej niezależnych. Nastolatek, który nie chce, aby ktoś zobaczył go z rodzicami w sklepie, często mówi: „Wysadźcie mnie na parkingu i spotkamy się przy samochodzie za dwie godziny".

Matka, która uznała, że wybrała się z nastoletnią córką na wspólne zakupy, może być bardzo sfrustrowana jej postawą. Jeśli jednak rozumie jej potrzebę niezależności, uszanuje tę prośbę, i gdy córka będzie wysiadała z samochodu, wyrazi swe uczucie w podstawowym języku miłości nastolatki. Dzięki temu dziewczyna poczuje się jednocześnie kochana i niezależna. Natomiast rodzice, którzy na prośbę nastolatka reagują gniewem lub ranieniem go, prawdopodobnie doprowadzą do słownej potyczki, po której nastolatek poczuje się niekochany i kontrolowany.

Pozwolenie nastolatkowi, aby – zamiast trzymać się rodziców – siadał w kościele lub kinie obok rówieśników, przy jednoczesnym okazaniu mu uczucia, jest wspaniałym sposobem zaspokojenia jego potrzeb niezależności i miłości. Podobną rolę pełni np. pozwolenie nastolatkowi, by został w domu lub zjadł obiad z przyjaciółmi, podczas gdy cała rodzina wychodzi do znajomych czy restauracji.

Własny pokój

Nastolatki chcą mieć własny pokój. Zanim skończą dwanaście lat, najczęściej nie przeszkadza im dzielenie pokoju z młodszym rodzeństwem, ale potem, jeśli tylko jest to możliwe, zaczynają pragnąć miejsca tylko dla siebie. Są gotowi przeprowadzić się na poddasze lub do piwnicy, nawet do schowka – gdziekolwiek, aby tylko mieć własne pomieszczenie. Najczęściej rodzice są taką postawą sfrustrowani. Wydaje im się, że prośby nastolatka nie mają sensu. Dlaczego chce przenieść się do zimnej piwnicy, jeśli może mieszkać w ciepłym pokoju razem z młodszym bratem lub siostrą? Powodem jest potrzeba niezależności.

Sugerowałbym, o ile to tylko możliwe, aby rodzice spełnili tę prośbę. Kiedy nastolatek otrzyma własny pokój, niemal na pewno zechce go urządzić według swego gustu. (Wtedy wielu rodziców będzie zadowolonych, że nastolatek przeniósł się do piwnicy). Z pewnością wybierze wszystko – kolor ścian, zasłony, dekoracje – zupełnie inne niż to, co mu zasugerujecie. Również tym razem powodem jest potrzeba niezależności.

Zapewnienie nastolatkowi własnego pomieszczenia i pozwolenie, aby urządził je samodzielnie, przy jednoczesnym okazywaniu mu uczucia w jego podstawowym języku miłości, wzmocni w nim poczucie niezależności i sprawi, że jego zbiornik miłości będzie pełny. Jednak jeśli będzie musiał to sobie wywalczyć kłótniami, nasłuchawszy się przy okazji, jakie to głupie i zbędne – nawet gdy rodzice w końcu spełnią jego prośbę – nastolatek będzie czuł się lekceważony, a pomiędzy nim a rodzicami wyrośnie wysoki mur.

Własny samochód

Nastolatki marzą o własnym samochodzie. Szczególnie w lepiej sytuowanych rodzinach większość nastolatków chce posiadać własne auto, kiedy tylko mogą uzyskać prawo jazdy. To również wynika z pragnienia niezależności: „Jeśli będę miał

189

samochód, będę sam jeździć do szkoły, na basen, do kościoła, na mecze lub do sklepów. Pomyślcie tylko, ile czasu zaoszczędzicie". (Dla wielu rodziców to ważny argument). Niewiele jest rzeczy, które dają nastolatkowi większe poczucie niezależności i władzy, niż posiadanie własnego samochodu. W następnym rozdziale powrócimy do kwestii samochodu i odpowiedzialności, jaka musi towarzyszyć takiej niezależności. Powiemy tam, kto powinien ponosić koszty utrzymania samochodu i czego należy oczekiwać od nastolatka–kierowcy. Teraz zajmiemy się jedynie uznaniem jego potrzeby niezależności i okazywaniem mu miłości przez rodziców.

Zakładając, że nie wykracza to poza możliwości finansowe rodziców, a nastolatek jest wystarczająco odpowiedzialny, byłaby to jedna z dziedzin, w której rodzice mogą dać wyraz swemu zaufaniu do syna lub córki i jednocześnie wzmocnić w nich poczucie niezależności. Pamiętajcie – dawanie prezentów jest jednym z pięciu języków miłości. Nawet jeśli nie jest to podstawowy język miłości waszego syna lub córki, zadbajcie by zapewnienie dostępu do samochodu miało szczególną oprawę. Jeśli nastolatek może wsiąść do samochodu z poczuciem, że jest kochany, darzony zaufaniem i niezależny – rodzice przyczynili się do zrobienia przez niego ważnego kroku ku dorosłości.

Potrzeba przestrzeni emocjonalnej

Nastolatki potrzebują również przestrzeni emocjonalnej. W przeszłości syn lub córka mogli opowiadać wam o wszystkim: co wydarzyło się w szkole, co przyśniło się w nocy, jak trudną pracę domową zadała nauczycielka itd., lecz gdy stali się nastolatkami, wydaje się, że już nie chcą, abyście orientowali się, co dzieje się w ich życiu. Kiedy pytacie nastolatka, jak było w szkole, może odpowiedzieć: „Normalnie" albo „Tak jak zwykle". Kiedy zapytacie nastoletnią córkę o którąś z jej przyjaciółek, może to nazwać wtrącaniem nosa w nie swoje sprawy. Co nie znaczy, że ma coś do ukrycia. Jednym ze sposobów, w jakie nastolatki ustanawiają swą niezależność emocjonalną, jest bowiem nieujawnianie myśli i uczuć. Rodzice powinni to uszanować. W końcu sami również nie mówią nastolatkom o wszystkich swoich myślach i uczuciach. Mam przynajmniej nadzieję, że tego nie robią.

Jednym z aspektów dorosłości jest prawo do podejmowania decyzji, kiedy i czym chcemy podzielić się z innymi ludźmi. Wasz nastolatek staje się dorosłym człowiekiem. Mądrzy rodzice, którzy wiedzą, jak ważna dla nastolatka jest przestrzeń emocjonalna, powiedzą: „Rozumiemy, że czasami nie chcesz mówić nam o tym, co myślisz i czujesz. Szanujemy to. Ale jeśli będziesz chciał o czymś porozmawiać, zawsze możesz do nas przyjść".

Nierzadko nastolatki wyrażają swą potrzebę przestrzeni emocjonalnej, demonstracyjnie rezygnując ze sposobów okazywania i przyjmowania miłości, które wcześniej akceptowali. Nie bądźcie zaskoczeni, kiedy nastoletnia córka odrzuci waszą ofertę pomocy. Przez lata to, co dla niej robiliście, przyjmowała jako dowód miłości. Teraz wszystko chce robić sama i często całkiem inaczej, niż ją uczyliście. Czasami nie jest tak dlatego, że nie potrzebuje już waszej pomocy, ale dlatego, że nie chce, aby jej o tym przypominano. Chce być niezależna. Mądrzy rodzice, zamiast wywierać presję, wycofają się i powiedzą: „Jeśli będziesz potrzebowała pomocy, powiedz nam o tym". Takie słowa, gdy towarzyszy im okazanie miłości, sprawiają, że nastolatek czuje się niezależny i kochany, a oprócz tego wypracowują atmosferę, w której dojrzewające dziecko może bez oporów poprosić o pomoc.

Trzynastoletnia córka zaczyna unikać przytulania nie dlatego, że nie chce waszego dotyku, ale ponieważ kojarzy się jej to z byciem dzieckiem. Teraz staje się dorosła i nie życzy sobie, aby ją traktowano jak dziecko. Mądrzy rodzice znajdą nowe sposoby komunikowania miłości przez dotyk; takie, które zdobędą akceptację nastolatki.

Jeśli mówicie nastolatkowi, jak ma się zachować w czasie wizyty kogoś z dalszej rodziny lub znajomych, powinniście być przygotowani, że zachowa się zupełnie inaczej. Takie prośby często wydają się młodym ludziom dziecinne i sztuczne. Kiedy okazujecie nastolatkowi afirmację, upewnijcie się, że mówicie szczerze. Jeśli odczuje, że próbujecie nim manipulować, odrzuci wszystko, podejrzewając was o nieszczerość.

Za takimi zachowaniami nastolatka kryje się jego potrzeba przestrzeni emocjonalnej. Młodzi ludzie chcą być kochani, ale nie lubią być traktowani jak dzieci. Dlatego tak ważne jest, aby opanować nowe dialekty podstawowego języka miłości nastolatka, dzięki czemu nadal będziecie mogli okazywać mu swoją miłość.

Potrzeba niezależności społecznej

Stawianie przyjaciół ponad rodzinę

Nastolatek pragnie nie tylko przestrzeni fizycznej i emocjonalnej, ale także niezależności społecznej. To pragnienie wyraża się na wiele sposobów. Nastolatki wybierają przyjaciół w miejsce rodziny. O ile wcześniej chętnie uczestniczyli we wspólnych zajęciach całej rodziny, teraz od tego stronią. Zaplanowaliście w sobotę piknik za miastem. W czwartek wieczorem informujecie dzieci o swoich planach, a nastolatek stwierdza: „Ja nie jadę".

– Co to znaczy, »Ja nie jadę«? – pyta ojciec. – Nie jesteś częścią tej rodziny?

– Jestem, ale mam inne plany – odpowiada nastolatek. – Umówiłem się z przyjaciółmi.

– To powiedz im, że zmieniasz plany – mówi ojciec. – To rodzinny wyjazd i chcemy, abyś pojechał z nami.

– Ale ja nie chcę tam jechać – odpowiada nastolatek.

Tak często wygląda pierwsza runda starcia, które może przerodzić się w poważny konflikt, jeśli rodzice nie zrozumieją, że mają do czynienia z nastolatkiem, a nie dzieckiem. Rodzice mogą zmusić dzieci, aby pojechały gdzieś z całą rodziną. Najczęściej okazuje się, że gdy już tam dotrą, wszyscy dobrze się bawią. Lecz jeśli rodzice spróbują postąpić tak samo z nastolatkiem, spędzą podróż i piknik z wrogo nastawioną osobą. Nastolatek nie zmieni zdania i nie będzie się dobrze bawił. Aby zaznaczyć swą niezależność, konsekwentnie będzie sprzeciwiał się presji, jaką wywarli na niego rodzice.

Uważam, że o wiele lepiej jest pozwolić nastolatkowi zostać w domu, szczególnie jeśli późno poinformowaliśmy go o wyjeździe. Nie twierdzę, że nastolatki nie muszą nigdzie jeździć z całą rodziną. Macie prawo oczekiwać, że nastolatek będzie uczestnikiem istotnych, waszym zdaniem, wydarzeń. Lecz takie wydarzenia powinny zostać zapowiedziane odpowiednio wcześniej: dzięki temu nastolatek ma nie tylko czas, aby dostosować swoje plany, ale może przygotować się do tego również emocjonalnie. Rodzice powinni mu również wyjaśnić, dlaczego jego obecność ma sens. Kiedy nastolatek uzna, że uszanowano jego plany i zainteresowania, prawdopodobnie chętnie przyłączy się do wspólnego wyjazdu. Z drugiej strony, nastolatki potrzebują spędzać czas poza rodziną, aby kształtować swą niezależność społeczną.

Rodzice, którzy zdają sobie sprawę z potrzeby niezależności, będą próbowali ją zaspokoić, pozwalając nastolatkowi rozwijać własne życie towarzyskie, a jednocześnie okazując mu miłość i afirmację, zamiast wdawać się w kłótnie. Jeżeli pozwolą na to dopiero po długiej awanturze, nie będzie to wspieraniem niezależności ani okazaniem miłości synowi lub córce. Pragnienie nastolatka, aby spędzać czas z przyjaciółmi, nie jest odrzuceniem rodziców, lecz dowodem, że jego kontakty towarzyskie wykraczają poza krąg rodziny.

Po zastanowieniu wielu rodziców stwierdza, że w gruncie rzeczy do tego dążyli. Którzy rodzice chcą zatrzymać na zawsze dzieci przy sobie, separując je od innych ludzi? Niezależność społeczna kształtuje się właśnie w okresie nastoletnim. Mądrzy rodzice pomagają dzieciom położyć zdrowe fundamenty pod późniejsze kontakty towarzyskie, nie ograniczające się do rodziny.

Upodobania muzyczne

Inną dziedziną, w której zaznacza się pragnienie niezależności społecznej, jest muzyka. Nastolatki chcą same wybierać muzykę, której słuchają. Muzyka zajmuje niezwykle ważne miejsce we współczesnej kulturze młodych ludzi. Nie ma sensu sugerować nastolatkowi, jakiej muzyki powinien lub nie powinien słuchać. Gdybym napisał, jaki rodzaj muzyki jest obecnie popularny wśród nastolatków, przestanie to być aktualne, zanim skończycie czytać ten rozdział. Mogę natomiast zapewnić, że nastolatek prawie na pewno wybierze inny rodzaj muzyki niż ta, której słuchają jego rodzice. Skąd ta pewność? Można odpowiedzieć jednym słowem: niezależność. Wasz nastolatek chce zaznaczyć swoją odmienność.

Jednym ze sposobów, w jaki nastolatki wyrażają swoją niezależność, jest właśnie wybór muzyki. Jeśli w dzieciństwie dbaliście, aby dziecko osłuchało się z dobrą muzyką, nie macie się czego obawiać. Ta muzyka pozostanie z synem lub córką na całe życie. Muzyka potrafi dotrzeć do serca i duszy człowieka. Znaczenie dobrej muzyki bynajmniej nie maleje, ale obecnie wasze dziecko jest nastolatkiem. To czas, kiedy kształtuje swoją niezależność. Niemal na pewno wpłynie to na rodzaj muzyki, jakiej będzie słuchać.

Zanim dziecko stanie się nastolatkiem, jak też w pierwszych latach dojrzewania, rodzice powinni wyznaczyć wyraźne granice, co jest dopuszczalne i niedopuszczalne w muzyce, szczególnie jeśli chodzi o słowa piosenek. Trudno na przykład uznać, że utwory, których teksty traktują zabójstwa, agresję i perwersyjną seksualność jako normalne zachowania, są odpowiednie dla nastolatka. Młody człowiek powinien wiedzieć, że zakup płyty z taką muzyką spotka się ze stanowczą reakcją rodziców w postaci konfiskaty i zniszczenia jej bez zwrotu kosztów. Jeśli takie granice zostaną określone, rodzice mogą zostawić nastolatkowi wolny wybór, spodziewając się, że będzie eksperymentował z różnymi rodzajami muzyki. Zdarza się niekiedy, że płyty i kasety zawierają ostrzeżenia, iż ich treść może wzbudzać obiekcje (ze względu na język lub nasycenie agresją lub seksem); to dobry punkt wyjścia, aby nauczyć syna lub córkę samodzielnej oceny twórczości artystów i wyznaczania sobie granic.

Rodzice, którzy krytykują muzykę, jakiej słucha nastoletni syn czy córka, w sposób pośredni krytykują samego nastolatka. Jeśli będą wielokrotnie powtarzać kąśliwe uwagi, nastolatek poczuje się niekochany. Lecz jeśli rodzice uszanują prawo nastolatka do wyboru własnej muzyki, jego poczucie niezależności wzrośnie, a potrzeba miłości zostanie zaspokojona. Zachęcam do czytania tekstów piosenek, których słucha wasz syn lub córka. Dowiedzcie się jak najwięcej o ich ulubionych autorach i wykonawcach. Mówcie, co wam się podoba w tekstach piosenek i ich interpretacji. Kiedy nastolatek będzie chciał powiedzieć coś o swojej muzyce, wysłuchajcie go uważnie.

Jeśli podejdziecie w ten sposób do upodobań muzycznych syna lub córki, będziecie mogli od czasu do czasu powiedzieć: „Wiesz, trochę mnie niepokoi, że w tej raczej niezłej piosence są fragmenty, które nawołują do przemocy. Co o tym myślisz?". Ponieważ nastolatek wie, że nie potępiacie muzyki, której słucha, a nawet potraficie dostrzec w niej coś pozytywnego, będzie gotów wysłuchać uwag i może nawet przyznać wam rację. Jeśli będzie miał inne zdanie, to przynajmniej zasiejecie w jego umyśle jakąś wątpliwość. Jeśli któryś z jego ulubionych wykonawców zostanie aresztowany, przedawkuje narkotyki lub się rozwiedzie, nie osądzajcie go. Wyraźcie raczej troskę i współczucie dla tej osoby i smutek z powodu jego życiowej sytuacji. W ten sposób okażecie empatię nastolatkowi i jego emocjom. Pamiętajcie, że wasz syn lub córka potrafią myśleć logicznie i wyciągać wnioski. Nie musicie wygłaszać kazań. Jeśli nastolatek odczuje, że wspieracie go emocjonalnie, będzie czuł się kochany.

Odmienny język i strój

Nastolatki mówią innym językiem. Kiedy wasze dziecko stanie się nastolatkiem, nauczy się nowego języka. Radzę jednak, byście wy nie próbowali się go uczyć. Nastolatkom właśnie o to chodzi, aby porozumiewać się językiem, którego rodzice nie będą rozumieli. Dlaczego to takie ważne? To kolejny sposób zaspokajania potrzeby niezależności społecznej. Nastolatek tworzy dystans między sobą a rodzicami, a język jest jednym z narzędzi, które temu służą. Jeśli będziecie próbowali zrozumieć język nastolatków, podważycie jego sens. Mądrzy rodzice akceptują nowe słownictwo syna lub córki jako dowód, że ci stają się coraz bardziej dorośli. Rodzice mają prawo poprosić czasami o wyjaśnienie różnych sformułowań. Jednak jeśli nastolatek odmówi, nie powinni wywierać presji.

Nastolatki rozumieją swój język i dążą do tego, aby nie rozumieli go dorośli. Młodzi ludzie budują płaszczyznę porozumienia ze swoimi rówieśnikami. Rozszerzają kontakty towarzyskie poza krąg rodzinny, a tam mówi się właśnie takim językiem. Jeśli rodzice zaczną wyśmiewać nowy język syna lub córki, mówiąc na przykład: „Czy mógłbyś mi wytłumaczyć znaczenie tego słowa? Nie mogłem znaleźć go w słowniku", nastolatek nie będzie czuł się kochany, lecz odrzucony. Mądrzy rodzice akceptują tę formę wyrażania niezależności społecznej i nadal okazują miłość synowi lub córce.

Nastolatki ubierają się inaczej. Nie potrafię przewidzieć, jak będzie się ubierać wasz nastolatek, ale jestem pewny, że jego ubiór będzie różnił się od waszego. Prawdopodobnie nowej garderobie będzie towarzyszyła nowa fryzura o nowatorskich liniach i kolorach. W torebce waszej córki pojawią się kosmetyki, jakich nigdy byście nie użyli, a biżuteria będzie noszona na najbardziej zaskakujących częściach ciała. Jeśli rodzice zareagują na to oburzeniem i potępieniem, krytykując wygląd nastolatka, syn lub córka prawdopodobnie zamkną się w sobie. Jeśli będą próbowali kontrolować nastolatka i wymogą na nim, aby wyglądał „normalnie", może zastosować się do tego w obecności rodziców (ubierając się jak wówczas, gdy miał jedenaście lat), ale w głębi serca będzie żywił do nich urazę. A kiedy rodziców nie będzie w pobliżu, ubierze się ponownie jak typowy nastolatek.

Dobrze jest, gdy rodzice podchodzą do kwestii stroju w szerszym kontekście społecznym. O tym, jak się ubieramy, w dużej mierze decyduje nasze środowisko. Jeśli nie jesteście o tym przekonani, zadajcie sobie pytanie: „Dlaczego ubieram się właśnie w takim a nie innym stylu?". Prawdopodobnie dlatego, że ludzie, w których towarzystwie się obracacie, ubierają się podobnie. Przyjrzyjcie się osobom, z którymi pracujecie, wśród których mieszkacie i z którymi spotykacie się w różnych sytuacjach. Prawdopodobnie wszyscy ubierają się w podobny sposób. Nastolatki stosują tę samą zasadę. Utożsamiają się ze swoim środowiskiem.

Moda nastolatków jest bardzo zmienna, podobnie jak moda dorosłych. Różne style odchodzą, aby powrócić za pewien czas. Tydzień temu zauważyłem, że wiele nastolatek ma krótko przycięte i rozjaśnione włosy, co było popularne w latach 50. Dwa tygodnie wcześniej żona zwróciła mi uwagę, że nastolatki znowu noszą spodnie do kolan, tzw. rybaczki, ale teraz nazywają je „capri". Cokolwiek jest modne wśród nastolatków, służy temu samemu celowi w każdym pokoleniu. Młodzi ludzie próbują podkreślić własną tożsamość społeczną, niezależną od rodziców.

Niedawno byłem na ślubie, świadek pana młodego miał kolczyk w uchu. Podczas poczęstunku pewien starszy mężczyzna poprosił mnie na bok i zapytał szeptem: „Doktorze Chapman, czy potrafi mi pan wyjaśnić, czemu to ma służyć?", wskazując na młodego mężczyznę z kolczykiem. „Powiem tak – odpowiedziałem. – Niektórzy noszą kolczyki, inni farbują włosy na zielono". Aha – przytaknął mężczyzna, jakby wszystko stało się zrozumiałe. Nie jestem pewien, czy zrozumiał cokolwiek, ale dla nastolatków to i tak nie ma znaczenia. Rodzice, którzy akceptują potrzebę niezależności społecznej nastoletniego syna lub córki i patrzą na jego strój z takiego punktu widzenia, mogą mówić otwarcie o swoich gustach, a jednocześnie pozwalać nastolatkowi być nastolatkiem. Mają przy tym świadomość, że kiedy wkroczy w dorosłość, będzie się ubierał podobnie do innych dorosłych, z którymi zechce się utożsamić. Rodzice, którzy wywołują kolejną wojnę z powodu ubioru nastoletniego syna lub córki, toczą niepotrzebną walkę, która przeistacza normalny przejaw rozwoju nastolatka w przyczynę podziałów rodzinnych. Takie kłótnie nie zmienią sposobu myślenia nastolatka, więc ewentualny sukces rodziców będzie tylko pozorny.

Mądrzy rodzice dzielą się swoim zdaniem, jeśli to konieczne, lecz pozostawiają nastolatkowi swobodę w kształtowaniu osobistej niezależności społecznej. W tym czasie nadal napełniają zbiornik miłości syna lub córki, okazując uczucie w ich podstawowym języku miłości, wzbogacanym, kiedy to tylko możliwe, pozostałymi czterema.

Potrzeba niezależności intelektualnej

Wspomnieliśmy, że w okresie dojrzewania następuje gwałtowny rozwój zdolności umysłowych. Nastolatki zaczynają myśleć bardziej abstrakcyjnie, logicznie i globalnie. Poddają ocenie własne poglądy i przekonania. Analizują sprawy, w które wcześniej wierzyli bez zastrzeżeń, sprawdzając, czy są logiczne i zgodne z rzeczywistością. To niejednokrotnie oznacza, że nastolatek zaczyna kwestionować poglądy rodziców, nauczycieli i innych osób, które odgrywały dotąd ważną rolę w jego życiu. Kwestie, które poddaje krytycznemu osądowi, skupiają się najczęściej wokół jednej z trzech dziedzin: systemu wartości, zasad moralnych i wierzeń religijnych.

System wartości

Nastolatki niemal na pewno będą kwestionować wartości wyznawane przez rodziców. Co jest ważne w życiu? Nastolatek porównuje to, co rodzice mówią na dany temat, z tym, jak żyją. Często zauważa rozdźwięk pomiędzy wartościami, które oficjalnie wyznają, a tymi, według których postępują. Ojciec, który zapewnia wszystkich, że rodzina to coś najważniejszego w jego życiu, ale jest tak pochłonięty karierą zawodową, że poświęca rodzinie niewiele czasu, powinien wiedzieć, że jego nastoletni syn dostrzeże tę sprzeczność. Matka, która wychwala wierność małżeńską, a jednocześnie ma romans z kolegą z pracy, prawie na pewno zostanie uznana przez nastoletnią córkę za hipokrytkę. Nastolatki, które widzą, że postępowanie rodziców nie jest zgodne z wartościami, jakie oficjalnie wyznają, potrafią wytknąć im to otwarcie w słowach: „A sami mówiliście, że...".

Nawet jeśli rodzice są wierni swoim wartościom, nastolatek prędzej czy później zacznie je kwestionować. Młodzi ludzie muszą samodzielnie odpowiedzieć na pytanie: co jest ważne w życiu? *Rodzice mówią, że najważniejsze jest, abym skończył studia. Ale nie wiem, czy to prawda. Niektórzy z najbardziej inteligentnych ludzi, jakich znam, nie ukończyli żadnej uczelni; także niektórzy z najbogatszych ludzi na świecie nie mają wyższego wykształcenia. Skąd mam wiedzieć, że studia są dla mnie naprawdę korzystne?*

Rodzice, którzy pragną mieć wpływ na sposób myślenia swoich nastolatków, powinni zrezygnować z monologów na rzecz dialogu, z kazań na rzecz rozmowy, z dogmatyzmu na rzecz prób zrozumienia problemu, a z kontroli na rzecz oddziaływania. Nastolatki chcą znać opinię rodziców w wielu kwestiach ważnych dla ich życia, ale nie będą tego słuchać, jeśli rodzice będą traktować ich jak małe dzieci. Gdy byli młodsi, rodzice mówili im, co jest właściwe, a co nie, i oczekiwali, że dzieci im uwierzą. Kiedy dzieci stały się nastolatkami, to przestało działać. Nastolatek chce wiedzieć, dlaczego właśnie tak ma być i jakie przesłanki za tym przemawiają.

Jeśli rodzice są gotowi podjąć dialog, poddać własne wartości krytycznej ocenie, wyjaśnić powody, dla których je wyznają i wysłuchać uważanie opinii syna lub córki, będą mogli prezentować nastolatkowi swoje zdanie i mieć wpływ na kształtowanie jego systemu wartości. Jeśli jednak okopią się na pozycji „jest tak, bo ja tak mówię", utracą wszelki wpływ na to, jakimi wartościami będzie w przyszłości kierować się nastoletni syn lub córka. Rodzice, którzy chcą zachować ten wpływ, stosują inne podejście. Mówią: „Zawsze uważaliśmy, że to jest ważne, a oto powody, dla których tak sądzimy... Czy to wydaje ci się sensowne? Co o tym myślisz?". Częste rozmowy z nastolatkiem – każda rozpoczynana od tego, na czym zakończyła się poprzednia – wolne od dogmatyzmu i osądzania, pozwalają młodemu człowiekowi wzmacniać swą niezależność intelektualną, korzystając z doświadczenia życiowego rodziców.

Kiedy takim rozmowom towarzyszy okazywanie miłości w sposób akceptowany przez nastolatka, rodzice przyczyniają się do rozwoju jego niezależności intelektualnej i jednocześnie zaspokajają potrzebę miłości. Rodzice, którzy mówią: „Szanujemy twoje prawo do wyboru własnych wartości. Możesz obserwować nasze życie. Znasz nasze mocne i słabe strony. Wierzymy, że jesteś inteligentnym człowiekiem, i ufamy, że podejmiesz mądre decyzje", przemawiają do nastolatka w języku miłości, jakim są afirmujące słowa, i zachęcają go do rozwijania niezależności intelektualnej.

Zasady moralne

System wartości komunikuje, co jest ważne w życiu, natomiast zasady moralne odpowiadają na pytanie: Co jest słuszne i właściwe? Człowiek jest istotą moralną. Wszystkie kultury posiadają określone zasady, definiujące co jest dobre, a co złe. Uważam, że jest tak, ponieważ człowiek został stworzony na podobieństwo osobowego, moralnego Boga, które to cechy znajdują odzwierciedlenie w każdym z nas. Bez względu na to, co sądzimy o źródłach moralności, musimy uznać fakt, że we wszystkich kulturach ludzie wyznają pewne zasady moralne. Wasz nastoletni syn lub córka będą badać słuszność nie tylko waszego systemu wartości, ale również waszych zasad moralnych, zwracając uwagę nie tylko na to, co mówicie, ale przede wszystkim na to, jak postępujecie.

Jeśli twierdzicie, że należy przestrzegać przepisów prawa, nastolatek będzie chciał się od was dowiedzieć, dlaczego przekraczacie dozwoloną prędkość na drodze. Jeśli mówicie, że trzeba zawsze mówić prawdę, nastolatek zapyta: „Więc dlaczego skłamałaś, że taty nie ma w domu, gdy zadzwonili do niego z pracy?". Jeśli mówicie, że należy być uprzejmym dla innych, nastolatek będzie dociekał, z jakiego powodu obcesowo potraktowaliście sprzedawcę w sklepie. Jeśli twierdzicie, że rasizm jest zły, nastolatek będzie chciał wiedzieć, dlaczego mijając osobę o innym kolorze skóry, odwracacie głowę w przeciwną stronę.

Wszystko to może być niezmiernie frustrujące dla rodziców, którzy przywykli przechodzić do porządku nad takimi sprzecznościami w swoim postępowaniu, ponieważ nastolatki z reguły są bardzo wytrwałe w wytykaniu wszystkich przypadków, gdy sprzeniewierzamy się głoszonym zasadom moralnym.

Nastolatki będą kwestionować zarówno zasady moralne rodziców, jak i ich postępowanie. Będą zadawać trudne pytania: Skoro morderstwo jest złe, to czy aborcja nie jest również morderstwem? Jeśli przemoc, która kładzie kres ludzkiemu życiu, jest zła, to dlaczego tak chętnie oglądamy przemoc w filmach? Jeśli ideałem jest monogamia, to dlaczego tysiące dorosłych utrzymuje kontakty seksualne z kilkoma osobami? Czy o tym, co dobre i złe, decyduje większość społeczeństwa? Czy istnieje naturalne prawo moralne, niezależne od opinii społecznej? Nastolatki zmagają się z wieloma trudnymi i poważnymi problemami, z którymi niegdyś starali się uporać również ich rodzice.

Wielu rodziców odczuwa niepokój, gdy ich nastoletni syn lub córka przypomina im o kwestiach moralnych, z którymi osobiście nie poradzili sobie w przeszłości. Jednak jeśli rodzice nie będą rozmawiać z nastolatkiem o ich dylematach moralnych, zmuszą ich do szukania odpowiedzi u rówieśników i u dorosłych, którzy są gotowi rozmawiać o tych sprawach. Jeśli nie będziemy gotowi przyznać się do niespójności między naszymi wierzeniami i postępowaniem, nastoletni syn lub córka przestaną respektować to, co mówimy.

Nie musimy być nieskazitelni, ale jeśli chcemy mieć wpływ na nastoletnie dzieci, musimy być autentyczni w kwestii zasad moralnych: „Wiem, że nie zawsze żyłem zgodnie ze swoimi zasadami, ale nadal uważam, że są one właściwe, a to, co zrobiłem, jest złe". Kiedy rodzice szczerze wypowiadają takie słowa, odzyskują szacunek w oczach nastolatka. Rodzice, którzy gwałtownie się bronią, kiedy syn lub córka zadają pytania o ich zasady moralne, sprawią jedynie, że nastolatek zacznie poszukiwać odpowiedzi na swe wątpliwości moralne u innych osób. Natomiast rodzice, którzy akceptują pytania zadawane przez nastolatków, otwarcie mówią o własnych zasadach i postępowaniu, są gotowi wysłuchać odmiennych opinii i uzasadnić własne przekonania, zapewne utrzymają kontakt z synem lub córką i dzięki temu będą pozytywnie wpływać na podejmowane przez nastolatka wybory moralne.

Dopilnujcie, żeby po każdej dyskusji o wartościach moralnych zapewnić nastolatka o swojej miłości. Dzięki temu jego zbiornik miłości będzie pełny i stworzycie atmosferę, w której syn lub córka nie będą się obawiali zwrócić do was z kolejnymi pytaniami.

Przekonania religijne

System wartości mówi o tym, co jest ważne w życiu, zasady moralne o tym, co jest właściwe czy słuszne, natomiast przekonania religijne odpowiadają na pytanie: co jest prawdą? Wszelkie systemy religijne są wyrazem ludzkiego pragnienia odkrycia prawdy o świecie materialnym i duchowym. Jak można wytłumaczyć istnienie świata i człowieka? Czy oprócz świata materialnego istnieje rzeczywistość duchowa? Dlaczego wiara w istoty duchowe jest tak powszechna, dlaczego ludzie we wszystkich kulturach i epokach wierzyli w świat duchowy? Czy są dowody na istnienie tego świata? Jeśli tak, jaka jest jego natura? Czy Bóg istnieje? Czy to On jest stwórcą świata? Jeśli tak, czy można Go poznać?

To są pytania, jakie zadają wszyscy młodzi ludzie i które niegdyś z pewnością pojawiły się także w sercach i umysłach ich rodziców. Wielu dorosłych zepchnęło je gdzieś głęboko, nigdy nie uzyskawszy zadowalającej odpowiedzi, a teraz wątpliwości ich nastoletniego syna lub córki ponownie je przywołują.

Bez względu na to, jakie są wasze przekonania religijne, pewnego dnia wasz nastoletni syn lub córka będą musieli się z nimi zmierzyć osobiście. Ludzie zawsze zadawali sobie te pytania i nastolatki nie różnią się pod tym względem od swoich poprzedników z minionych pokoleń. Blaise Pascal powiedział kiedyś: „W sercu każdego człowiek jest pustka na kształt Boga"[2]. Święty Augustyn napisał: „Uczyniłeś nas dla siebie i serce człowieka nie zazna spokoju, dopóki nie spocznie w Tobie"[3].

Wasz nastolatek odczuwa niepokój duszy. Będzie zadawał pytania dotyczące waszych wierzeń religijnych. Będzie obserwował, w jaki sposób praktykujecie je w codziennym życiu. Jeśli odkryje jakieś rozbieżności, być może powie o tym otwarcie. Jeżeli zaczniecie się bronić i nie podejmiecie rozmowy na temat tego, w co wierzycie, nastolatek zwróci się do rówieśników i innych dorosłych. Nie przestanie jednak zadawać pytań dotyczących kwestii religijnych.

Wasz syn lub córka może także zacząć się interesować innymi religiami, a nawet odrzucić pewne aspekty religii, którą dotychczas wyznawał. Większość rodziców uznaje to za bardzo trudne i frustrujące doświadczenie. W rzeczywistości jednak jest to jeden z kroków, jakie nastolatek musi zrobić, aby ukształtować własne przekonania religijne. Tak naprawdę, rodzice bardziej powinni się martwić, gdy syn lub córka przyjmuje to, w co wierzą, nie zastanawiając się nad tym głębiej. Można by z tego wnioskować, że dla nastolatka, a być może także dla jego rodziców, religia jest tylko dopełnianiem roli społecznej i kulturowej, ale nie wnosi niczego znaczącego do poszukiwań sensu życia.

Kiedy nastolatek ogłasza, że nie zamierza dłużej chodzić na nabożeństwa ani lekcje religii, zaznacza w ten sposób swoją niezależność od rodziców. Daje także wyraz potrzebie niezależności intelektualnej. Na pocieszenie mogę dodać, że badania pokazują, iż „chociaż odrzucenie religii przez nastolatków może mieć dramatyczną postać, rzadko jest trwałe"[4].

Poszukiwanie własnych odpowiedzi

Wielu rodzicom trudno zachować spokój, gdy nastoletni syn lub córka oznajmiają, że odrzucają ich wierzenia, jednak zbyt gwałtowna reakcja może uniemożliwić przyszły dialog z nastolatkiem. Młody człowiek ustanawia swą niezależność nie tylko w tych dziedzinach, o których wspomnieliśmy na początku rozdziału, ale także w sferze intelektualnej, obejmującej system wartości, zasady moralne i wierzenia religijne. Wszystko to jest

204

częścią procesu zadawania pytań i poszukiwania własnych odpowiedzi. Jeśli rodzice będą o tym pamiętać, łatwiej im będzie powstrzymać się od osądu aktualnych poglądów nastolatka na kwestie religijne.

Znacznie lepszym rozwiązaniem jest wysłuchanie, co nastolatek ma do powiedzenia. Pozwólcie mu wyjaśnić, dlaczego uważa daną religię za interesującą lub dającą spełnienie. Podzielcie się własnym zdaniem na ten temat, ale unikajcie osądzania. Powiedzcie synowi lub córce, że cieszycie się, iż zajmuje się takimi kwestiami. Jeśli starczy wam odwagi, zapytajcie, czy uważa, że żyjecie zgodnie z zasadami wiary, które wyznajecie. Może dzięki temu odkryjecie przyczynę, dla której wasz nastolatek poszukuje odmiennej drogi.

Nie jest to również czas na dogmatyczne prezentacje, nawet przy głębokim przekonaniu o słuszności swoich wierzeń. Należy raczej zachęcać nastolatka do kontynuowania poszukiwań. Jeśli jesteście pewni prawdziwości swojej wiary, i to, w co wierzycie, nie jest sprzeczne z rzeczywistością, która was otacza, macie prawo założyć, że poszukiwania, jakie prowadzi syn lub córka, ostatecznie doprowadzą go do podobnych wniosków. Jednak jeżeli nie przywiązujecie większej wagi do wyznawanej osobiście religii lub nie jesteście pewni, czy jest ona zgodna z rzeczywistością, poszukiwania, jakie prowadzi wasz nastolatek, powinny być dla was impulsem do przemyśleń. Możliwe, iż odkryje coś, czego sami dotąd nie zdołaliście poznać.

Faktem jest, że wasz syn lub córka będzie prawdopodobnie badać różne tradycje religijne. Pytanie brzmi: Czy chcecie być zaangażowani w te poszukiwania i czy jesteście gotowi okazywać waszemu dziecko miłość w tym czasie? Jeśli odpowiecie twierdząco, musicie zrezygnować z monologu i podjąć dialog, tworząc atmosferę sprzyjającą otwartej, szczerej dyskusji o kwestiach religijnych. Powinniście dać nastolatkowi prawo do samodzielnego myślenia, nawet jeśli dochodzi do odmiennych niż wy wniosków. Powinniście być gotowi dowodzić zasadności własnych przekonań i zapoznać się z kontrargumentami. Należy pamiętać, że syn lub córka budują własną niezależność i należy dać im czas, na „przepracowanie" i ukształtowanie własnych przekonań religijnych.

Jeśli to zrobicie, napełniając jednocześnie zbiornik miłości, będą czuć się kochani i rozwiną niezależność intelektualną. A wy będziecie mieli okazję wywierać pozytywny wpływ na poszukiwania wiary, zgodnie z którą będą dokonywać życiowych wyborów.

Potrzeba samodzielnego decydowania

W każdej z trzech dziedzin – system wartości, zasady moralne i przekonania religijne – nastolatki będą podejmować różne decyzje. Za wieloma konfliktami między rodzicami i ich nastoletnimi dziećmi kryje się podstawowa kwestia: czy nastolatek *ma prawo* do podejmowania niezależnych decyzji? Jeśli rodzice uznają jego prawo do samodzielnego myślenia, świadomi, że nastolatek podejmuje decyzje, które zaważą na jego życiu, dołożą starań, aby stworzyć atmosferę sprzyjającą dialogowi i okazywaniu miłości, zachowując jednocześnie wpływ na rozwój i usamodzielnianie się syna lub córki.

Jeśli jednak będą wytyczać sztywne granice i określać dogmatycznie, w co nastolatek może lub nie może wierzyć, jedynie pogorszą relacje z synem lub córką. Tysiące rodziców podążyło tą drogą i obserwowało, jak między nimi a ich nastolatkiem powstaje coraz większy dystans. Ich dziecko zwróciło się do grup rówieśniczych – czasami bardzo destruktywnych – i innych dorosłych, niejednokrotnie okazujących nastolatkowi akceptację i pozorną życzliwość w zamian za różnego rodzaju korzyści.

Pamiętajmy o tym, że nastolatki bardzo cenią podkreślanie swojej niezależności. To część procesu dojrzewania. Mądrzy rodzice wiedzą, że jest to etap, przez który musi przejść każdy nastolatek, więc starają się z nim współpracować, zamiast hamować rozwój. Najważniejsze, aby w całym tym burzliwym procesie okazywać miłość. Jeśli będziecie wspierać syna lub córkę w budowaniu własnej niezależności, wykorzystując choćby sugestie zawarte w tym rozdziale, a jednocześnie dbając o to, aby jego zbiornik miłości był pełny, wasze dziecko wyrośnie na odpowiedzialną osobę, znającą swoje miejsce w społeczeństwie i mającą wiele do zaoferowania światu.

Rodzice, którzy zawiodą w tym ważnym okresie, mogą na wiele lat utracić kontakt z synem lub córką, a wówczas pozostanie im jedynie obserwować, jak ich nastolatek z trudem próbuje odnaleźć swoje miejsce w świecie. Stworzenie w domu atmosfery, w której nastolatek może rozwijać swą niezależność społeczną, intelektualną i emocjonalną, jest jednym z najwspanialszych darów, jakie rodzice mogą ofiarować młodemu człowiekowi.

Niektórzy rodzice mogą zapytać: A co z granicami? A co z odpowiedzialnością? To ważne pytania. Świadczą o tym, że rozumiecie skutki tego, o czym pisałem w tym rozdziale. W ten sposób dochodzimy do rozdziału dwunastego, w którym chciałbym poruszyć te kwestie. Sugerowałbym wręcz, aby rozdziały jedenasty i dwunasty czytać i studiować jednocześnie. To dwie strony tego samego medalu: niezależność i odpowiedzialność.

Przypisy

1. Lawrence Steinberg i Ann Levine, *You and Your Adolescent*, Harper & Row, New York 1990, s. 150.
2. George Sweeting, *Who Said That?*, Moody, Chicago 1995, s. 302.
3. Tamże, s. 307.
4. Lawrence Kutner, *Making Sense of Your Teenager*, William Morrow, New York 1997, s. 44.

Rozdział dwunasty

Miłość i odpowiedzialność

Ojciec Michaela kupił mu stary samochód, przy którym pracowali wspólnie przez kilka weekendów. Kiedy Michael rozpoczął kurs prawa jazdy, tata odkrywał przed nim tajniki prowadzenia samochodu. Najpierw uczył go jeździć popołudniami, potem także wieczorem. W któryś weekend pojechali z ojcem na biwak i Michael prowadził całą drogę. Wszystko było w porządku, aż w końcu Michael otrzymał prawo jazdy.*

– Jestem wolny – powiedział sobie. – Nie muszę już jeździć z tatą. Zaczął marzyć, że będzie jeździł, gdzie tylko zechce i kiedy zechce. Nie potrafił zrozumieć, dlaczego ojciec upiera się, aby ustalić zasady dotyczące tego, gdzie i kiedy będzie jeździł.

---

* W Stanach Zjednoczonych młodzież powyżej 15 roku życia może prowadzić samochód bez prawa jazdy pod okiem opiekuna posiadającego prawo jazdy.

Michael musiał się nauczyć, że wolność i odpowiedzialność to dwie strony tego samego medalu – jedna nie jest możliwa bez drugiej. Takie zasady panują w świecie dorosłych i również nastolatek musi się do nich stosować. Dorośli cieszą się prawem mieszkania we własnym domu, jak długo wywiązują się z obowiązku płacenia czynszu. Zakład energetyczny udostępnia im energię, dopóki opłacają rachunki za prąd. Zasady wolności i odpowiedzialności regulują niemal wszystkie dziedziny życia. Te dwie sprawy są ze sobą nierozłączne. Oczywiście, nastolatek nie zawsze zdaje sobie z tego sprawę. Zadaniem rodziców jest pomóc mu odkryć te powiązania.

Kochający rodzice zachęcają nastoletniego syna lub córkę do budowania własnej niezależności, lecz miłość podpowiada im również, że powinni go nauczyć ponosić odpowiedzialność za swoje zachowanie. Niezależność bez odpowiedzialności prowadzi do niskiej samooceny, szkodliwych działań, a w końcu totalnej nudy i depresji. Wartość człowieka nie wypływa z jego niezależności, lecz z odpowiedzialności. Niezależność i odpowiedzialność wspólnie wytyczają drogę ku dorosłości. Nastolatek, który się nauczy być odpowiedzialnym za własne zachowanie, a jednocześnie wykształci niezależność i tożsamość, będzie miał wysoką samoocenę, dokona znaczących rzeczy i zostawi po sobie ślad w otaczającym świecie. Nastolatki, które nie pojmą znaczenia odpowiedzialności, będą miały problemy zarówno w młodości, jak i w dorosłym życiu.

Rola zasad (granic)

Odpowiedzialność wymaga granic. We wszystkich kulturach obowiązują pewne granice, zwane zazwyczaj prawem. Społeczeństwo pozbawione takich granic unicestwiłoby samo siebie. Gdyby każdy robił to, co mu się podoba, zapanowałby powszechny chaos. Kiedy większość ludzi przestrzega prawa, czyli są odpowiedzialnymi obywatelami – społeczeństwo rozwija się harmonijnie. Gdy wielu ludzi decyduje się kroczyć własną drogą i żyć nieodpowiedzialnie, odbija się to negatywnie na całym środowisku. Współczesne społeczeństwa zachodnie ponoszą negatywne konsekwencje nieodpowiedzialnego postępowania wielu nastolatków i dorosłych. Świadczy o tym liczba morderstw, gwałtów, kradzieży i innych przestępstw popełnianych każdego dnia. Gdy ktoś zachowuje się nieodpowiedzialnie, negatywne konsekwencje jego postępowania dotykają zarówno jego samego, jak i całego społeczeństwa.

Rodzice są odpowiedzialni za wyznaczenie zasad, czyli granic, w rodzinie i dopilnowanie, aby nastolatek ich przestrzegał i zachowywał się odpowiedzialnie. To nieprawda, że nastolatki buntują się wobec wszelkich zasad wyznaczanych przez rodziców. Badania pokazują, iż w rzeczywistości „większość młodych ludzi uważa, że ich rodzice okazują wiele cierpliwości i wyznaczają rozsądne granice. Ponad połowa przyznaje, że gdy rodzice traktują ich surowo, wiedzą, iż postępują słusznie, pomimo iż może to wzbudzać w nich gniew"[1]. Lawrence Steinberg, profesor psychologii z Temple University, twierdzi: „Bunt nastolatków nie jest reakcją na zasady wyznaczane przez rodziców, lecz sprzeciwem wobec arbitralnego sprawowania władzy, niejasnych reguł i odmawiania udziału w podejmowaniu decyzji"[2]. Problem pojawia się nie wtedy, gdy rodzice stawiają nastolatkowi określone wymagania, lecz gdy robią to bez miłości, w sposób typowy dla dyktatorów. Kiedy wasz syn lub córka byli dziećmi, mogliście arbitralnie wyznaczać różne zasady, a dziecko rzadko je kwestionowało, mimo iż bywało im nieposłuszne. Jednak nastolatek będzie kwestionował reguły, które ustalacie. Będzie wątpił, czy rzeczywiście służą one jego dobru, czy są wyrazem waszych zachcianek. Podejście: „Zrobisz to, bo ja tak mówię" po prostu nie sprawdza się w przypadku nastolatków. Jeśli będziecie nadal dyktatorami, możecie być pewni, że nastoletni syn lub córka zbuntuje się przeciw temu.

Ustalanie zasad wspólnie z nastolatkiem

Ponieważ nastolatki budują swą niezależność, powinni uczestniczyć w ustalaniu zasad i określaniu konsekwencji ich łamania. Mądrzy rodzice włączają nastolatków w proces podejmowania decyzji, pozwalając im wyrazić opinię, które zasady są według nich sprawiedliwe i słuszne. Rodzice powinni również uzasadnić, dlaczego wprowadzają określone zasady, i pokazać, w jaki sposób przyczyniają się one do rozwoju nastolatka. Postępując w ten sposób, tworzą atmosferę sprzyjającą budowaniu niezależności, jednocześnie ucząc nastoletniego syna lub córkę, że nie ma wolności bez odpowiedzialności.

Wspólne obrady dają rodzicom i nastolatkom okazję do dialogu, lecz ostatnie słowo nadal należy do rodziców. Mimo to dobrze jest, jeśli rodzice najpierw poznają, co syn lub córka myśli o danej sprawie i jakie to wywołuje w nich emocje. Jeśli nastolatek miał swój udział w ustalaniu zasad, będzie bardziej skłonny dostrzegać w nich sens i ich przestrzegać. Badania pokazują, iż „młodzi ludzie, których rodzice są gotowi podjąć z nimi dyskusję, okazują innym więcej serdeczności i szacunku oraz częściej stwierdzają, że w przyszłości chcieliby być podobni do rodziców. Inaczej jest w przypadku nastolatków, których rodzice twierdzą, że zawsze mają rację"[3].

Rodzice są odpowiedzialni nie tylko za wyznaczenie zasad i granic, ale także dopilnowanie, aby osoba, która je łamie, poniosła odpowiednie konsekwencje. Jeśli nastolatek brał udział w ustalaniu, jakie to będą konsekwencje, szybciej uzna je za sprawiedliwe i nie zbuntuje się, kiedy rodzice będą je egzekwować. Należy pamiętać, że w wychowaniu nastolatka nie jest ważne, czy zmusimy go do uległości, lecz czy nauczymy odpowiedzialnego korzystania z niezależności. Zasada brzmi: „Możesz cieszyć się wolnością w danej dziedzinie, jeśli potrafisz wziąć na siebie odpowiedzialność, jaka się z tym wiąże. Jeśli nie potrafisz przyjąć odpowiedzialności, nie jesteś jeszcze gotowy do wolności". Kiedy syn lub córka zrozumieją, że te dwie rzeczy są ze sobą nierozłączne, przyswoją sobie ważną prawdę, która pomoże im także w dorosłym życiu.

Znaczenie miłości

Jeśli proces kształtowania się niezależności i odpowiedzialności nastolatka przebiegał bez tarć, rodzice powinni wzmacniać go poprzez okazywanie miłości. Kiedy nastolatek czuje się kochany przez rodziców – naprawdę odczuwa, że rodzice mają na względzie jego dobro i że reguły zostały wyznaczone i są egzekwowane z pozytywnych motywów – łatwiej mu będzie rozwijać własną niezależność i odpowiedzialność. Zadbajcie o to, aby zbiornik miłości waszego nastolatka był zawsze pełny, a przejawy buntu będą rzadkie i krótkotrwałe. Z drugiej strony, jeśli nastolatek nie czuje się kochany – jeśli uznaje zasady rodziców za arbitralne i służące tylko ich dobru, gdy odczuwa, że zależy im bardziej na własnej reputacji i sukcesie niż na nim – niemal na pewno zbuntuje się przeciw zasadom, które starają się egzekwować.

Pamiętajcie, że wszelkie próby kontrolowania nastolatków niemal na pewno zakończą się porażką. Przymusem nie można osiągnąć tego, co tylko miłość może spowodować, mianowicie pozytywnego nastawienia do rodziców. Miłość jest najpotężniejszą na świecie bronią w walce o dobro. Rodzice, którzy o tym pamiętają i podejmują świadome wysiłki, aby okazywać ją nastolatkowi, dokonują pierwszego i najważniejszego kroku we wpajaniu mu odpowiedzialności, pozwalając jednocześnie kształtować niezależność.

Lawrence Steinberg, ekspert w dziedzinie wychowywania nastolatków, stwierdził: „Kiedy rodzice wycofują się, ponieważ uważają, że nastoletni syn lub córka nie chce lub nie potrzebuje już ich uczucia, nastolatek czuje się porzucony. Choć to może brzmi jak slogan, miłość jest najważniejszym darem, jaki możecie dać swemu nastolatkowi"[4]. Okazywanie miłości nastolatkowi tworzy klimat, w którym obie strony mogą współpracować na rzecz niezależności syna lub córkę, jednocześnie nakłaniając do odpowiedzialnego zachowania.

Po tym krótkim wstępie możemy omówić proces ustalania zasad i egzekwowania ich.

Obrady w gronie rodzinnym

Myślę, że dla wszystkich jest już oczywiste, iż zasady, które wyznaczyliśmy dziecku, gdy miało kilka lat, nie mogą być arbitralnie podtrzymywane, gdy osiągnęło lat kilkanaście. Nastolatek znajduje się na innym etapie życia, a to wymaga przemyślenia dotychczasowych reguł i zmiany wielu z nich. Rodzice, którzy próbują wychowywać syna lub córkę, nie podejmując dialogu i bez weryfikacji zasad panujących w domu, wkrótce dostrzegą u nastolatka pierwsze objawy buntu. Mądrzy rodzice podejmują inicjatywę, zbierając rodzinę na wspólną rozmowę i oznajmiając kilkunastoletniemu synowi lub córce, iż są świadomi, że jest już nastolatkiem, co wymaga ponownego przemyślenia zasad, aby pomogły mu one kształtować własną niezależność i odpowiedzialność.

Rodzice, którzy odpowiednio wcześnie poczynią przygotowania do takich obrad, zyskają szacunek i uwagę nastoletniego syna lub córki. Nastolatki są zainteresowane coraz większą wolnością i odpowiedzialnością. To jest ten rodzaj spotkań rodzinnych, w których chętnie wezmą udział.

W *Dodatku drugim* zamieściłem kilka wskazówek, dotyczących przebiegu takiego spotkania, i propozycję wyjaśnienia nastolatkowi jego celu. Zorganizowanie takiego spotkania, zanim nastolatek zacznie uskarżać się na zasady ze swojego dzieciństwa, których nadal musi przestrzegać, świadczy o mądrości rodziców. Młody człowiek na sugestie rodziców, że powinien zacząć pracować nad swą niezależnością i tożsamością, chętniej weźmie żywy udział w takim spotkaniu niż nastolatek, który od miesięcy nalegał, aby rodzice porozmawiali z nim na ten temat.

Reguły dotyczące ustalania zasad

Nawet jeśli syn lub córka mają już ponad piętnaście lat, a nigdy nie odbyliście z nimi takiego spotkania, nie jest za późno, aby zaskoczyć ich, podejmując teraz inicjatywę i zwołując spotkanie poświęcone ocenie i zmianie zasad panujących w domu. Poniżej podam kilka wskazówek dotyczących ustalania zasad i określania konsekwencji ich złamania.

1. Możliwie mało zasad

Jeśli zdecydujecie się wyznaczyć kilkadziesiąt zasad, po pierwsze – zajmie to wam bardzo dużo czasu, i po drugie – niemal na pewno nie będą one przestrzegane. To jedna z tych dziedzin życia, gdzie im mniej, tym lepiej. Wielość zasad jest przytłaczająca dla nastolatka, który nie będzie nawet potrafił ich wszystkich zapamiętać, natomiast rodzice będą przeżywali koszmar, próbując je egzekwować. Zbyt wiele zasad sprawia, że życie traci blask. Nastolatek potrzebuje spontaniczności i swobody. Liczne zasady sprawią, że twój syn lub córka będą się bać niemal wszystkiego.

Jakie kwestie są naprawdę ważne? Zazwyczaj odpowiedzi na to pytanie będą dotyczyły unikania wszystkiego, co może być szkodliwe dla fizycznego, emocjonalnego i społecznego rozwoju nastolatka, a jednocześnie zachęcania ich do rzeczy, które pomogą im osiągnąć w życiu coś wartościowego. Odpowiedzialne życie polega na odrzucaniu tego, co może zniszczyć, i zabieganiu o to, co będzie rozwijać.

Wyznaczone zasady powinny wspierać realizację tego celu. W dalszej części rozdziału omówimy kilka konkretnych dziedzin, w których wymagane jest odpowiedzialne zachowanie nastolatka, a zarazem spróbujemy zastosować ostatnią regułę do każdej z nich. Celem zasad nie jest regulowanie każdego aspektu życia nastolatka, tylko wyznaczenie takich granic, w obrębie których młody człowiek będzie mógł podejmować własne decyzje. Pamiętajmy, że Bóg wyznaczył ludziom tylko dziesięć zasad, które nazwano Dziesięciorgiem Przykazań[5]. Z kolei Jezus podsumował je w dwóch tylko przykazaniach[6]. Ponieważ daleko nam, rodzicom, do Bożej mądrości, prawdopodobnie będziemy zmuszeni wyznaczyć swemu nastolatkowi zasad nieco więcej. Mogę was jednak zapewnić, że w tej kwestii wasz syn lub córka będą raczej starali się pójść za przykładem Jezusa.

2. Maksymalna jasność zasad

Niejasne zasady wprowadzają zamęt zarówno w życiu nastolatka, jak i jego rodziców. Na przykład z pewnością każda ze stron zupełnie inaczej zinterpretuje następujące słowa: „Tylko wróć do domu o przyzwoitej godzinie". Natomiast gdy powiemy: „Bądź w domu przed 22.30", wszystko jest jasne. Nastolatek może złamać tę zasadę, ale pora powrotu do domu nie może wzbudzać wątpliwości. Podobnie każdy młody człowiek, wystarczająco inteligentny, aby otrzymać prawo jazdy, zrozumie zasadę: „Nigdy nie przekraczaj dozwolonej prędkości o więcej niż 5 km".

Kiedy wyznaczamy jasne zasady, nastolatek wie, kiedy je łamie. Może próbować ukryć to przed nami, twierdzić, że nie stało się nic złego, a nawet kłamać, że niczego takiego nie zrobił. Jednak w głębi serca wie, że złamał ustaloną zasadę. Lecz gdy zasady są niejasne, nastolatek z pewnością będzie kwestionował słowa rodziców, iż złamał którąś z nich. Niejasne zasady sprzyjają dowolnej ich interpretacji. Nastolatki z pewnością to wykorzystają i włożą wiele wysiłku w dowiedzenie swoich racji. Jasne zasady pozwalają uniknąć niepotrzebnych konfliktów.

3. Wybór jak najbardziej sprawiedliwych zasad

Napisałem „jak najbardziej", ponieważ nikt z nas nie potrafi jednoznacznie rozstrzygnąć, co jest sprawiedliwe, a co nie. Rodzice i nastolatek mogą mieć odmienne zadanie na temat tego, czy dana zasada jest sprawiedliwa, lecz jeśli będą gotowi podjąć konstruktywny dialog i wysłuchać zapatrywań drugiej strony, mogą osiągnąć konsensus w tej kwestii. Nie ustępujcie, jeśli jesteście przekonani, iż dana zasada jest dobra dla waszego nastoletniego syna lub córki, ale bądźcie gotowi pójść na kompromis, gdy uznacie, iż nie wiąże się to z żadnym niebezpieczeństwem dla ich życia i rozwoju.

Dla nastolatka sprawiedliwość jest bardzo ważną kwestią. Jak wspomnieliśmy wcześniej, nastolatki dokonują wyboru wartości i zasad moralnych, kierując się rozsądkiem i logiką. Jeśli odczują, że coś jest niesprawiedliwe, wówczas wzbudzi to w nich gniew. Gdy rodzice przerywają dyskusję i arbitralnie narzucają jakąś zasadę, lekceważąc gniew nastolatka, z pewnością sprawią, że syn lub córka poczują się skrzywdzeni i odrzuceni.

Zawsze należy wysłuchać opinii nastolatka na temat tego, czy proponowana zasada jest sprawiedliwa. Jeśli młody człowiek uzna, iż tak jest, będzie mniej skłonny do buntu, kiedy rodzice będą ją egzekwować. W ten sposób dochodzimy do problemu konsekwencji.

Reguły dotyczące konsekwencji

Zasady pozbawione konsekwencji ich łamania są nie tylko bezwartościowe, ale wręcz szkodliwe. Nastolatki nie będą szanować rodziców, którzy nie egzekwują – z miłością, ale też stanowczo – przestrzegania zasad, pilnie zwracając uwagę, aby młody człowiek poniósł konsekwencje ich złamania. Ponoszenie konsekwencji swoich działań jest ważną zasadą w dorosłym życiu. Jeśli nie wpłacę na czas raty kredytu, będę musiał zapłacić karne odsetki. Jeśli w ogóle przestanę spłacać kredyt, grozi mi wizyta komornika. Gdy przekroczę dozwoloną prędkość i dostanę mandat, będę musiał go zapłacić, a oprócz tego otrzymam punkty karne. Konsekwencje mogą być bolesne, ale uczą odpowiedzialności. Błysk świateł radiowozu w oddali sprawia, że każdy kierowca zdejmuje nogę z pedału gazu. Strach przed konsekwencjami motywuje do przestrzegania zasad.

Oto reguły dotyczące formułowana zasad i egzekwowania konsekwencji ich łamania.

1. Konsekwencje należy określić, zanim dojdzie do złamania zasad

Większość ustaleń opiera się na tej regule. Karę, jaką zapłacę za opóźnienie w spłacie kredytu, określono dużo wcześniej. Bank nie wyznacza jej arbitralnie po tym, jak złamałem warunki kredytowania. W większości krajów wysokość mandatu za różne przewinienia drogowe również jest znana, zanim dojdzie do przekroczenia przepisów. Jeśli chcemy przygotować nastolatka do życia w świecie dorosłych, powinniśmy stosować te reguły, kiedy jeszcze jest nastolatkiem.

Choć wydaje się to dziwne, spotykam wielu rodziców, którzy nigdy o tym nie pomyśleli. Czekają, aż nastolatek złamie jakąś zasadę, a dopiero potem, często mocno rozgniewani, ustalają konsekwencje takiego zachowania. O ich surowości decyduje nastrój, w jakim akurat są. W takim wypadku szansa, iż nastolatek uzna je za sprawiedliwe, jest bliska zeru. Natomiast jeśli rodzice są w dobrym nastroju, nastolatek może nie ponieść żadnych konsekwencji za niewłaściwe postępowanie.

Uważam, że konsekwencje złamania każdej z zasad powinny zostać ustalone w czasie, kiedy są one formułowane – i nastolatek powinien brać w tym udział. Jeśli ma być zaangażowany w formułowanie zasad, dlaczego nie miałby wyrazić swego zdania na temat następstw ich złamania? Wspomnieliśmy, iż nastolatki przywiązują dużą wagę do sprawiedliwości. Włączenie syna lub córki w proces ustalania konsekwencji pomoże im w kształtowaniu własnych osądów moralnych. Niejednokrotnie młodzi ludzie są wobec siebie bardziej surowi niż ich rodzice. Możecie uznać, że zakaz oglądania telewizji przez tydzień będzie sprawiedliwą karą za złamanie którejś z zasad, a syn lub córka może zasugerować, żeby to były dwa tygodnie. Ważne jest, aby ustalić takie konsekwencje, które nastolatek uzna za sprawiedliwe.

Wcześniejsze ustalenie konsekwencji złamania jakiejś zasady sprawia, że rodzice i nastolatek wiedzą o nich z wyprzedzeniem. Jest też mniej prawdopodobne, że rodzice w gniewie zareagują za gwałtownie, natomiast nastolatek będzie bardziej skłonny uznać konsekwencje za sprawiedliwe, ponieważ brał udział w ich ustalaniu. Jeśli członkowie rodziny ustalili wspólnie, że w domu nie można grać w piłkę, i konsekwencją złamania po raz pierwszy tej zasady będzie odebranie piłki na dwa dni, a jeśli w ciągu miesiąca dojdzie do kolejnego wykroczenia, to na cały tydzień – wtedy jest mniej prawdopodobne, że rodzice będą robili nastolatkowi awanturę z tego powodu. Po prostu zabiorą piłkę i schowają ją. Nastolatek może być niezadowolony, ale po niedługim czasie najprawdopodobniej uzna, że postąpili właściwie.

Rodzice, którzy wcześniej wyznaczają konsekwencje łamania zasad, oszczędzają sobie wielu frustracji. Takie rozwiązanie jest korzystne dla obu stron. Rodzice mniej się denerwują, zaś nastolatek wie, że został potraktowany sprawiedliwie. W ten sposób może uczynić kolejny krok na drodze do odpowiedzialności.

2. Konsekwencje należy egzekwować z miłością

Rodzice nie powinni wyrażać satysfakcji, kiedy egzekwują konsekwencje złamania przez nastolatka jakiejś zasady. Ponoszenie skutków niewłaściwego zachowania jest równie bolesne dla dorosłych, jak i nastolatków. Któż nie poczułby się urażony, gdyby policjant, wypisując mandat za przekroczenie prędkości, głośno wyrażał zadowolenie z tego powodu? Młodzi ludzie również czują się urażeni ironią rodziców, ich szorstkim tonem, sarkastycznymi komentarzami. Mówiąc: „Wiedziałem, że tak się to skończy. Gdybyś mnie posłuchał, nie wpakowałbyś się w takie tarapaty", dadzą upust swej frustracji, ale wcale nie będzie to miało zbawiennego wpływu na nastoletniego syna lub córkę.

Wasz nastolatek powinien odczuwać, że go kochacie, pomimo iż złamał zasadę panującą w rodzinie. Młodzi ludzie potrzebują zrozumienia i współczucia rodziców, choć absolutnie nie zachęcamy tu do wycofywania się z wcześniejszych ustaleń lub łagodzenia ich.

„Wiem, że będzie ci trudno nie jeździć samochodem przez cały tydzień. Wolałbym nie odbierać ci kluczyków. Ale znasz zasady i wiedziałeś, jakie będą konsekwencje ich złamania. Kocham cię i dlatego nie mogę postąpić inaczej. Musisz ponieść konsekwencje, pomimo że są one uciążliwe". Okazanie nastolatkowi empatii i zrozumienia pomaga mu zaakceptować konsekwencje własnego zachowania. Może odczuwać gniew, ale nie będzie żywił urazy do rodziców, którzy egzekwują je w łagodny i troskliwy sposób.

Po takiej rozmowie dobrze jest również zapewnić nastolatka o swym uczuciu, okazując mu je w jego podstawowym języku miłości. Na przykład, jeśli jego językiem miłości jest dotyk, poklepanie po plecach lub serdeczne objęcie sprawi, że poczuje się kochany, mimo iż odbieracie mu kluczyki. Jeśli jego językiem miłości są prezenty, przygotowanie mu ulubionego deseru napełni jego zbiornik miłości, nawet jeśli jest rozgniewany, ponieważ nie może siąść za kierownicą. Jeśli jego językiem miłości jest afirmacja, okazanie mu jej przed i po wymierzeniu konsekwencji zapewni go o waszej miłości i pomoże znieść karę. To kolejna sytuacja, w której niezwykle ważna okazuje się znajomość podstawowego języka miłości syna lub córki. Posłużenie się innym językiem miłości również jest wskazane, lecz nie będzie z pewnością tak skuteczne, jak wyrażenie mu uczucia w jego podstawowym języku miłości.

3. *Konsekwencje powinny być egzekwowane stanowczo*
Rodzice nie powinni egzekwować konsekwencji, kierując się własnym widzimisię. Emocje wywierają silny wpływ na postępowanie człowieka. Jeśli rodzice są w pogodnym nastroju, często są skłonni zbagatelizować fakt, iż syn lub córka złamali jakąś zasadę. I odwrotnie, gdy mają zły humor, są zestresowani lub rozgniewani, często karzą nastolatka bardzo surowo za najmniejsze odstępstwo od zasady. Taka niekonsekwencja rodzi w sercu młodego człowieka złość, urazę i przekonanie, że został niesprawiedliwie potraktowany. Będzie odczuwał gniew, co w krótkim czasie może znaleźć wyraz w konfliktach i agresywnym zachowaniu.

Rodzicom, którzy wspólnie z nastolatkiem określają konsekwencje łamania zasad, zanim do tego dojdzie, a potem egzekwują je w miłości, będzie o wiele łatwiej zachowywać się konsekwentnie. Ideałem jest uprzejme i pełne miłości, ale stanowcze i odpowiedzialne egzekwowanie obustronnie przyjętych ustaleń. Rodzice, którzy tak postępują, pomagają nastolatkowi nauczyć się odpowiedzialności. Młody człowiek, choć nie zawsze z tego zadowolony, będzie czynił postępy w tym procesie.

Ustalenie zakresu odpowiedzialności

Przyjrzyjmy się kilku wybranym dziedzinom życia rodziny, które wymagają wyznaczenia zasad i konsekwencji ich łamania, aby nauczyć nastoletniego syna lub córkę odpowiedzialności, wspierając jednocześnie budowanie w nich własnej niezależności. Formułując zasady, starajcie się odpowiedzieć na dwa pytania: (1) Co pomoże synowi lub córce stać się dojrzałym człowiekiem? (2) Jakich zagrożeń powinien unikać i w jakich dziedzinach nauczyć się odpowiedzialności? Niektóre zasady będą miały formę zakazów, aby ustrzec od powiedzenia lub zrobienia czegoś, co mogłoby być fizycznie lub emocjonalnie destruktywne dla niego lub innych osób. Z kolei inna część zasad ma pomóc nastolatkowi nauczyć się pozytywnych zachowań, które zwiększą jego dojrzałość i wzbogacą życie otoczenia.

Oto kilka podstawowych dziedzin, których powinny dotyczyć zasady i konsekwencje ich złamania, zgodnie ustalone przez nastolatki i rodziców.

1. Pomoc w domu

Mówię o *pomocy*, a nie o *obowiązkach* domowych, ponieważ ma to bardziej pozytywny wydźwięk. W rzeczywistości oba elementy występują wspólnie. W zdrowej rodzinie każdy członek ma pewne obowiązki, które musi wypełniać, aby rodzina była w stanie dobrze funkcjonować. Jednak owe obowiązki dają również możliwość okazania pomocy innym. Coraz trudniej jest spotkać ludzi gotowych bezinteresownie pomagać innym, jednak nadal największym szacunkiem darzymy tych, którzy są gotowi służyć innym. Egoistyczna i samolubna osoba może odnosić sukcesy i żyć w luksusie, ale rzadko będzie szanowana.

Jeśli młodzi ludzie mają nauczyć się pomagać żyjącym wokół nich, muszą się najpierw nauczyć pomagać członkom rodziny. Nastolatki powinny mieć w domu obowiązki, aby w ten sposób robić coś dobrego dla rodziców i rodzeństwa. W każdej rodzinie są to odmienne sprawy, ale przykładowo mogą dotyczyć: opieki nad młodszym rodzeństwem, pomocy w przygotowaniu obiadu, mycia samochodu, wychodzenia z psem, pielenia ogródka, podlewania kwiatów, odkurzania dywanów, wycierania kurzu lub prania i prasowania. Dobrze jest co pewien czas zmieniać zakres obowiązków, aby nastolatek miał możliwość zdobycia różnych umiejętności związanych z prowadzeniem domu.

Ważne jest, aby nastolatek postrzegał siebie jako członka rodziny i rozumiał, że każdy domownik jest do czegoś zobowiązany. Przez cały czas uczy się i zdobywa nowe umiejętności, które pozwalają mu robić coraz więcej rzeczy poza domem. Jednak oznacza to także coraz więcej obowiązków w domu. Z oczywistych względów nastolatek będzie miał więcej obowiązków niż jego ośmioletni brat lub siostra. Większym obowiązkom towarzyszy większa wolność – nastolatek może np. później kłaść się spać i spędzać więcej czasu poza domem. Uważam, że wszelkie swobody tego rodzaju powinny być powiązane z odpowiednimi obowiązkami. Jeśli nastolatek dowiedzie, że jest na tyle dojrzały, aby poważnie traktować swoje obowiązki, będzie również wystarczająco dojrzały, aby cieszyć się większą wolnością.

Gdy wspólnie przystępujecie do ustalania zasad, powinniście pamiętać i o konsekwencjach, jakie będą towarzyszyć ich łamaniu. Dzięki temu nie trzeba będzie zmuszać nastolatka do wypełniania obowiązków domowych, natomiast nastolatek zyska możliwość zademonstrowania swej dojrzałości – wykonując je z własnej woli, zyskuje więcej swobody. Jeśli nastolatek nie wywiąże się z czegoś, poniesie ustalone konsekwencje, prowadzące do ograniczenia tej swobody. Na przykład, jeśli nastolatek zobowiązał się myć samochód najpóźniej w sobotę rano, a wcześniej ustaloną konsekwencją zaniedbania było zawieszenie prawa do korzystania z samochodu w weekend, mądrzy rodzice nie będą przypominali synowi, że ma umyć samochód. To jego wybór – może wywiązać się z obowiązku i korzystać ze swobody, jaka się z tym wiąże, lub zachować się niedojrzale i utracić przywileje. Zapewniam, że nastolatek będzie starał się zachować przywileje, a rodzice nie będą musieli marnować czasu i energii na wielokrotne przypominanie, że jeszcze nie umył samochodu.

Reguła jest prosta: jeśli nastolatek wypełnia swoje obowiązki, w ten sposób demonstruje (sobie i innym) swoją dojrzałość i w zamian otrzymuje większą niezależność. Załóżmy, że syn lub córka mają obowiązek zmywania naczyń po obiedzie i to w ciągu godziny od zakończenia posiłku. Wcześniej ustaloną konsekwencją zaniedbania tego obowiązku jest samodzielne przygotowanie sobie dwóch kolejnych posiłków i zjedzenie ich w samotności. Wiedząc o tym, rodzice nie będą odczuwali pokusy, aby przypominać nastolatkowi o jego obowiązkach lub reagować gwałtownie, jeśli po obiedzie zajmie się czymś innym. Nastolatek również zna zasady. Rodzice muszą się tylko upewnić, że jeśli zaniedba swe obowiązki, poniesie tego konsekwencje. Mogę zagwarantować, że większość nastolatków tylko dwa posiłki zje osobno. Możecie nawet usłyszeć, jak mówią przez telefon: „Muszę kończyć. To sprawa życia i śmierci! Zadzwonię do ciebie później". W ten sposób nastolatek uczy się odpowiedzialności i niezależności. Możliwość zjedzenia wspólnie posiłku jest powiązana z obowiązkiem wykonania pewnej pracy. Co ciekawe, w Piśmie Świętym istnieje przykład potwierdzający tę zasadę. Apostoł Paweł napisał: „Kto nie chce pracować, niech też nie je!"[7]. To dotyczy również nastolatków.

2. Nauka

Jakie kwestie są istotne w edukacji nastolatka? To pytanie, na które należy odpowiedzieć wspólnie z synem lub córką. Większość rodziców uważa, że absolutnym minimum jest ukończenie szkoły średniej. W krajach rozwiniętych młody człowiek bez średniego wykształcenia będzie miał trudności ze znalezieniem pracy i ułożeniem sobie życia. Jeśli wy również tak uważacie, powinniście przedstawiać to jako kwestię niepodlegającą dyskusji.

Teraz należy się zastanowić, jakie zasady pomogą synowi lub córce osiągnąć ten cel? Zazwyczaj będzie to regularne uczęszczanie do szkoły i opanowanie zadanego materiału. Są to sprawy, które można zweryfikować podczas wywiadówek lub na podstawie ocen i wyników semestralnych. Zasady mogą być bardzo proste: chodzisz codziennie do szkoły, chyba że jesteś chory i musisz pozostać w domu lub szpitalu, oraz opanowujesz zadany materiał i odrabiasz zadania domowe. Konsekwencja złamania pierwszej zasady może być następująca: za każdy dzień opuszczony w szkole nastolatek spędzi sobotę na lekturze wybranej książki, a wieczorem przedstawi rodzicom streszczenie tego, co przeczytał. Nie będzie mu wolno opuszczać domu w godzinach, które powinien spędzić w szkole. Ręczę, że większość nastolatków zafunduje sobie najwyżej jedną „sobotę z książką".

Nieco trudniej jest ocenić wyniki w nauce, ale zazwyczaj można je zweryfikować na podstawie otrzymywanych ocen lub podczas rozmowy z nauczycielem. Kiedy rodzice odkryją, że nastolatek nie odrabia lekcji lub nie przykłada się do nauki w wystarczającym stopniu, konsekwencją może być uczenie się danego materiału lub odrabianie zadania podczas weekendu, nawet jeśli nie będzie już można poprawić złej oceny. Rodzice powinni uważnie nadzorować wykonanie dodatkowego zadania. Ustalenie takich zasad i konsekwencji ich złamania zwalnia rodziców z obowiązku codziennego przypominania nastolatkowi o nauce i odrabianiu lekcji. Młody człowiek ma wybór: zachować się odpowiedzialnie i robić coś przyjemniejszego w sobotę i niedzielę, albo też utracić tę okazję z powodu nieodpowiedzialnego zachowania.

3. Korzystanie z samochodu

Możliwość korzystania z samochodu jest przywilejem, a nie prawem nastolatka. Nastolatki nie muszą mieć własnego samochodu ani korzystać z auta rodziców, kiedy tylko tego zapragną. Korzystanie z samochodu jest przywilejem wynikającym z odpowiedzialnego zachowania. Nastolatek powinien dobrze rozumieć tę zasadę, zanim rozpocznie naukę jazdy. Młodzi ludzie powinni dostrzec związek między wolnością (przywilejami) a odpowiedzialnością. Większość rodziców wyraża zgodę na korzystanie przez syna lub córkę z samochodu, ale niewielu z nich łączy ten przywilej z odpowiedzialnym zachowaniem. W rezultacie nastolatek uważa, że jest to jego niepodważalnym prawem.

Jakie są najważniejsze kwestie dotyczące korzystania z samochodu przez nastolatka? Rodzice i syn lub córka prawdopodobnie zgodzą się, iż jest to bezpieczeństwo kierowcy, pasażerów i innych użytkowników drogi oraz przestrzeganie przepisów ruchu drogowego. To są najważniejsze sprawy. Inni rodzice mogą omówić dodatkowe kwestie, choćby takie: nastolatek ponosi koszty paliwa; przed każdym wyjazdem musi uzyskać zgodę rodziców zarówno w kwestii miejsca wyjazdu, jak i czasu powrotu. Kierując się tymi ustaleniami, należy sformułować konkretne zasady oraz konsekwencje ich złamania.

Oto pewne sugestie. *Zasada*: Przestrzegaj przepisów ruchu drogowego. *Konsekwencje*: Jeśli nastolatek otrzyma mandat za wykroczenie, zapłaci go z własnych pieniędzy i przez tydzień nie będzie mógł jeździć samochodem. Jeśli w ciągu trzech miesięcy otrzyma drugi mandat, także zapłaci go z własnej kieszeni i nie będzie mógł jeździć samochodem przez dwa tygodnie. *Zasada*: Znajomi nastolatka nie mogą prowadzić jego samochodu. *Konsekwencje złamania*: Zakaz korzystania z samochodu przez dwa tygodnie. Inne zasady mogą regulować takie kwestie, jak godzina powrotu do domu, ponoszenie kosztów eksploatacji samochodu i napraw lub utrzymanie porządku wewnątrz pojazdu.

4. Zarządzanie pieniędzmi

Pieniądze to jedna z najczęstszych przyczyn konfliktów między nastolatkami a rodzicami. Niejednokrotnie dzieje się tak dlatego, iż rodzice nie ustalili jasnych zasad w tej dziedzinie oraz konsekwencji ich łamania. Jakie kwestie są najważniejsze w dysponowaniu przez nastolatka własnymi pieniędzmi? Pierwsza jest oczywista: środki finansowe są ograniczone. Niewiele jest rodzin, które nie muszą kontrolować, na co wydają pieniądze, a to znaczy, że nastolatek nie może mieć wszystkiego, czego zapragnie. Ważne jest również, aby nastolatek zdobył przynajmniej podstawowe umiejętności zarządzania własnymi finansami. Jedna z podstawowych zasad brzmi: „Kiedy skończą się pieniądze, wszelkie zakupy zostają wstrzymane, aż do zarobienia kolejnych środków". Lekceważenie tej zasady wpędziło wielu dorosłych w poważne kłopoty finansowe. Dlatego, moim zdaniem, nie należy dawać nastolatkom kart kredytowych. Karty kredytowe zachęcają do wydawania pieniędzy, których się w rzeczywistości nie posiada, a jest to jedna z bardziej niebezpiecznych rzeczy, jakich młody człowiek może się nauczyć.

Należy pamiętać, że nastolatek nie będzie w stanie nauczyć się zarządzania własnymi pieniędzmi, jeśli nie będzie ich posiadał. W związku z tym wielu rodziców podjęło decyzję, że syn lub córka powinni otrzymywać regularnie kieszonkowe, zamiast ciągle przychodzić i prosić o kolejne 20 zł, aby coś sobie kupić. Rodzice, którzy dają nastolatkowi 10 lub 20 zł, kiedy tylko o to poprosi, nie uczą, jak należy postępować z pieniędzmi. Moim zdaniem, o wiele lepszym rozwiązaniem jest uzgodnienie z nastolatkiem kwoty tygodniowego lub miesięcznego kieszonkowego. Należy również jasno określić, jakie wydatki nastolatek będzie musiał ponosić samodzielnie. Mogą to być ubrania, jedzenie, muzyka, paliwo itp. Na przykład, rodzice mogą dawać nastolatkowi 100 zł miesięcznie (25 zł tygodniowo). Z tej kwoty nastolatek ma płacić za wszelkie posiłki, jakie zdecyduje się jeść poza domem, paliwo do samochodu i ubrania, z wyjątkiem tych, które rodzice zgodzą się sami mu kupić. (To także powinno być jasno określone: „Będziemy ci kupować bieliznę i skarpetki oraz dwie pary butów i jedną kurtkę na rok. Wszystko inne musisz kupić sobie sam". Oprócz tego rodzice mogą kupić coś z ubrań w ramach prezentu urodzinowego lub bożonarodzeniowego). Taki układ daje nastolatkowi możliwość nauczenia się zarządzania własnymi pieniędzmi.

Rodzice powinni być realistyczni, deklarując, ile pieniędzy mogą dać nastolatkowi. Kiedy kwota zostanie ustalona, nie powinno się jej zmieniać tylko dlatego, iż nastolatek uważa, że jest zbyt niska. Jeśli syn lub córka chce kupić coś więcej, niż jest w stanie, z kieszonkowego, musi znaleźć sposób zarobienia dodatkowych pieniędzy. Jeśli nie może jeszcze podjąć pracy etatowej, ma inne możliwości: koszenie trawników, pilnowanie dzieci, roznoszenie ulotek i wiele innych prac dostępnych dla nastolatków. W takiej sytuacji nastolatek nie tylko uczy się, jak wydawać własne pieniądze, ale poznaje także ich wartość, podejmując pracę. Natomiast gdy rodzice ulegną i wręczą nastolatkowi dodatkowe pieniądze, bojkotują w ten sposób lekcję odpowiedzialnego zarządzania pieniędzmi. W bogatszych środowiskach wielu rodziców często wpaja swoim dzieciom złe nawyki finansowe, dając im pieniądze zawsze, gdy o to poproszą.

Upewnijcie się, że wasz syn lub córka rozumieją, iż dajecie im kieszonkowe, ponieważ ich kochacie i chcecie, aby nauczyli się odpowiedzialnie wydawać pieniądze. To nie jest wynagrodzenie za pomoc w domu. Ta kwestia również dotyczy odpowiedzialności, ale w zupełnie innej dziedzinie. Uważam, że młodzi ludzie nie powinni zarabiać dodatkowych pieniędzy u rodziców, gdyż to wprowadza zamęt w zakresie odpowiedzialnego wypełniania obowiązków domowych. O wiele lepiej jest, gdy nastolatek zarabia pieniądze poza domem. Uważam również, że błędem jest pożyczanie nastolatkom pieniędzy, ponieważ wtedy uczą się wydawać więcej, niż mają. W ten sposób kształtuje się nawyki, które w przyszłości mogą być przyczyną poważnych problemów.

5. Randki

Chodzenie na randki wzbudza obawy i lęk w sercach wielu rodziców. Niektórzy z nich pamiętają własne randki i nie chcą, aby syn lub córka zachowywali się tak, jak oni w ich wieku.

Inni rodzice są zaszokowani, gdy poznają dane statystyczne, jak te z National Commission on Adolescent Sexual Health (Krajowa komisja ds. zdrowia seksualnego nastolatków) z lat 1994-1995, według których: „Ponad trzy czwarte nastolatków rozpoczyna współżycie płciowe przed ukończeniem 20 roku życia. Każdego roku milion nastolatek zachodzi w ciążę, a ponad połowa z nich wydaje na świat dziecko. W tym samym czasie 3 miliony nastolatków zarażają się chorobami przenoszonymi drogą płciową"[8].

Słysząc takie dane, niektórzy rodzice przyrzekają sobie nigdy nie pozwolić synowi lub córce chodzić na randki. Myślą: „Jeśli go (ją) będę trzymać z dala od dziewczyn (chłopaków), aż skończy 20 lat, może będzie wystarczająco dojrzały, aby się temu oprzeć". Przede wszystkim należałoby określić, czym właściwie jest randka. Jeśli randka polega na tym, iż chłopak z dziewczyną umawiają się na kawę, a potem spędzają trzy godziny na tylnym siedzeniu samochodu, całując się i stymulując seksualnie, to należy się zastanowić, czy w ogóle pozwalać nastolatkom chodzić na randki. Lecz jeśli randka polega na tym, iż grupa rówieśników obu płci idzie wspólnie na hamburgery i frytki, a potem do kina lub na dyskotekę, to randki mogą się okazać pozytywnym doświadczeniem, pomagającym nastolatkowi kształtować w sobie zdrową samoocenę i rozwijać umiejętności społeczne, niezbędne do stworzenia trwałej więzi z drugą osobą, gdy będzie dorosły.

Nie potrafię określić, w jakim wieku wasz syn lub córka mogą zacząć umawiać się na randki, lecz Steinberg ostrzega, że dziewczęta, które zaczynają chodzić na randki we wczesnym okresie nastoletnim, mogą ulec fascynacji „mistycznym uczuciem romantycznym", a ponieważ najczęściej umawiają się ze starszymi chłopakami, ryzykują, iż ci „zdominują je psychicznie i fizycznie"[8]. Steinberg podkreśla również, że umawianie się na randki w zbyt młodym wieku wpływa na relacje nastolatki z jej rówieśniczkami. Ponieważ dziewczyna z reguły spotyka się ze starszym od niej chłopakiem, zaczyna również przebywać wśród starszych dziewcząt. Na pewien czas zyskuje akceptację starszych nastolatków, ale jednocześnie alienuje się od tych w jej wieku, przez co traci cenne doświadczenia, płynące z bliskich przyjaźni rówieśniczych.

Po trzydziestu latach udzielania porad małżeńskich i rodzinnych jestem przekonany, że nastolatek powinien najpierw budować przyjaźnie z osobami tej samej płci, później przez pewien czas funkcjonować w grupie rówieśniczej, składającej się z dziewcząt i chłopców, a dopiero w późnym okresie nastoletnim zacząć rozwijać relacje z wybraną osobą przeciwnej płci. Młodzi ludzie, w miarę dojrzewania, czują się coraz lepiej w towarzystwie przeciwnej płci, mają więcej pewności siebie i potrafią bardziej odpowiedzialnie podchodzić do wspólnych spotkań i rodzącego się uczucia. Sztuczne przyspieszanie rozwoju społecznego i emocjonalnego przez zachęcanie młodszych nastolatków do umawiania się na randki jest poważnym błędem.

Jeśli zgadzacie się z moją opinią, powinniście zacząć wpajać to swojemu dziecku, kiedy ma jeszcze dziewięć, dziesięć lub jedenaście lat. Dzięki temu, gdy wkroczy w okres nastoletni, nie będzie odczuwać presji, aby zacząć umawiać się na randki, i wybierze raczej spędzanie czasu ze znajomymi tej samej płci pod okiem waszym lub innych rodziców. Później będzie chętnie przyłączać się do grup rówieśniczych skupiających osoby obu płci, odkładając nawiązywanie bliższych relacji na późny okres nastoletni.

Oczywiście, przedstawiam tu pewien wyidealizowany obraz – nie uwzględniam różnych cech osobowościowych, obaw, presji ze strony rówieśników i innych czynników, które mogą skłaniać go do poszukiwania pocieszenia w romantycznych kontaktach już we wczesnym wieku nastoletnim. To kolejny powód, dla którego tak ważne jest, aby rodzice okazywali wiele miłości nastoletniemu synowi lub córce. Dotyczy to szczególnie rodzica przeciwnej płci. Jeśli nastoletnia dziewczyna czuje się kochana przez ojca, jest mniej prawdopodobne, że będzie poszukiwała miłości u starszego od niej chłopaka. Kilkunastoletni chłopiec, który czuje się kochany przez matkę, będzie mniej skłonny wykorzystać młodszą dziewczynę dla zaspokojenia własnych potrzeb – emocjonalnych i fizycznych.

Kiedy wspólnie z nastoletnim synem lub córką próbujecie ustalić zasady dotyczące kontaktów z osobami przeciwnej płci i konsekwencje ich złamania, zastanówcie się najpierw, które kwestie są najważniejsze. Uważam, że na pierwszym miejscu powinno się znaleźć emocjonalne i fizyczne zdrowie nastolatka. Drugą i prawdopodobnie równie ważną kwestią jest kształtowanie dojrzałości emocjonalnej i społecznej, co pozwoli mu w przyszłości zbudować trwałą więź z partnerem życiowym. Waszym celem nie jest pozbawienie nastolatka kontaktu z przeciwną płcią, ale nauczenie go budowania zdrowych relacji, które w przyszłości pomogą mu założyć właściwy fundament pod dojrzały związek.

Jakie zasady mogą pomóc w budowaniu takiej dojrzałości? *Zasada*: We wczesnym okresie nastoletnim nastolatek będzie przyjaźnić się z osobami tej samej płci. Lecz zanim będzie mógł przenocować w domu kolegi, wy musicie poznać kolegę i porozmawiać z jego rodzicami. (W ten sposób ustrzeżecie nastolatka przed nawiązaniem bliskich kontaktów z rówieśnikiem, którego styl życia i system wartości mogą być szkodliwe dla waszego dziecka). Każda taka wizyta może odbyć się jedynie wtedy, gdy w domu będą dorośli. *Konsekwencje złamania zasady*: Zakaz takich wizyt na trzy miesiące i utrata tygodniowego kieszonkowego. *Zasada*: Nastolatek może uczestniczyć w spotkaniach grupy dziewcząt i chłopców, o ile będzie z nimi osoba dorosła i rodzice wyrażą zgodę na to, co zamierza robić grupa. Rodzice mają prawo odmówić nastolatkowi udziału we wszystkim, co, ich zdaniem, może być dla niego szkodliwe. *Konsekwencje złamania zasady*: Zakaz udziału w takich spotkaniach przez miesiąc i utrata tygodniowego kieszonkowego.

Kiedy wasza córka ukończy piętnaście lat albo syn szesnaście, możecie omówić z nim możliwość umawiania się na randki z wybraną osobą przeciwnej płci. W ciągu pierwszego roku rodzice zastrzegają sobie prawo do decyzji, z kim, kiedy i czy w ogóle nastolatek będzie się spotykać. Kiedy córka skończy szesnaście lat, a syn siedemnaście, rodzice mogą okazać im swoje zaufanie i pozwolić samodzielnie decydować, z kim będą się spotykać. Jednak na randki mogą wychodzić tylko w piątek albo w sobotę wieczorem. *Zasada*: Rodzice zastrzegają sobie prawo do wyrażenia swej woli, jeśli zechcą, by nastolatek zerwał bliskie kontakty z osobą, która zażywa narkotyki lub pije alkohol, albo utrzymywała kontakty seksualne z poprzednimi partnerami. *Konsekwencje złamania zasady*: Jeśli nastolatek nie zgodzi się zerwać destruktywnej relacji, zostanie na miesiąc pozbawiony prawa do korzystania z samochodu i całego kieszonkowego. Jeśli po upływie tego czasu nadal odmawia spełnienia prośby rodziców, konsekwencje zostaną przedłużone o kolejny miesiąc. Na tym etapie nastolatek powinien już uświadomić sobie, że podejmowanie nieprzemyślanych decyzji niesie z sobą określone konsekwencje. Nie może cieszyć się przywilejem korzystania z samochodu i otrzymywania kieszonkowego, jeśli zachowuje się nieodpowiedzialnie w kwestii kontaktów z osobami przeciwnej płci.

Pamiętajcie, że są to jedynie sugestie zasad i konsekwencji ich złamania. Każdy nastolatek i jego rodzice muszą samodzielnie ustalić reguły, które uznają za sprawiedliwe. Im wcześniej zostanie to zrobione, tym bardziej jest prawdopodobne, że nastolatek uzna je za słuszne i sprawiedliwe.

6. Alkohol i narkotyki

Coraz więcej nastolatków sięga po środki odurzające; robią to coraz częściej i w coraz młodszym wieku. Rezultat jest oczywisty – coraz więcej młodych ludzi jest uzależnionych od alkoholu i narkotyków. Nic nie niszczy niezależności nastolatka szybciej niż nałóg. Co mogą zrobić rodzice, aby ich syn czy córka nie sięgnęli po alkohol lub narkotyki? Odpowiedź jest zaskakująca: nic. Nie mogą przecież pilnować nastolatka przez dwadzieścia cztery godziny na dobę. Są jednak pewne rzeczy, które mogą zrobić, aby było to mniej prawdopodobne.

Pierwszą i najbardziej skuteczną metodą jest dostarczenie wzoru abstynencji. Młodzi ludzie, którzy widzą, jak ich rodzice co wieczór sięgają po alkohol, aby się odprężyć po stresującym dniu, będą bardziej skłonni zacząć pić. Nastolatki, które widzą, jak rodzice nadużywają leków uspokajających, będą bardziej skłonne sięgnąć po narkotyki. Nie sposób przecenić wielkiego wpływu przykładu rodziców. Lecz nawet jeśli rodzice są przykładem abstynencji, istnieją jeszcze inne rzeczy, które powinni zrobić, aby zmniejszyć groźbę, że syn czy córka będą pili lub zażywali narkotyki.

Powróćmy do procesu ustalania zasad i konsekwencji ich złamania. Jakie są najważniejsze kwestie dotyczące nadużywania alkoholu i narkotyków? Zazwyczaj na pierwszy plan wybija się obawa, że nastolatek stanie się alkoholikiem lub narkomanem. Z pewnością jest to uzasadniony strach. Lękamy się też, że nastolatek wsiądzie do samochodu prowadzonego przez pijanego kierowcę i zginie czy zostanie ranny w wypadku drogowym. Po trzecie, nastolatek może zacząć zadawać się z młodymi ludźmi, którzy sięgają po alkohol i narkotyki, i pod ich wpływem popełnić przestępstwo. Są to realne zagrożenia, więc nic dziwnego, że rodzice boją się o los nastoletniego syna lub córki.

Jakie zasady mogą pomóc usunąć te obawy? Z pewnością w czasie rozmowy rodzice powinni wyrazić swoje pragnienie, aby nastolatek unikał alkoholu i narkotyków. Powinni mu również wyjaśnić, że ich obawy nie wynikają z jakichś wydumanych powodów czy religijnych lub osobistych uprzedzeń, ale opierają się na udokumentowanych faktach. Ponieważ pewnego dnia nastolatek osiągnie dorosłość i będzie mógł podejmować własne decyzje w tej kwestii, rodzice mają pełne prawo wymagać, aby dopóki mieszka w ich domu, podporządkował się zasadzie zabraniającej sięgania po alkohol i narkotyki.

Konsekwencje złamania tej zasady powinny być surowe. Należy przypomnieć nastolatkowi, że posiadanie narkotyków jest nielegalne. Gdyby nastolatek został przyłapany na posiadaniu i zażywaniu narkotyków, poniósłby nie tylko konsekwencje wynikające z ustaleń z rodzicami, ale także karę przewidzianą w kodeksie karnym. Pewien rodzic sugerował, iż pierwsze złamanie tej zasady powinno być ukarane odebraniem na miesiąc prawa do korzystania z samochodu. Po drugim wykroczeniu nastolatek traciłby możliwość jazdy samochodem na trzy miesiące. Po trzykrotnym złamaniu zasady samochód, jeśli kupili go rodzice, zostałby sprzedany. Jeśli rodzice będą z miłością, ale stanowczo egzekwować konsekwencje pierwszych dwóch wykroczeń, możliwe, że nigdy nie dojdzie do trzeciego. Jeśli jednak zlekceważą dwa pierwsze przypadki, mogą być pewni, że ich nastolatek będzie nadal sięgał po szkodliwe środki.

Ustalone zasady i konsekwencje ich złamania należy co pewien czas poddawać weryfikacji. Dobrze jest zmieniać je w miarę, jak nastolatek staje się coraz bardziej dojrzały, dając mu coraz więcej wolności i oczekując większej odpowiedzialności. Te dwie sprawy muszą zawsze iść ze sobą w parze. Wszystkie zasady i konsekwencje powinny mieć na celu dobro nastolatka, dlatego należy je sformułować po starannym przemyśleniu i uwzględnieniu jego opinii i odczuć. Powinny również być wyrazem miłości i autorytetu rodziców. Kochający rodzice, którzy troszczą się o syna lub córkę, są gotowi podjąć trud ustalenia zasad obowiązujących w domu i egzekwowania konsekwencji ich łamania.

Przypisy

1. Lawrence Steinberg i Ann Levine, *You and Your Adolescent*, Harper & Row, New York 1990, s. 16.
2. Tamże.
3. Tamże, s. 16-17.

4. Tamże, s. 16.
5. Zob. Księga Wyjścia 20.
6. Dwa przykazania, które Jezus określił jako największe, to „Będziesz miłował Pana, Boga swego, całym swoim sercem [...]" i „Będziesz miłował swego bliźniego jak siebie samego" (Ewangelia według św. Marka 12,30-31).
7. Lawrence Kutner, *Makin Sense of Your Teenager,* William Morrow, New York 1997, s. 141.
8. Steinberg i Levine, *You and Your Adolescent,* s. 187.

Rozdział trzynasty

Okazywanie miłości, gdy nastolatek zawiedzie

Był to postawny mężczyzna z gęstymi, brązowymi włosami i starannie przystrzyżoną brodą. Wiele w życiu osiągnął i cieszył się szacunkiem ludzi. Jednak gdy siedział w moim gabinecie, łzy spływały mu po policzkach.

– Nie mogę w to uwierzyć, doktorze Chapman. To jakiś koszmar. Chciałbym się obudzić i żeby to wszystko okazało się tylko złym snem. Ale wiem, że to nie jest sen; to naprawdę się dzieje. Nie wiem, co robić. Chcę postąpić właściwie, ale jestem w takim stanie, że nie wiem, czy zdołam zrobić to, co powinienem. Jakaś część mnie chce zacisnąć mu ręce na szyi i wykrzyczeć: »Jak mogłeś nam to zrobić?«. Inna cząstka mnie chce wziąć go w ramiona i ukryć w nich na zawsze. Moja żona jest tak wzburzona tym wszystkim, że nie była w stanie przyjść tutaj ze mną. Nasz syn, Daniel, przyjeżdża jutro do domu, a my nie wiemy, jak się wobec niego zachować.

Łzy, gniew, frustracja i zagubienie były reakcją na wiadomość, jaką przekazał im ich dziewiętnastoletni syn. Poprzedniego wieczoru zadzwonił z akademika i oznajmił, że przespał się z pewną dziewczyną, a teraz ona jest w ciąży i postanowiła urodzić dziecko. Powiedział, że zdawał sobie sprawę, iż to ich zrani, i wie, że postąpił źle. Jednak potrzebuje pomocy i nie wie, gdzie jej szukać. Ojciec i matka nie zmrużyli oka przez całą noc, próbując pocieszać się nawzajem, ale bez skutku. Ich syn zawiódł i znalazł się w sytuacji, w której nie ma prostego rozwiązania.

Tylko rodzice, którzy znaleźli się w podobnym położeniu, mogą zrozumieć cierpienie, jakiego doświadczali ci dwoje. Ból był nie do zniesienia. Ich umysł ogarniały różne emocje: zranienie, gniew, żal, smutek, miłość – a zwłaszcza ten rodzaj miłości, który wzbudza jeszcze większy ból, gniew, żal i smutek. Mieli nadzieję, że kiedy nadejdzie świt, wszystko okaże się jedną wielką pomyłką, ale w głębi serca wiedzieli, że będą musieli pogodzić się z tym, że ich marzenia nigdy się nie spełnią.

Nastolatki będą zawodzić

Kiedy myślę o cierpieniu tych rodziców, przypominam sobie, co powiedział psycholog dziecięcy, John Rosemond: „Wychowanie dzieci polega na postępowaniu *właściwie,* kiedy dziecko zachowuje się *źle*"[1].

Temu właśnie jest poświęcony ten rozdział: jak reagować właściwie, kiedy nastoletni syn lub córka dokona niewłaściwego wyboru. Musimy pogodzić się z faktem, że nie zdołamy ustrzec naszych dzieci przed pomyłkami, nie możemy również zapobiec błędom naszych nastolatków. Nawet jeśli jesteśmy najlepszymi i najbardziej kochającymi rodzicami, nie mamy gwarancji, że nic złego nie nastąpi. Nastolatki są ludźmi, a ludzie podejmują decyzje: dobre lub złe. Kiedy nastolatki dokonują złych wyborów, rodzice cierpią. Tak już jest. Ponieważ jesteśmy rodziną, to kiedy nastolatek popełnia poważny błąd, wszyscy ponosimy tego konsekwencje. Nikt nie odczuwa większego smutku z powodu porażki nastolatka niż jego rodzice. Nie wszystkie błędy nastolatków są równie poważne. Niektóre przypominają lekkie drżenie, inne są potężnym wstrząsem. Także konsekwencje mogą być niejednakowe. Trzy kolejne rzuty wolne Aleksa chybiły celu, choć wystarczyło, żeby tylko raz trafił do kosza, a jego zespół odniósłby zwycięstwo. Widzieli to jego koledzy i cała rodzina. Alex poniósł porażkę, ale była ona śmiesznie mała w porównaniu z tą, jaką poniósł syn opisanych na początku rozdziału rodziców. To przywodzi na myśl inną ważną kwestię.

Rodzaje porażek

Niesprostanie oczekiwaniom rodziców

Istnieją nie tylko różne rozmiary porażek, ale także odmienne ich rodzaje. Alex jest przykładem niewykorzystania w pełni swego potencjału oraz niespełnienia oczekiwań rodziców. Jasne, że porażki zdarzają się bardzo często w sporcie, sztuce lub w szkole. Niektóre wynikają z nierealistycznych oczekiwań nastolatków albo oczekiwań narzuconych przez rodziców. Jeśli oczekiwania będą zbyt wygórowane, porażka jest nieunikniona. Rodzice powinni wiedzieć, że nie każdy jest w stanie zdobyć złoty medal czy być olimpijczykiem z matematyki. Jeżeli zadowalają ich tylko najlepsze wyniki w każdej dziedzinie, nigdy nie będą w pełni usatysfakcjonowani postępami syna lub córki. Stawianie młodym ludziom nierealistycznych wymagań niechybnie sprawi, że popadną w zniechęcenie.

Nastolatek, który bierze udział w jakiejkolwiek rywalizacji, powinien nauczyć się spoglądać na swoje wyniki z innej strony. Zajęcie drugiego miejsca w turnieju finałowym nie jest porażką. Jeśli w rozgrywkach ligowych bierze udział trzydzieści drużyn, to jego zespół okazał się lepszy niż dwadzieścia osiem z nich. Ukończenie biegu maratońskiego na ostatnim miejscu nadal oznacza, iż jest się lepszym niż setki tysięcy ludzi, którzy nigdy nie odważą się wystartować w maratonie. Jeśli wasza córka gra na klarnecie w orkiestrze szkolnej i zajęła dziesiąte miejsce w konkursie, w którym wystartowało sto orkiestr, to znaczy, że jej szkoła uplasowała się wyżej niż dziewięćdziesiąt procent lokalnych szkół. To powód do radości, a nie do narzekania na kiepski występ.

Oczywiście, każdy chciałby zwyciężać w rywalizacji. Lecz fakt, iż może być tylko jeden zwycięzca, nie oznacza wcale, że wszyscy inni ponieśli porażkę. W naszej kulturze ceni się wyłącznie zwycięstwo, zatem rodzice i inni dorośli, niejednokrotnie z najlepszych motywów, stawiają nastolatka w sytuacji, w której ten wciąż „ponosi porażkę".

Inną przyczyną tego, że wielu nastolatków nie jest w stanie sprostać stawianym im wymaganiom, jest fakt, iż zostali zmuszeni do robienia rzeczy, które ich nie interesują lub do których brakuje im zdolności. Ponieważ rodzice przykładają dużą wagę do sprawności fizycznej, nastolatek bywa zmuszany do biegów lub pływania, chociaż wolałby grać w orkiestrze szkolnej. Mógłby okazać się doskonałym gitarzystą, ale traci czas na ławce rezerwowych, coraz mocniej przekonany, że jest najgorszym sportowcem na świecie. Zmuszanie nastolatków do podejmowania rywalizacji w dziedzinach, które nie są dla nich interesujące, jest równoznaczne ze skazywaniem ich na porażkę.

Znałem kiedyś ojca, który wymusił na swoim synu zostanie lekarzem. Na studiach chłopak miał poważne problemy z chemią organiczną, ale po dwóch kryzysach nerwowych ukończył akademię. Gdy otrzymał dyplom, następnego dnia wręczył go ojcu i powiedział, że to koniec jego związków z medycyną. Ostatnio słyszałem, że pracuje w McDonaldzie i zastanawia się, co chciałby robić w życiu. Oczywiście, rodzice mogą mówić nastolatkowi o własnych zainteresowaniach, lecz nie wolno im manipulować i zmuszać, aby realizował ich pragnienia, jeśli są niezgodne z jego zainteresowaniami i uzdolnieniami. Rodzice, którzy dostrzegają u siebie taką tendencję, powinni obejrzeć film *Stowarzyszenie umarłych poetów*. Gdy poznacie historię ucznia szkoły średniej, który nie był w stanie zadowolić swego ojca, łzy same napłyną wam do oczu.

Porażki moralne

Drugi rodzaj błędów, jakie popełniają nastolatki, powoduje dużo poważniejsze skutki w życiu młodego człowieka i jego rodziców. Nazywamy je *porażkami moralnymi*. Dochodzi do nich, gdy nastolatek łamie zasady moralne, które obowiązują w jego rodzinie. Rodzice starają się wpajać swoim dzieciom wartości moralne od pierwszych lat ich życia. Mają nadzieję, że gdy pociechy staną się nastolatkami, poddadzą te wartości ocenie, a następnie uznają za własne. Lecz nie zawsze tak się dzieje.

Nastolatki łamią zasady moralne na dwa sposoby. Niektórzy młodzi ludzie podejmują świadomą decyzję o odrzuceniu wartości obowiązujących w domu rodzinnym i ustalają własne zasady moralne. Inni, choć teoretycznie uznają domowy system wartości, w rzeczywistości nim się nie kierują. Obie sytuacje sprawiają wiele cierpienia rodzicom i zazwyczaj także nastolatkowi. Rodzice głęboko cierpią, gdy syn lub córka robią coś, co przeczy moralności, jaką usiłowali im wpoić. Wiedzą, że ich nastolatek będzie musiał ponieść tego konsekwencje. Także nastolatek zazwyczaj czuje, że zawiódł rodziców, a przynajmniej dostrzega ich cierpienie i wysoki mur, który wyrósł między nimi.

Konsekwencje złamania zasad moralnych przez nastolatka mogą być niszczące dla rodziców. Wielu z nich zawczasu zadaje sobie pytania: Co zrobimy, jeśli pewnego dnia nasza nastoletnia córka oznajmi nam: »Jestem w ciąży?« Albo syn – że jego dziewczyna jest w ciąży (co usłyszeli rodzice z początku rozdziału)? Co zrobimy, jeśli dowiemy się, że nasz nastolatek zażywa lub sprzedaje narkotyki? Co zrobimy, jeśli powie, że ma AIDS lub inną chorobę przenoszą drogą płciową? Co zrobimy, jeśli zadzwoni policja i oznajmi, że nasz syn został aresztowany za kradzież lub napad?

W rzeczywistości są to pytania, na które tysiące rodziców nastoletniego syna lub córki będzie zmuszonych odpowiedzieć.

Co zrobić, gdy nastolatek złamie zasady moralne

W pozostałej części rozdziału zawarto kilka praktycznych sugestii, które pomogły wielu rodzicom poradzić sobie z porażkami moralnymi syna lub córki. Kiedy próbujemy w zaistniałej sytuacji okazać nastolatkowi współczucie i skłonić go do żalu i pokuty, zachowujemy się jak dobrzy rodzice, „postępujący dobrze, kiedy ich dziecko zachowuje się źle", jak to powiedział John Rosemond.

1. Nie obwiniajcie siebie

Zanim będziecie w stanie pomóc nastoletniemu synowi lub córce, musicie poradzić sobie z własną reakcją. Pierwsze słowa, jakie wielu rodzicom przychodzą na myśl, gdy dowiadują się o złym wyborze czy porażce swego nastolatka, brzmią: „W czym popełniliśmy błąd?". To logiczne pytanie, szczególnie w społeczeństwie, które przykłada tak duże znaczenie do właściwego wychowania dzieci. Jednak wiele poradników dla rodziców przecenia wpływ, jaki rzeczywiście mają oni na dziecko, i pomija fakt, że nastolatek ma wolną wolę. Nastolatki mogą i będą podejmować samodzielne decyzje, zarówno w domu, jak i poza nim. Ich wybory niosą z sobą różnorakie konsekwencje. Złe wybory prowadzą do szkodliwych rezultatów, mądre decyzje przynoszą pozytywne zmiany.

Rodzice nie mogą spędzać z nastolatkiem dwudziestu czterech godzin na dobę, aby kontrolować jego zachowanie. To było możliwe, kiedy syn lub córka mieli trzy latka, ale nie

240

jest, gdy mają trzynaście. Choć wielu rodziców boi się nawet o tym myśleć, wasz nastolatek musi mieć możliwość podejmowania własnych decyzji.

Im będzie starszy, tym więcej samodzielnych decyzji będzie podejmować. To niezbędny i zazwyczaj zupełnie zdrowy proces, choć niesie z sobą niebezpieczeństwo, że nastolatek popełni poważny błąd. Rodzice, którzy obwiniają się za złe wybory nastolatka, wyrządzają mu dodatkową krzywdę. W rzeczywistości bowiem to ich syn lub córka dokonali niewłaściwego wyboru i teraz ponoszą tego skutki. Jeśli rodzice wezmą winę na siebie, nastolatek przestanie czuć się odpowiedzialny za swoje zachowanie. Oczywiście, młodzi ludzie bardzo chętnie przerzucą swoją winę na barki innych. Jeśli będą mogli to zrobić, jest mniej prawdopodobne, że popełniony błąd czegokolwiek ich nauczy, i bardziej możliwe, że go powtórzą.

Rodzice, którzy uważają, że nie byli dobrymi rodzicami, kiedy ich dziecko było małe, są bardziej skłonni brać na siebie winę za złe decyzje i błędy nastolatka. Czytają książki poświęcone wychowaniu dzieci, uczestniczą w kursach i uświadamiają sobie, że w przeszłości łamali podstawowe zasady wychowania dzieci. Nie chcę, abyście odnieśli wrażenie, że rodzice nie są odpowiedzialni za wychowanie swoich dzieci. Chcę natomiast podkreślić, że odpowiadacie wyłącznie za własne błędy, a nie za te popełnione przez waszego nastolatka. Jeśli macie świadomość, że w przeszłości popełniliście wiele błędów w wychowaniu dzieci, wyznajcie to przed Bogiem i nastolatkiem, i poproście o przebaczenie. Nie możecie jednak brać na siebie odpowiedzialności za złe wybory syna lub córki.

2. Nie głoście kazań

Z reguły nastolatek czuje się w takiej sytuacji winny. Młodzi ludzie wiedzą, kiedy ich postępowanie rani rodziców. Są świadomi, że łamią zasady moralne, które ojciec i matka usiłowali im wpoić. Nie ma potrzeby głoszenia im kazań. Powiedziałem mężczyźnie, o którym pisałem na początku rozdziału: „Kiedy jutro wasz syn przyjedzie do domu, nie potępiajcie go z miejsca. Nie mówcie: »Dlaczego to zrobiłeś? Czy nie wiesz, że to jest sprzeczne ze wszystkim, czego próbowaliśmy cię nauczyć? Jak mogłeś nam to zrobić? Czy nie pomyślałeś, jak się będziemy czuli? Wszystko zrujnowałeś. Nie możemy uwierzyć, że okazałeś się tak nierozsądny«.

Rozumiem, że być może tak właśnie myślicie i takie emocje są w was najsilniejsze, ale wasz syn nie potrzebuje teraz potępienia. On sam myśli podobnie i zadaje sobie takie właśnie pytania. Jeśli przywitacie go w ten sposób, może zacząć się bronić i przestanie zastanawiać, dlaczego tak postąpił".

Nastolatek, który zrobił coś złego, powinien samodzielnie zmierzyć się z poczuciem winy, nie zasługuje jednak na dodatkowe potępienie ze strony rodziców.

3. Nie próbujcie niczego naprawiać

Naturalną reakcją wielu rodziców jest podjęcie działań, mających zminimalizować skutki błędów nastolatka. Uważam jednak, że „naprawa zniszczeń" i chronienie młodego człowieka przed konsekwencjami jest niemądrym zachowaniem. Jeśli będziecie próbowali zapobiec naturalnym konsekwencjom błędów syna lub córki, nie pozwolicie im uczynić ważnego kroku ku dojrzałości. Czasami młodzi ludzie uczą się najważniejszych lekcji właśnie poprzez ponoszenie konsekwencji swego zachowania. Kiedy rodzice chronią ich przed tym, komunikują nastolatkowi w istocie całkiem odwrotne przesłanie, zachęcające raczej do braku odpowiedzialności: „Mogę wyrządzać zło, a ktoś inny uchroni mnie przed konsekwencjami". Kiedy młody człowiek zacznie tak myśleć, trudno mu będzie dojść do dojrzałości.

Rozumiem, że niełatwo jest patrzeć, jak syn lub córka ponoszą opłakane skutki swoich decyzji, ale jeśli będziecie ich chronić, tym samym uniemożliwicie trwałą poprawę. Pamiętam, jak pewien rodzic powiedział: „Najtrudniejszą rzeczą, jaką kiedykolwiek zrobiłem, było pozostawienie syna w areszcie. Wiedziałem, że mogę wpłacić kaucję i wyszedłby na wolność, ale wiedziałem również, że jeszcze tego samego dnia sprzedawałby narkotyki. Dla jego własnego dobra postanowiłem, że poniesie konsekwencje swojego zachowania. Gdy teraz o tym myślę, była to jedna z najlepszych decyzji, jakie podjąłem w życiu".

Dotychczas skupialiśmy się na tym, czego robić nie należy: obwiniać siebie, wygłaszać kazań i naprawiać błędów nastolatka. Pomówmy teraz o tym, co powinno się zrobić.

4. Okażcie bezwarunkową miłość

Przede wszystkim okażcie nastolatkowi bezwarunkową miłość. To wcale nie przeczy temu, co napisałem wcześniej. Pozwolenie nastolatkowi, aby poniósł konsekwencje swych błędów, jest w istocie aktem miłości. Postępując w ten sposób, macie na względzie dobro syna lub córki, co jest istotą miłości. Chodzi tu jednak również o zaspokojenie potrzeby miłości w życiu nastolatka. W takiej chwili koncepcja pięciu języków miłości jest bardzo ważna. Jeśli znacie podstawowy język miłości syna lub córki, powinniście posłużyć się nim, aby okazać mu lub jej jak najwięcej uczucia, nie zapominając przy tym o komunikowaniu miłości w czterech pozostałych językach.

Złamanie zasad moralnych wywołuje poczucie winy, które odsuwa nastolatka od rodziców. Podobnie jak Adam i Ewa próbowali ukryć się przed Bogiem po tym, jak zgrzeszyli, tak i nastoletni syn lub córka może próbować ukryć się przed wami, obawiając się potępienia. Sposób, w jaki Bóg potraktował Adama i Ewę, jest dobrym przykładem dla rodziców. Po pierwsze pozwolił, aby ponieśli konsekwencje swojego postępowania, ale jednocześnie wręczył im pewien dar. Próbowali ukryć swoją nagość za liśćmi drzewa figowego, a Bóg dał im skóry jako okrycie. Mądrzy rodzice okazują miłość swemu nastolatkowi bez względu na to, jaki błąd popełnił.

Rodzice opisani na początku rozdziału opowiedzieli mi później, że gdy syn przyjechał do domu, powitali go serdecznie. Ze łzami w oczach objęli go i powiedzieli: „Kochamy cię". Potem usiedli razem i wysłuchali tego, co syn miał do powiedzenia, oraz jego prośby o przebaczenie. Bezwarunkowa miłość tworzy atmosferę sprzyjającą dialogowi. Nastolatek potrzebuje wiedzieć, że bez względu na to, co zrobi, ktoś nadal będzie w niego wierzył, uważał go za wartościowego człowieka i będzie gotowy mu przebaczyć. Kiedy nastolatek czuje się kochany przez rodziców, łatwiej mu zmierzyć się ze swoją porażką, ponieść jej konsekwencje i wynieść z tego doświadczenia pożytek.

5. Wysłuchajcie nastolatka z empatią

Wspomnieliśmy już, że taka sytuacja to nie jest czas na wygłaszanie kazań. Należy raczej z empatią słuchać. Empatia oznacza wejście w świat emocji drugiego człowieka. Rodzice powinni postawić się na miejscu nastolatka i spróbować zrozumieć, co doprowadziło do popełnienia błędu oraz co obecnie czuje syn lub córka. Jeśli nastolatek zauważy, że rodzice próbują zrozumieć jego emocje, będzie chętnie kontynuował rozmowę. I odwrotnie, kiedy nastolatek nabierze przekonania, że rodzice go potępiają, rozmowa będzie krótka, a młody człowiek poczuje się niekochany i odrzucony.

Słuchanie z empatią przynosi jeszcze większy efekt, gdy zostanie uzupełnione odpowiednimi pytaniami: Czy dobrze rozumiem, że tak się teraz czujesz? Czy chcesz powiedzieć, że według ciebie nadal nie rozumiemy całej sytuacji? Czy to właśnie próbujesz nam zakomunikować? Pytania odzwierciedlające dają nastolatkowi możliwość wyjaśnienia jego poglądu na daną sprawę i jego emocji z nią związanych. Słuchanie z empatią odpowiedzi na takie pytania otwiera drzwi do zrozumienia, które daje podstawę do udzielenia nastolatkowi realnej pomocy.

6. Okażcie wsparcie

Gdy wysłuchacie nastolatka i zrozumiecie jego myśli i uczucia, powinniście również okazać mu wsparcie. Zakomunikujcie, że chociaż nie pochwalacie tego, co zrobił, i nie zamierzacie chronić go przed konsekwencjami jego błędnych decyzji, zależy wam, aby miał świadomość, że jesteście przy nim i będziecie stali po jego stronie przez cały czas, gdy będzie zmagał się ze swoją porażką i jej następstwami.

Kiedy rodzice wysłuchali opowieści Daniela i wyrazili swój żal, ojciec powiedział do syna: „Chcę, żebyś wiedział, że mama i ja jesteśmy z tobą. Nie pochwalamy tego, co się stało. Nie wiemy teraz, jakie będą tego konsekwencje, ale będziemy się starali wspierać cię przez cały czas. Mamy nadzieję, że zachowasz się odpowiedzialnie wobec tej dziewczyny i dziecka, a my postaramy się zrobić, co będzie tylko możliwe, aby ci w tym pomóc. Nie znaczy to jednak, że będziemy dawać ci pieniądze. Uważamy, że to twoim obowiązkiem jest zatroszczyć się o sprawy finansowe. Jednak będziemy cię zachęcać, modlić się za ciebie i udzielać ci wsparcia we wszystkim".

Takie słowa wyrażają wsparcie emocjonalne. Nastolatek potrzebuje wiedzieć, że chociaż was zawiódł, nie zostawicie go samemu sobie, i że jest ktoś, kto troszczy się o niego na tyle, aby towarzyszyć mu w jego bólu i problemach.

7. Udzielcie pomocnych wskazówek

Wskażcie nastolatkowi drogę wyjścia. Mówiąc o wskazówkach, nie mam na myśli manipulacji. Rodzice, którzy mają skłonność do kontrolowania, często próbują osądzać zachowanie nastolatka, gdy ten zawiedzie ich zaufanie. Kiedy rodzice sami zdecydują, jak należy postąpić, a potem próbują nakłonić nastolatka do zastosowania ich rady, nie jest to udzielanie wskazówek, lecz manipulacja. To pierwsze polega bowiem na pomaganiu nastolatkowi w analizie sytuacji i dokonaniu najlepszych wyborów w obliczu konsekwencji, jakie będzie musiał ponieść.

Rodzice muszą poważnie traktować uczucia, myśli i pragnienia nastoletniego syna lub córki. Nie mogą ich lekceważyć. Fakt, iż nastolatek popełnił błąd i złamał zasady moralne, nie oznacza, że rodzice powinni podejmować za niego decyzje. Nastolatek nie może nauczyć się odpowiedzialności, jeśli nie będzie samodzielnie rozwiązywać swoich problemów i decydować, jak należy postąpić w danych okolicznościach.

Jednym ze sposobów udzielenia wskazówek nastolatkowi jest pomoc w omówieniu logicznych konsekwencji kroków, jakie zamierza podjąć. Na przykład Daniel powiedział: „Myślałem o tym, żeby wyjechać do innego miasta i tam spróbować ułożyć sobie życie na nowo". Matka była na tyle opanowana, aby nie powiedzieć głośno tego, co pomyślała: „To głupi pomysł. Niczego nie rozwiąże". Zamiast tego zapytała: „Gdybyś nawet miał wystarczająco dużo pieniędzy, żeby przeprowadzić się do innego miasta, czy znalazłbyś tam pracę?". Kiedy syn przedstawił kilka możliwości znalezienia pracy, zadała mu kolejne pytanie: „Czy zamierzasz wysyłać pieniądze na utrzymanie dziecka?". „Oczywiście – odpowiedział – zawsze zamierzam się z tego wywiązywać".

Wtedy ojciec zasugerował: „Może powinieneś zadzwonić do naszych znajomych, którzy tam mieszkają, i dowiedzieć się, ile kosztuje u nich wynajęcie mieszkania". W ten sposób rodzice pomagali synowi rozważyć wszystkie konsekwencje decyzji przeprowadzenia się do innego miasta.

Rodzice, którzy nauczą się udzielania takich wskazówek, zachowają pozytywny wpływ na decyzje, jakie podejmie syn lub córka. Jeśli natomiast od razu wyrażą swoje zdanie i ostro skrytykują pomysły nastolatka, tracą możliwość porozumienia się z nim i spowodują, że będzie szukać pomocy u innych. Nastolatek może nawet podjąć nierozsądną decyzję tylko dlatego, aby przeciwstawić się wszechwiedzącym rodzicom.

Wielu rodzicom trudno będzie udzielać wskazówek, jakie podaliśmy. O wiele łatwiej jest nam mówić nastolatkom, co myślimy, i w nieznoszący sprzeciwu sposób dowodzić absurdalności ich pomysłów. Jednakże takie podejście nie pomoże nastolatkowi nauczyć się podejmowania przemyślanych decyzji. Młody człowiek nie potrzebuje rozporządzeń, ale pomocnych wskazówek.

Innym sposobem udzielenia wskazówek jest przedstawienie swojego zdania jako jednej z możliwości. Słowa: „Jednym z możliwych rozwiązań byłoby..." brzmią o wiele lepiej niż: „Myślę, że musisz zrobić to i to". Pamiętajcie, że pomimo popełnionych błędów nastolatek nadal chce rozwijać swoją niezależność i tożsamość. Rodzice, którzy pragną pomóc nastolatkowi wyciągnąć wnioski z zaistniałej porażki, nie mogą zapominać o tej ważnej cesze okresu dojrzewania. Możliwe, że dostrzegacie coś, co umyka uwadze waszego syna lub córki. Mogą oni wiele skorzystać dzięki waszym sugestiom, o ile przedstawicie je jako możliwości, a nie jedynie słuszne rozwiązania.

Jeśli wydaje się wam to zbyt trudne, spróbujcie zapisać na kartce swoje pomysły w formie, w jakiej je zazwyczaj wyrażacie. Potem przeczytajcie je na głos i zmieńcie tak, aby sugerowały możliwe rozwiązanie, zamiast nakazywać nastolatkowi, co dokładnie ma zrobić. Na przykład ojciec Daniela w pierwszej chwili pomyślał: „Powinieneś przerwać studia na rok i znaleźć pracę, aby oszczędzić trochę pieniędzy na wydatki związane z narodzinami dziecka. Jeżeli sam będziesz chciał skorzystać z pomocy psychologa, możemy ci w tym pomóc. W przyszłym roku możesz wrócić na studia, najlepiej w trybie zaocznym lub wieczorowym. Jeśli matka zdecydowałaby się oddać dziecko do adopcji, nie musiałbyś łożyć na jego utrzymanie". Przez cały czas zastanawiał się, co ma powiedzieć synowi. Zazwyczaj wyrażał swoje myśli tak właśnie: jasno mówiąc synowi, jak dokładnie powinien postąpić. Jednak teraz oznaczałoby to wzięcie na swoje barki zbyt dużej odpowiedzialności.

Lecz jeśli ojciec Daniela spróbuje przedstawić swoje przemyślenia jako możliwości, a nie jako jedynie słuszne rozwiązanie, rozmowa potoczy się w lepszej atmosferze. Może powiedzieć do syna: „Jedną z możliwości jest przerwanie studiów na rok i znalezienie pracy, abyś mógł zarobić na koszty związane z dzieckiem. Może byłoby dobrze, gdybyś także skorzystał z pomocy psychologa. Jeśli chcesz, zapłacimy za to. W przyszłym roku okaże się, czy matka dziecka odda je do adopcji. Jeśli tak, twoja sytuacja może się diametralnie zmienić. Oczywiście, są także inne możliwości. Pomyśl o tym i, jeśli zechcesz, wrócimy do tej rozmowy".

Jeśli chodzi o same słowa, obie wypowiedzi niewiele się różnią. Lecz gdy weźmiemy pod uwagę ich wpływ na osobisty rozwój i odpowiedzialność młodego człowieka, druga wypowiedź wyprzedza pierwszą o lata świetlne. Ojciec o wiele silniej wpłynie na syna, jeśli skorzysta z drugiego rozwiązania. Udzielanie wskazówek, choć trudniejsze niż wydawanie rozporządzeń, jest o wiele skuteczniejszym sposobem pomagania nastolatkowi w nauce podejmowania odpowiedzialnych decyzji.

Jeżeli uświadomicie sobie, że mimo przeprowadzenia wielu rozmów nastolatek nadal zamierza podjąć decyzję, którą uważacie za szkodliwą i która jedynie pogorszy sytuację, możecie nadal udzielać mu wskazówek, pod warunkiem jednak, że będą miały formę rad, a nie nakazów. Ważne jest, aby uszanować niezawisłość nastolatka i pamiętać, że kiedyś i tak będzie sam decydował.

W takiej sytuacji rodzic może powiedzieć: „Synu, chcę, aby to była twoja decyzja, ponieważ to ty będziesz ponosił jej konsekwencje. Ale chciałbym podzielić się z tobą pewnymi obawami dotyczącymi tego, co może się stać, jeśli zdecydujesz się postąpić tak, jak planujesz". Po przedstawieniu swoich wątpliwości może dodać: „Z tego powodu uważam, że może byłoby lepiej rozwiązać to inaczej", a następnie zaprezentować swoją wersję. W ten sposób rodzice nie zdejmują z nastolatka odpowiedzialności za podejmowanie decyzji ani nie domagają się, aby postąpił, jak sobie życzą, ale mówią mu o swoich przemyśleniach i odczuciach w sposób, który być może będzie skłonny przyjąć.

Jeśli mimo to nastolatek podejmie decyzję, którą uważacie za nierozsądną, powinniście pozwolić mu ponieść jej konsekwencje. Jeśli skutki okażą się negatywne i nastolatek znowu zawiedzie wasze zaufanie i złamie zasady moralne, powtórzcie proces opisany powyżej, pamiętając, że nie możecie kontrolować życia syna lub córki. Bycie odpowiedzialnym rodzicem polega na pomaganiu nastolatkowi w uczeniu się na własnych błędach.

Życiowe porażki z powodu alkoholu i narkotyków

Ponieważ nadużywanie alkoholu i narkotyków jest obecnie jednym z głównych problemów społecznych, chciałbym podzielić się kilkoma uwagami na temat tego, jak pomagać nastolatkom, którzy zawiedli siebie i rodziców w tej dziedzinie. Na początek kilka słów o zapobieganiu takim sytuacjom. Najlepiej jeśli rodzice podejmują działania, zanim dziecko stanie się nastolatkiem lub we wczesnym okresie dorastania, i ustanowią, zgodnie z tym, co napisaliśmy w rozdziale dwunastym, odpowiednie zasady dotyczące nikotyny, alkoholu i narkotyków. Należy również pamiętać, że jeśli nastolatek dokona niewłaściwego wyboru, powinien ponieść wszystkie tego konsekwencje.

W czasie obrad rodziny rodzice wytłumaczyli trzynastoletniemu synowi, że zdają sobie sprawę, iż rówieśnicy mogą namawiać go, aby sięgnął po papierosy, alkohol lub narkotyki: „Ponieważ jesteś już nastolatkiem, uważamy, że nadszedł czas, abyś się dowiedział jak najwięcej o tych sprawach. W ośrodku zdrowia odbywają się wykłady o szkodliwości palenia i postanowiliśmy, że wybierzemy się na taki wykład całą rodziną. Mama i ja chcemy, abyś poznał fakty na ten temat, zanim przyjaciele spróbują namówić cię na palenie".

Większość nastolatków przystanie na taką propozycję, a gdy zobaczą zdjęcia płuc zniszczonych przez nikotynę, jest mniej prawdopodobne, że zaczną palić. Mądrzy rodzice postąpią podobnie, jeżeli chodzi o alkohol i narkotyki, biorąc udział w wykładach na ten temat lub czytając z nastolatkiem książki i broszury opisujące skutki sięgania po alkohol i narkotyki, a potem rozmawiając na ten temat. Udostępniając nastolatkowi informacje o szkodliwości alkoholu i narkotyków, udostępniacie mu wiedzę, która może pomóc podjąć mądre decyzje, gdy rówieśnicy zaczną wywierać presję, aby sięgnął po butelkę lub strzykawkę.

Po zapoznaniu nastolatka z podstawowymi informacjami na ten temat, możecie wycinać z gazet artykuły o młodych ludziach, którzy zginęli, prowadząc samochód pod wpływem alkoholu. Możecie nagrać program ze schroniska dla bezdomnych, aby syn lub córka mogli zobaczyć, jak alkohol i narkotyki niszczą życie człowieka. W ten sposób przedstawiacie nastolatkowi obraz drugiej strony alkoholu i narkotyków, o którym nigdy nie dowiedzą się od kolegów ani dealerów.

Możecie również porozmawiać o tym, jak media próbują manipulować młodymi ludźmi, pokazując im tylko jasną stronę sięgania po alkohol lub papierosy. Jeśli wasz syn lub córka uświadomi sobie, że reklamodawcy próbują wykorzystać młodych ludzi dla własnych korzyści, prawdopodobnie zareaguje negatywnie na fałszywy obraz prezentowany w mediach i oprze się presji rówieśników. Takie pozytywne podejście jest, moim zdaniem, jedną z najlepszych rzeczy, jaką rodzice mogą zrobić dla nastolatków.

Lecz jeśli nie odbyliście takiej rozmowy, gdy wasz syn lub córka mieli trzynaście lat, i odkryliście, że wasz piętnastolatek zaczął palić – zamiast zignorować to w nadziei, że kiedyś sam z tym skończy, albo przeszukiwać jego rzeczy i wyrzucać znalezione papierosy – o wiele lepiej jest skonfrontować nastolatka z tym, czego się dowiedzieliście, i powiedzieć: „Dobrze wiesz, że nie chcemy, abyś palił. Są tego ważne powody – palenie jest bardzo szkodliwe dla zdrowia. Jednak zdajemy sobie sprawę, że nie możemy podjąć tej decyzji za ciebie. Możemy dopilnować, że nie będziesz palił papierosów w domu, ale nie jesteśmy w stanie kontrolować twojego zachowania poza nim. Jeśli zdecydujesz się palić, chcemy, abyś wiedział, co robisz. Dlatego wysłuchaj z nami w ośrodku zdrowia wykładu, z którego dowiesz się, co nikotyna powoduje w organizmie palacza. Nie możemy cię do tego zmusić, ale ponieważ zależy nam na tobie, prosimy, abyś poszedł tam z nami". Jeśli nastolatek wysłucha takiego wykładu, będzie mógł podjąć decyzję, oceniwszy fakty. Większość nastolatków decyduje się rzucić palenie, kiedy je poznają.

Natomiast gdy nastolatek odmówi pójścia na wykład, rodzice mogą zrobić dwie rzeczy. Po pierwsze, upewnić się, że nastolatek nie będzie palił w domu. Dobrze jest uświadomić mu, jak groźne jest tzw. bierne palenie dla innych członków rodziny. Po drugie, dopóki nastolatek nie zgodzi się wysłuchać wykładu, rodzice mogą wywierać na niego nacisk, odbierając kieszonkowe i inne przywileje. Pamiętajcie, że nie należy zmuszać nastolatka do niczego, ale w ten sposób pokazujecie mu, że niezależność i przywileje są nierozerwalnie związane z odpowiedzialnością. Dopóki nie weźmiesz udziału w wykładzie, nie możesz cieszyć się przywilejem, jakim jest otrzymywanie kieszonkowego.

Jak postąpić, jeśli problemem nie są papierosy, ale alkohol lub narkotyki? Picie alkoholu i zażywanie narkotyków nie tylko rujnuje zdrowie i ostatecznie przerywa życie tego, kto po nie sięga, ale krzywdzi również tych, którzy są wokół. Jeśli wasz nastolatek jest uzależniony od jakiejkolwiek substancji, potrzebujecie profesjonalnej pomocy. Sugerowałbym podjęcie dwóch kroków. Po pierwsze, znajdźcie Al-Anon i zacznijcie chodzić na spotkania. Al-Anon to grupa przeznaczona dla osób, których członkowie rodziny są uzależnieni od alkoholu lub narkotyków. Po drugie, skorzystajcie z pomocy doradcy lub psychologa. Znajdźcie doradcę, który ma doświadczenie w pracy z rodzicami i potrafi pomóc im podjąć właściwe decyzje w postępowaniu z uzależnionym nastolatkiem. To jest problem, którego rodzice nie rozwiążą samodzielnie. Potrzebują pomocy i rady osób, które mają doświadczenie w pracy z młodymi ludźmi uzależnionymi od alkoholu lub narkotyków. Istnieją również specjalne programy, z których rodzice mogą skorzystać, ale mimo to potrzebują pomocy specjalisty, aby podejmować mądre decyzje. Jeśli rodzice uzależnionego nastolatka sami nie uzyskają pomocy, będzie im bardzo trudno zrobić cokolwiek, aby pomóc synowi lub córce.

Moc miłości

Wielu rodziców mogłoby utożsamić się ze słowami rodziców Daniela: „Najgorsze dni w naszym życiu były jednocześnie początkiem budowania głębszej i bardziej wartościowej więzi z nastoletnim synem". Miłość jest kluczem do przejścia od tragedii do zwycięstwa. Rodzice, którzy kochają na tyle mocno, aby nie obwiniać się za błędy nastolatka, nie wygłaszać mu kazań i nie próbować niczego naprawiać, którzy są gotowi wysłuchać go z empatią, okazać wsparcie i udzielić pomocnych wskazówek – czyniąc to wszystko w atmosferze bezwarunkowej miłości – prawdopodobnie będą świadkami, jak ich nastolatek, ponosząc konsekwencje młodzieńczych błędów, czyni olbrzymi krok na drodze ku dojrzałości.

Chciałem w tym rozdziale uświadomić, że nastolatek, który popełnił omyłkę, nie potrzebuje rodziców, którzy będą szli za nim, popychając go i potępiając ustawicznie za to, co zrobił. Nie potrzebuje również rodziców, którzy podążają przodem, ciągnąc go za sobą i próbując zmusić, aby podporządkował się ich ambicjom. Młody człowiek, który popełnił w życiu poważny błąd, potrzebuje rodziców, którzy będą szli obok niego, okazując mu uczucie w jego podstawowym języku miłości, pragnąc wspólnie uczyć się dokonywania odpowiedzialnych wyborów i unikania podobnych błędów w przyszłości. Rodzice, którzy tak postępują, z pewnością będą jeszcze mieli powody do radości. John Rosemond miał rację: „Wychowanie dzieci polega na tym, aby postępować *właściwie,* kiedy dziecko zachowuje się *źle*".

Przypisy

1. John Rosemond, *Teen-Proofing: A Revolutionary Approach to Fostering Responsible Decision Making in Your Teenager,* Andrews McNeal Publishing, Kansas City 1998, s. 170.

Rozdział czternasty

Języki miłości i samotne wychowywanie dzieci

Życie Amandy nie jest łatwe. Dawno już zapomniała, kiedy wydawało się jej, że życie w ogóle może być łatwe. Amanda wychowuje samotnie dwójkę nastolatków, piętnastoletniego Marca i trzynastoletnią Julię. Jest samotną matką od pięciu lat, kiedy jej mąż i ojciec dzieci odszedł z domu.

Amanda, mimo iż bardzo ciężko przeżyła rozwód i zmagała się z poczuciem odrzucenia, dość szybko ułożyła sobie życie na nowo. Dzięki pomocy rodziców ukończyła kurs pielęgniarski i otrzymała pracę w miejscowym szpitalu. Dzięki temu, że udało się jej znaleźć zajęcie, poradziła sobie z utrzymaniem domu, choć były mąż płacił bardzo niskie alimenty i w dodatku robił to nieregularnie.

Pomimo tego wszystkiego, co zdołała osiągnąć, Amanda żyje w głębokim poczuciu winy. Praca w szpitalu nie pozwala jej poświęcać dzieciom tyle czasu, ile by chciała. Wielokrotnie

nie mogła uczestniczyć w wydarzeniach, które były ważne dla syna i córki. Julia miała osiem lat, kiedy ojciec odszedł z domu; teraz jest już nastolatką, a Amanda nadal nie może spędzać z nią i jej bratem wystarczająco wiele czasu. Czuje, że Marc i Julia dojrzewają, zmieniają się, a ona nie jest pewna, czy zdołała przygotować ich na to, co przyniesie przyszłość. Jednego dnia myśli: *Zrobiłam tyle, ile mogłam*, następnego mówi sobie: *Nie wiem, czy to wystarczy*. Ostatnio Marc zaczął krytykować swoją mamę. Julia chce umawiać się na randki, pomimo że matka uważa, że jest jeszcze za młoda.

Siedząc w moim gabinecie, Amanda powiedziała: „Nie jestem pewna, czy potrafię sobie z tym poradzić. Myślę, że dotychczas szło mi dość dobrze, ale nie mam pojęcia, jak żyć z dwoma nastolatkami w jednym domu".

Amanda powtarzała to samo, co przez lata słyszałem z ust setek samotnych rodziców: „Czy ktoś może mi pomóc? Nie wiem, czy sam sobie z tym poradzę".

Na szczęście samotni rodzice mogą otrzymać taką pomoc. W wielu miejscach funkcjonują grupy wsparcia dla samotnych rodziców, organizowane przy kościołach lub organizacjach społecznych. Na półkach bibliotek znajduje się wiele książek poświęconych samotnemu wychowywaniu dzieci. Niektóre organizacje prowadzą serwisy internetowe, gdzie umieszczają pomocne informacje dla samotnych rodziców. Nie widzę potrzeby, aby powtarzać dane i rady w tym rozdziale, dlatego skupię się na tym, jak samotni rodzice mogą efektywnie zaspokajać potrzebę miłości nastoletniego syna lub córki.

Najczęstsze wyzwania

Miłość od jednego tylko rodzica

Sytuacja każdego samotnego rodzica jest odmienna. Istnieją jednak pewne wspólne cechy, które charakteryzują takie domy i sprawiają, że o wiele trudniejsze jest wychowywanie dzieci samotnie niż w pełnej rodzinie. Najbardziej oczywisty fakt to ten, iż tylko jedno z rodziców sprawuje opiekę nad dziećmi. Kiedy dzieci są małe, niekiedy możliwa jest wspólna opieka, kiedy to – przynajmniej w teorii – dziecko spędza tyle samo czasu z każdym z rodziców. W przypadku nastolatków jest to praktycznie niemożliwe. Nastolatki najczęściej mieszkają z matką, natomiast z ojcem spotykają się mniej lub bardziej regularnie poza domem. W niektórych przypadkach młodzi ludzie praktycznie nie mają żadnego kontaktu z biologicznym ojcem. Zatem w codziennym życiu, kiedy nastolatek najbardziej potrzebuje, aby okazywano mu miłość, jest tylko jeden rodzic, który może to robić. W idealnej sytuacji nastolatek mieszka z matką i ojcem i każde z nich codziennie okazuje mu wiele miłości. Lecz w przypadku samotnego wychowywania dzieci jest to po prostu niemożliwe. Drugie z rodziców (najczęściej ojciec) niemal zawsze nie ma możliwości codziennego kontaktowania się z nastolatkiem. To fakt, z którym samotny rodzic musi się pogodzić, a także powód, dla którego treść tej książki jest tak ważna dla osób samotnie wychowujących dzieci.

Jeśli jesteś jedynym rodzicem codziennie okazującym miłość nastolatkowi, bardzo ważne jest, abyś poznał jego podstawowy język miłości i posługiwał się nim jak najczęściej. W innym przypadku możesz okazywać nastolatkowi miłość poprzez praktyczną pomoc, podczas gdy on potrzebuje najbardziej afirmacji – pochwał i słów uznania. Pewna samotna matka powiedziała: „Nie mogę uwierzyć, że moja córka tak bardzo się zmieniła. Byłam na konferencji, podczas której mówiono o pięciu językach miłości i jak odkryć podstawowy język miłości nastolatka. Zrozumiałam, że językiem miłości mojej córki jest czas. Okazywałam jej wiele afirmacji i nie mogłam zrozumieć, dlaczego reagowała negatywnie. To zadziwiające, jak bardzo jej postawa się zmieniła, kiedy zaczęłam wspólnie spędzać z nią czas, a kiedy musiałam coś załatwić, zabierałam ją ze sobą i starałam się poświęcić jej maksimum uwagi. Po dwóch tygodniach była inną osobą, a w naszym domu zapanowała o wiele lepsza atmosfera".

Wybuchy emocji

Innym zjawiskiem zauważanym często w domach samotnych rodziców jest fakt, że emocje, które dziecko tłumiło w sobie, wybuchają ze zdwojoną siłą, gdy staje się nastolatkiem. Uczucia gniewu, zranienia, odrzucenia, których dziecko wcześniej praktycznie nie wyrażało, znajdują teraz odzwierciedlenie w niskiej samoocenie, poczuciu nieadekwatności, depresji, krytycyzmie lub agresywnym zachowaniu. Co ciekawe, emocje te i towarzyszące im zachowania bardzo rzadko pojawiają się w obecności rodzica niesprawującego stałej opieki nad nastolatkiem. Zapewne wynika to z faktu, iż nastolatek uważa, że jego rodzic i tak nie zrozumie sytuacji albo w ogóle nie jest nią zainteresowany; nastolatek może też nie chcieć zakłócić pozytywnej relacji z rzadko widywanym rodzicem. To rodzic, który mieszka z młodym człowiekiem, jest zmuszony znosić wybuchy tłumionych długo emocji nastoletniego syna lub córki.

Z tego powodu położenie rodzica sprawującego stałą opiekę nad nastolatkiem staje się jeszcze trudniejsze. Często czuje się on niedoceniany i odczuwa gniew wobec nastolatka. Rodzic, który wkłada wiele wysiłku w zapewnienie nastolatkowi właściwej opieki, zaczyna czuć się lekceważony i wykorzystywany przez syna lub córkę.

Pamiętaj, że nie jesteś jedyną osobą, która tego doświadcza. Prawie wszyscy samotni rodzice odczuwają podobne emocje, kiedy ich dzieci stają się nastolatkami. Nie zapominaj, że gwałtowne reakcje emocjonalne nastoletniego syna lub córki są wyrazem ich poszukiwań niezależności i własnej tożsamości. Nastolatek, rozwijając swoje zdolności intelektualne, system wartości, zasady moralne i wierzenia religijne, jest zmuszony zmagać się z różnymi przejawami życiowej niesprawiedliwości. Może to jednak być pozytywny proces. Jeśli nastolatek ma wkroczyć w dorosłość w miarę dojrzały, musi ujawnić i „przepracować" zranienia z przeszłości, co nierzadko okazuje się również bolesne dla nastolatka, jak dla jego rodziców.

Właściwe reakcje

Skup się na emocjach nastolatka

Ważne jest, aby rodzic sprawujący stałą opiekę nad dziećmi skupił się na emocjach nastolatka, a nie na jego zachowaniu. To dokładne przeciwieństwo tego, co zazwyczaj robimy. Oto jak pewna matka opisała swą frustrującą relację z piętnastoletnim synem: „Wydaje mi się, że on sobą gardzi. Bez względu na to, jak bardzo go chwalę, ciągle powtarza, że nic nie potrafi. Często chodzi przygnębiony. Próbuję być szczęśliwa i zadowolona. Chcę skupiać się na tym, co pozytywne w naszym życiu, ale on ciągle narzeka. Cokolwiek zrobię, jego to nie satysfakcjonuje".

Ta matka próbowała zmienić zachowanie syna i ignorowała jego uczucia. Powinna jednak uświadomić sobie, że za zachowaniem syna, które ma niewątpliwy związek z jego niską samooceną i depresją, kryją się silne emocje: gniew, zranienie i odrzucenie. To o tych emocjach powinna z nim rozmawiać. Jeśli nadal będzie skupiała się na tym, aby podnieść jego samoocenę i skłonić do okazywania większego optymizmu, nieustannie powtarzając, że jest inteligentnym i zdolnym nastolatkiem, niewiele osiągnie. Jeżeli natomiast zdoła stworzyć atmosferę, w której chłopak będzie mógł rozmawiać z nią o swoim dzieciństwie, a szczególnie o emocjach związanych z rozwodem, śmiercią lub odejściem ojca, wkrótce zacznie dostrzegać zmiany w tym, co chłopak o sobie myśli.

Nie twierdzę, że to jest łatwe. Jedna rozmowa niczego nie zmieni. Nastolatek może bardzo długo wyrażać swoje bolesne emocje, wspomnienia i rozczarowania, a jego rodzic powinien słuchać go uważnie i okazywać współczucie. Zanim emocje młodego człowieka zostaną uzdrowione, konieczne jest ujawnienie skrywanych zranień i mówienie o nich.

Inna matka przedstawiła odmienny problem: „Moja szesnastoletnia córka zmieniła się w kogoś całkiem innego. Niedawno obrzuciła mnie wyzwiskami. Nie mogłam uwierzyć własnym uszom. Kilka razy rzucała różnymi rzeczami, zazwyczaj w ścianę, ale zdarzyło się również, że w moim kierunku. To zupełnie do niej niepodobne". Gdy później rozmawiałem z córką tej kobiety, dowiedziałem się, że niedawno zaczęła umawiać się na randki. Perspektywa nawiązania romantycznej więzi z mężczyzną obudziła wszystkie uśpione emocje, jakie żywiła wobec ojca. Ponieważ ojciec odszedł, gdy była małą dziewczynką, obawiała się, że jej chłopak również ją porzuci. Gniew, który skrywała w sobie przez wiele lat, zaczął wydobywać się na powierzchnię. Była rozgniewana na matkę, którą do pewnego stopnia obwiniała o to, że doszło do rozwodu. Gniewała się na ojca za to, że porzucił rodzinę, a jeszcze bardziej za to, że prawie w ogóle nie interesował się nią. Jej agresywne zachowanie świadczyło w rzeczywistości o czymś pozytywnym, mianowicie, iż zaczyna „przepracowywać" zranienia, które dotychczas głęboko ukrywała.

Kiedy jej matka zrozumiała, co córka przeżywa, spróbowała rozmawiać z nią o jej bolesnych emocjach, zamiast potępiać za złe zachowanie. Gdy ból rozdzierający dziewczynę od wewnątrz ustąpi, jej postępowanie również się zmieni. Aby tak się stało, matka musi okazać córce wiele zrozumienia i współczucia.

Wysłuchaj nastolatka i powiedz mu prawdę

Pomagając nastolatkowi uporać się z bolesnymi wspomnieniami, rodzic sprawujący opiekę powinien nie tylko podjąć wysiłek uważnego wysłuchania nastolatka, ale również powiedzieć mu, co naprawdę się wydarzyło. Kiedy był małym dzieckiem, można mu było wytłumaczyć, dlaczego tata odszedł z domu, nie zagłębiając się w szczegóły. Teraz nastolatek chce wiedzieć, co się wtedy stało, i tym razem nie zadowolą go ogólnikowe wyjaśnienia, jak doszło do rozwodu i jak wcześniej układało się małżeństwo rodziców. Zapyta: „Jeśli tata był taki zły, dlaczego w ogóle wyszłaś za niego za mąż?". Jeśli jego mama nie żyje, nastolatek będzie chciał wiedzieć, jak przebiegała choroba albo jak doszło do tragicznego wypadku. W jego głowie będą rozbrzmiewały typowe w takiej sytuacji pytania: „Jaka była moja mama? Czy mnie kochała? Co mówiła o mnie?" – trudne, bolesne i dociekliwe, ale zasługujące na odpowiedź.

Cokolwiek odpowiesz, nie próbuj usprawiedliwiać swojego zachowania ani zachowania byłego współmałżonka. Powiedz prawdę. Jeśli nastolatek odkryje, że go okłamałeś, utraci dla ciebie wszelki szacunek. Gdy był małym dzieckiem, być może wydawało ci się, że nie jest w stanie wszystkiego zrozumieć, ale teraz jest nastolatkiem i musi poznać prawdę, aby uwolnić się od bolesnych emocji i wspomnień.

Matka pewnej czternastolatki powiedziała: „Najtrudniejszą rzeczą, jaką musiałam zrobić, było odpowiedzenie na pytania mojej córki. Wiem, że powinnam powiedzieć jej o tym wcześniej, ale zawsze wydawało mi się, że to jeszcze nie pora. W końcu musiałam zdecydować, czy powiem jej prawdę, czy skłamię. To była bardzo bolesna chwila. Powiedziałam jej, że nigdy nie byliśmy małżeństwem. Poznaliśmy się na plaży, mieliśmy stosunek, a potem nigdy już nie zobaczyłam jej ojca. Dotąd zawsze mówiłam, że jej tata odszedł od nas, gdy była jeszcze mała. Na początku córka wpadła w gniew. Stwierdziła, że mogłam powiedzieć o tym wcześniej, ale najbardziej zabolał mniejej wniosek: »Więc tak naprawdę nigdy mnie nie chciałaś. To był przypadek«.

Słuchałam tego, co mówiła w gniewie, i powtarzałam, że rozumiem, jak może się teraz czuć, ale mam nadzieję, że moje zachowanie od tej chwili dowiedzie jej, że kochałam ją od początku. Przez kilka następnych tygodni wiele ze sobą rozmawiałyśmy. Płakałyśmy i śmiałyśmy się razem. Nigdy przedtem nie wydawała mi się tak bliska i myślę, że ona również darzy mnie teraz bardziej dojrzałą miłością niż kiedykolwiek wcześniej. Zawsze wiedziałam, że kiedyś będę musiała powiedzieć jej prawdę, i miałam nadzieję, że nie zabraknie mi odwagi. Cieszę się, że to mam za sobą". Prawda boli, ale prawda również uzdrawia.

W takiej sytuacji bardzo pomocna jest znajomość podstawowego języka miłości nastolatka. Kiedy ma przekonanie, że jest kochany, o wiele łatwiej powiedzieć mu prawdę o przeszłości. Czuły dotyk, afirmujące słowa, prezent, praktyczna pomoc lub spędzenie razem czasu pomagają stworzyć atmosferę, w której może się rozpocząć bolesny proces leczenia zranień z przeszłości. Córka opisanej kobiety powiedziała mi później: „Przeszłam przez to tylko dzięki temu, że mama często mnie przytulała. Nigdy wcześniej nie czułam się tak zraniona, jak wtedy, gdy powiedziała mi prawdę. Chciałam uciec, krzyczeć na nią, a nawet się zabić. Ale kiedy mama mnie przytuliła, poczułam się, jakby otuliła mnie miękkim kocykiem miłości". Było oczywiste, że jej podstawowym językiem miłości jest dotyk i że przemawia on głęboko do jej zranionego serca. Matka okazywała córce miłość także w innych językach. Poświęcała jej wiele czasu i długo rozmawiały. Wielokrotnie okazywała jej afirmację. Obdarowywała ją prezentami i starała się pomagać w różnych rzeczach – i wszystko to odegrało ważną rolę w emocjonalnym uzdrowieniu córki. Ale tylko dotyk przemawiał do niej tak silnie, że porównała go do miękkiego kocyka miłości.

Uszanuj nierealistyczne pragnienia nastolatka
Należy wspomnieć o jeszcze jednym wyzwaniu, przed jakim staje osoba samotnie wychowująca dzieci. Nastolatek wycho-

wywany przez jednego tylko rodzica może mieć wiele nierealistycznych oczekiwań. Twój syn może powtarzać: „Chciałbym, żeby tata przychodził na moje mecze", chociaż oboje wiecie, że jego ojciec mieszka na drugim końcu kraju razem z drugą żoną i dwójką dzieci. To niemożliwe, aby przyjeżdżał na mecze syna z pierwszego małżeństwa. Twoja osiemnastoletnia córka może stwierdzić: „Mam nadzieję, że tata kupi mi teraz komputer", ale ty wiesz, że jej ojciec ma problemy finansowe i nie stać go na kupno komputera, nawet gdyby chciał to zrobić. Te nierealistyczne marzenia są tylko wytworem wyobraźni nastolatka, wyrazem podświadomego pragnienia, aby rodzina żyła razem w harmonii i dobrobycie.

Instynktowną reakcją wielu samotnych rodziców jest brutalne odzieranie nastolatka ze wszelkich złudzeń. Uważam, że to poważny błąd. O wiele lepiej jest uszanować jego pragnienia i pozwolić, aby powoli sam doszedł do wniosku, że są nierealistyczne. „Masz nadzieję, że tata kupi ci komputer... To byłby wspaniały prezent na osiemnaste urodziny. Nie miałabym nic przeciwko temu". „Chciałbyś, żeby tata przyjeżdżał na twoje mecze? Ja też bym tego chciała. To byłoby naprawdę miłe z jego strony". Jeśli będziesz reagować pozytywnie na nierealistyczne pragnienia nastoletniego syna lub córki, okażesz mu afirmację jako osobie. Jeśli uważasz, że musisz pozbawić go złudzeń i wyrażasz się negatywnie o byłym mężu, uczysz go jedynie, że powinien zachować swoje pragnienia dla siebie. Okazując akceptację dla pragnień nastolatka, zachęcasz go do otwartej komunikacji. Młodzi ludzie często dobrze wiedzą, że ich marzenia nie mają szans na spełnienie, ale potrzebują ich, aby lepiej radzić sobie z rzeczywistością, która tak bardzo odbiega od ideału.

Jeśli utrzymujesz kontakt z byłym współmałżonkiem, możesz powiedzieć mu o pragnieniach waszego syna lub córki. Pamiętaj, że nie może to mieć formy żądania, lecz być jedynie rzeczową informacją. „Pomyślałam, że chciałbyś wiedzieć, że

Tom kilka razy wspomniał: »Chciałbym, aby tata przyjeżdżał na moje mecze«. Wiem, że to raczej niemożliwe, ale jeśli znajdziesz sposób, aby kiedyś to spełnić, będzie to dla niego bardzo ważne. Jeśli nie, może mógłbyś pytać, jak poszło mu na meczu, gdy dzwonisz do niego". Dla rodzica, który nie ma codziennego kontaktu z dziećmi, jest to cenna informacja. „Samantha kilka razy wspomniała, że może na osiemnaste urodziny kupisz jej komputer. Nie proszę cię, abyś to zrobił, ale pomyślałam, że chciałbyś wiedzieć, co mówi". Z drugiej strony, czasami lepiej jest, kiedy to nastolatek powie drugiemu rodzicowi, jakie ma pragnienia, szczególnie jeśli relacja między rodzicami nie jest dobra. Jeśli powiesz nastolatkowi: „Może powinieneś powiedzieć o tym swemu tacie", być może udzielisz mu wsparcia, którego potrzebuje.

Niektórym rodzicom, szczególnie tym, którzy są z natury pesymistami, może być bardzo trudno zastosować się do mojej sugestii. Zwracają większą uwagę na to, co negatywne, a ich pesymizm często udziela się nastolatkowi. Jeśli ty również masz taką osobowość, zachęcam cię, abyś zwrócił/ła się o pomoc do doradcy i spróbował/ła nabrać bardziej pozytywnego nastawienia do życia. Marzenia, nawet te nierealne, sprawiają, że w obliczu trudności wszystko wydaje się łatwiejsze, poza tym czasami dzieją się naprawdę zaskakujące rzeczy. Nawet w Piśmie Świętym czytamy o podobnym problemie: „Gdy nie ma widzenia, naród się psuje"[1].

Jeśli pragnienia twojego nastoletniego syna lub córki są nierealistyczne, z czasem oni również to zrozumieją. Ale kiedy nastolatek wyraża swoje pragnienia, których jego rodzic nie mógłby inaczej poznać, niejednokrotnie są one zgodne z podstawowym językiem miłości młodego człowieka. Możliwe, że językiem miłości nastolatka, który pragnie, aby tata przyjeżdżał na jego mecze, jest poświęcanie czasu, a w przypadku córki, która ma nadzieję dostać komputer, językiem miłości są prezenty. Oczywiście, nastolatki mogą mieć pragnienia wykraczające poza ich podstawowy język miłości, lecz jeśli zwrócisz uwagę, czego one najczęściej dotyczą, okaże się, że większość pragnień wyrażanych przez nastolatka jest zgodna z jego językiem miłości.

Słowo do rodziców niesprawujących opieki

Chciałbym skierować kilka słów do rodziców, którzy nie sprawują opieki nad dziećmi. Mam nadzieję, że nie uważacie, iż potraktowałem was niesprawiedliwie w pierwszej części rozdziału. W rzeczywistości możecie odgrywać bardzo ważną rolę w życiu nastoletniego syna lub córki. Nastolatek potrzebuje was. Wielu rodziców, którzy nie mają codziennego kontaktu z nastoletnim synem czy córką, przyznaje, że potrzebują pomocy, aby dowiedzieć się, jak mają je wychowywać. Niektórzy regularnie spotykają się z nastoletnim synem lub córką – co drugi weekend albo raz w miesiącu. Inni, mieszkając daleko, mogą spotykać się z nastolatkiem tylko sporadycznie, dopełniając kontakt rozmowami telefonicznymi i e-mailami. Co możesz zrobić, aby najlepiej wykorzystać środki, którymi dysponujesz? Przedstawię kilka najczęstszych pułapek, czyhających na takich rodziców, a potem omówię niektóre pozytywne rozwiązania.

Unikaj pułapek
Jedną z najczęstszych pułapek jest tzw. syndrom taty z Disneylandu. Rodzic, który stał się ofiarą tego syndromu, wypełnia cały swój czas z nastolatkiem różnymi atrakcjami: chodzą do kina, na mecze lub na zakupy. Jego uwaga jest skupiona na tym, co robią, zamiast na nastolatku jako osobie. Ponieważ tacy rodzice mają ograniczony kontakt z synem lub córką, często starannie planują każde spotkanie, aby było jak najbardziej atrakcyjne. Pod koniec dnia oboje są krańcowo wyczerpani. Nie zrozumcie mnie źle. Nie ma nic złego w robieniu czegoś atrakcyjnego z nastolatkiem i większość młodych

ludzi lubi to. Ale życie to nie tylko rozrywki. Twój nastolatek powinien poznać także twoje zwykłe życie. Ponieważ nie masz z nim codziennego kontaktu, możliwe, że niewiele wiesz o tym, co naprawdę dzieje się w sercu i umyśle twojego syna lub córki. To wymaga otwartego dialogu w luźnej atmosferze. Dopóki nie poznasz potrzeb emocjonalnych twego nastolatka, nie będziesz mógł ich zaspokoić.

Niejednokrotnie ojcowie i ich nastoletnie dzieci postrzegają wspólne spotkania w zupełnie odmienny sposób. Badania pokazują, że ojcowie często uważają, iż wywiązują się odpowiednio ze swoich obowiązków, podczas gdy nastolatek jest przekonany, że czegoś w nich brakuje. Ojciec myśli, że okazał synowi lub córce wiele miłości, lecz nastolatek czuje się odrzucony. Pewne badania wykazały, że chociaż większość ojców uważa, że zrobili wszystko, czego się od nich oczekuje, blisko trzy czwarte nastolatków ma wrażenie, że niewiele znaczą dla swojego taty. „Twierdzili, że w czasie spotkań ojcowie są obecni fizycznie, ale nie emocjonalnie"[2]. Wydaje się oczywiste, że syndrom taty z Disneylandu nie jest najlepszą strategią w kontaktach z nastolatkiem, z którym nie masz codziennego kontaktu.

Inną pułapką jest wykorzystywanie nastolatka do własnych celów. Pewna piętnastolatka opowiedziała mi, że gdy kiedyś przyjechała do taty, aby spędzić z nim weekend, on oznajmił, że ma do załatwienia ważną sprawę, i poprosił, aby zaopiekowała się dwójką przybranego rodzeństwa, dopóki on i jego żona nie wrócą do domu. Wrócili dopiero po północy. Z oczywistych względów nastolatka nie była zadowolona z tej wizyty. Kiedy przyszła pora kolejnych odwiedzin u ojca, nie chciała do niego pojechać.

Nie twierdzę, że nie należy prosić nastolatka o zrobienie czegokolwiek podczas wizyty. W rzeczywistości włączenie go w normalny bieg twojego życia może być bardzo pozytywnym doświadczeniem. Proste czynności, jak wspólne zakupy lub opłacenie rachunku na poczcie, mogą mieć duże znaczenie dla twego syna lub córki. Ale nastolatek wyczuje, kiedy zaczynasz go wykorzystywać albo kiedy jesteś bardziej skoncentrowany na sobie niż na nim, i szybko będzie urażony takim zachowaniem.

Trzecią pułapką jest przekonanie, że skoro nastolatek nie mówi o swoich problemach, to widocznie ich nie ma. Nastolatki zazwyczaj niechętnie mówią drugiemu rodzicowi o swoich problemach emocjonalnych. Wynika to z wielu przyczyn. Niektórzy młodzi ludzie obawiają się, że jeśli będą szczerze mówić o swoich uczuciach, zostaną odrzuceni i pozbawieni nawet dotychczasowych spotkań. Inni, którzy pamiętają wybuchy gniewu ojca, gdy jeszcze mieszkał z nimi w domu, boją się, że gdy wyjawią, co naprawdę myślą i czują, tylko go zdenerwują. Jeszcze inni wolą zachować milczenie, aby nie psuć atmosfery. Uważają, że lepiej zadowolić się powierzchowną, ale pokojową relacją, niż wdawać w żale i wszystko popsuć. Podsumowując – milczenie nie świadczy o tym, że jest dobrze.

Większość nastolatków, których rodzice nie żyją z sobą, skrywa wiele trudnych emocji i przemyśleń, jakie opisałem na początku rozdziału. Potrzebują bardzo podzielenia się z tobą swoimi myślami i problemami. Mądry rodzic zadba o stworzenie atmosfery, w której nastolatek będzie mógł to zrobić, nie obawiając się, że zostanie skrytykowany lub odrzucony. W większości przypadków to rodzic musi wykazać inicjatywę i powiedzieć na przykład: „Wiem, że nasz rozwód sprawił ci wiele problemów i cierpienia. Jeśli chciałbyś o tym porozmawiać, wiedz, że chętnie to uczynię. Mam też nadzieję, że jeśli powiem lub zrobię coś, co cię zrani i rozczaruje, powiesz mi o tym. Chcę być lepszym ojcem i jestem otwarty na twoje uwagi". Prawdopodobnie nastolatek nie odpowie od razu na taką propozycję, ale gdy przekona się o twojej szczerości, prędzej czy później usłyszysz o jego problemach.

Rozwiąż własne problemy

Jeśli nie sprawujesz opieki nad nastolatkiem i masz z nim sporadyczny kontakt, ponieważ sam masz poważne problemy – emocjonalne, finansowe lub będące rezultatem nałogu – zachęcam cię, abyś zrobił wszystko, by je rozwiązać. Po ponad trzydziestu latach udzielania porad małżeńskich i rodzinnych mogę cię zapewnić, że pewnego dnia będziesz żałował, iż nie byłeś bardziej zaangażowany w życie nastoletniego syna lub córki. Możesz tego uniknąć, stawiając czoło własnym problemom i zwracając się do kogoś o pomoc, której potrzebujesz.

Znajdź dobrego doradcę, duchownego lub zaufanego przyjaciela i powiedz mu szczerze o swoich trudnościach. Pozwól, aby ktoś pomógł ci znaleźć niezbędną pomoc w zmianie życia na lepsze. Kiedy podejmiesz takie kroki, nastolatek zacznie darzyć cię większym szacunkiem i będziesz o krok bliżej do nawiązania z nim bliskiej więzi.

Angażuj się w życie nastolatka i posługuj się jego językiem miłości

Jeśli utrzymujesz regularne kontakty z nastoletnim synem lub córką, zachęcam cię, abyś zrobił jak najlepszy użytek z waszych spotkań, rozmów telefonicznych, e-maili i listów. Informuj, co dzieje się w twoim życiu – dobrego i złego. Bądź otwarty i szczery. Nastolatki bardzo cenią autentyczność. Poświęć czas na zadawanie pytań i poznawanie myśli, uczuć i pragnień swojego dziecka. Nie musisz znać odpowiedzi na każdy problem. Nastolatek powinien uczyć się myśleć samodzielnie. Postaraj się jednak nawiązać z nim więź emocjonalną. Nie ograniczaj się do powierzchownych rozmów. Poproś byłego współmałżonka o sugestie, jak mógłbyś poprawić kontakt z nastoletnim synem lub córką.

Pamiętaj również, żeby w rozmowach z nastolatkiem nie krytykować rodzica, który sprawuje nad nim opiekę. Jeśli on sam chce powiedzieć coś krytycznego o mamie (lub tacie), wysłuchaj uważnie i zapytaj, czy możesz w jakiś sposób pomóc w tej sytuacji. Okaż zrozumienie dla jego krytycznych wypowiedzi, ale sam powstrzymaj się od osądu byłego współmałżonka.

Przede wszystkim jednak naucz się posługiwać pięcioma językami miłości. Odkryj podstawowy język miłości swego nastolatka i posługuj się nim jak najczęściej. Twoim największym wkładem w życie nastolatka może się okazać doprowadzenie do tego, że będzie czuł się kochany i będzie wiedział, że troszczysz się o niego. Nie zakładaj, że syn lub córka są pewni, że ich kochasz. Wielu rodziców wyraża uczucie we własnym języku miłości i zakłada, że ich nastolatek czuje się kochany. Tysiące nastolatków mogą potwierdzić, że tak nie jest. Niczym nie można zastąpić okazywania uczucia młodemu człowiekowi w jego podstawowym języku miłości.

Jakkolwiek wyglądała dotychczasowa twoja relacja z synem lub córką, nigdy nie jest za późno, aby ją zmienić na lepsze. Wyznanie przed nastolatkiem błędów z przeszłości i prośba o przebaczenie mogą okazać się pierwszym krokiem na długiej drodze do odnowienia bliskiej, satysfakcjonującej więzi. Może to być proces bolesny dla obu stron, ale zapewniam, że warto podjąć ten wysiłek.

Ważne wskazówki

Na zakończenie podam kilka ważnych wskazówek dotyczących okazywania miłości nastolatkom, wychowującym się w niepełnych rodzinach.

1. *Słuchaj nastolatka.* Nie można właściwie wychować nastolatka, nie słuchając, co on ma do powiedzenia. Rodzice, którzy ignorują to, co syn lub córka mówią do nich, niemal na pewno nie zdołają zaspokoić ich potrzeb emocjonalnych ani pomóc pokierować życiem we właściwy

sposób. Aby wywrzeć wpływ na życie nastolatka, trzeba zacząć od miejsca, w którym się aktualnie znajduje. Rodzice, który nie potrafią słuchać, nie będą w stanie zrobić nawet pierwszego kroku. Słuchając nastolatka, okazujesz mu swe uczucia w języku miłości, jakim jest czas; jeśli poświęcasz mu niepodzielną uwagę, komunikujesz w ten sposób, że jest wartościową osobą, którą chcesz poznać, i jesteś gotów poświęcić część swego życia, aby to osiągnąć.

2. *Naucz nastolatka wyrażać gniew w pozytywny sposób.* Może to oznaczać, że najpierw będziesz musiał zmienić własny sposób okazywania gniewu. Większość samotnych rodziców bardzo często odczuwa gniew. Niektórzy z nich nauczyli się wyrażać go w sposób konstruktywny, inni tłumią go w sobie, a jeszcze inni wybuchają, kierując raniące gesty i słowa do członków rodziny. Twój syn lub córka może odrzucać twoją pomoc, dopóki nie przekona się, że starasz się poradzić sobie z własnym gniewem. Jeśli twój nastolatek potrzebuje pomocy w tej ważnej dziedzinie kontaktów międzyludzkich, przeczytaj jeszcze raz rozdziały dziewiąty i dziesiąty, poświęcone miłości i gniewowi.

3. *Uprzejmie, ale stanowczo egzekwuj przestrzeganie ustalonych zasad.* Nastolatek potrzebuje poczucia bezpieczeństwa, jakie daje pewność, że rodzice zabronią mu robienia rzeczy, które uznają za niebezpieczne i szkodliwe dla jego życia i rozwoju. Najlepiej jeśli pomimo rozpadu związku uda wam się wspólnie porozmawiać o granicach dla waszego nastoletniego syna lub córki i ustalić takie same zasady i konsekwencje ich złamania. W ten sposób zakomunikujecie nastolatkowi, że oboje w równym stopniu troszczycie się o jego dobro.

4. *Przede wszystkim okazuj nastolatkowi bezwarunkową miłość.* Nastolatek potrzebuje mieć pewność, że ktoś się o niego troszczy, że będzie kochany i akceptowany bez względu na to, jak się zachowa i jakie decyzje podejmie. Najbardziej zależy mu na miłości rodziców. Jeśli oboje postanowicie dbać o to, aby zbiornik miłości waszego syna lub córki był zawsze pełny, stworzycie im najlepsze możliwe w takiej sytuacji warunki do rozwoju.

5. *Rozważ przyłączenie się do grupy wsparcia dla samotnych rodziców.* Takie grupy spotykają się często na terenie poradni, kościoła. Zazwyczaj działają na zasadzie wzajemnego wspierania się. Ktoś, kto wcześniej znalazł się w podobnej sytuacji, będzie mógł udzielić ci praktycznych wskazówek, a ty będziesz mogła doradzić komuś, kto dopiero niedawno został samotnym rodzicem. Takie grupy mogą być bardzo pomocne w trudnym zadaniu samotnego wychowania dzieci.

6. *Korzystaj z pomocy członków dalszej rodziny, przyjaciół i kościoła.* Jeśli w pobliżu mieszkają twoi krewni, którzy mogliby mieć pozytywny wpływ na nastolatka, nie wahaj się poprosić ich o pomoc. Niejednokrotnie dziadek, wujek lub starszy kuzyn mogą zapewnić synowi lub córce to, czego nie może im dać nieobecny ojciec. Dziadkowie pomogli wielu nastolatkom w ich problemach. Jeśli mieszkasz daleko od członków dalszej rodziny albo uważasz, że mieliby negatywny wpływ na nastolatka, zwróć się o pomoc do przyjaciół.

Samotni rodzice mogą znaleźć pomoc nie tylko w urzędach i organizacjach społecznych, ale także w kościołach. Kościoły, oprócz wsparcia duchowego, są też dobrym miejscem do budowania wartościowych przyjaźni. Wiele kościołów organizuje spotkania dla dorosłych i nastolatków. Liczni samotni rodzice spotykają w kościele osoby, które mogą odegrać pozytywną rolę w rozwoju ich nastoletniego syna lub córki. Nie musisz radzić sobie z tym zadaniem samotnie – wokół są ludzie, którzy mogą ci pomóc. Szukaj wytrwale, a na pewno ich znajdziesz.

Prędzej czy później twój nastolatek stanie się dorosłą osobą. I jeśli będzie mógł szczerze powiedzieć: „Wiem, że mama mnie kochała. Wiem, że tata mnie kochał", będzie to największe błogosławieństwo, z jakim możesz posłać go w dorosłe życie. Mam nadzieję, że ten rozdział pomoże w tym, by kiedyś to błogosławieństwo wróciło do ciebie w postaci miłości, jaką będzie ci okazywał dorosły syn lub córka.

Przypisy

1. Księga Przysłów 29,18.
2. Shmuel Shulman i Inge Seiffge-Krenke, *Fathers and Adolescents*, Routledge, New York 1997, s. 97.

Rozdział piętnasty

Języki miłości
w drugiej rodzinie

Kilka lat temu byłem jednym z opiekunów na letnim obozie młodzieżowym w Bule Ridge Mountains w Północnej Karolinie. Kiedy Michael poprosił mnie o rozmowę, zaproponowałem mu spacer. Rozmawialiśmy po drodze. (Przekonałem się, że nastolatki rozmawiają swobodniej, kiedy idą). Byliśmy na szlaku od piętnastu minut, mówiąc o różnych drobnych sprawach, kiedy zapytałem Michaela o jego rodzinę.

– Właśnie dlatego chciałem z panem porozmawiać. Mam ojczyma i wcale mi się to nie podoba – odpowiedział. – Zanim mama wyszła za mąż, według mnie wszystko układało się bardzo dobrze. Mieszkałem z mamą i mieliśmy bliski kontakt ze sobą. Czułem, że mnie szanuje. Wydaje mi się, że teraz znowu zaczęła traktować mnie jak dziecko. Razem z ojczymem wymyślają różne głupie zasady. Wiem, że to jego pomysł, bo mama nie jest taka surowa. Ale teraz stoi po jego stronie i razem utrudniają mi życie. Czasami zastanawiam się, czy się nie przenieść do taty.

Doradcy i psycholodzy często słyszą podobne zwierzenia. Dla większości nastolatków życie w drugiej rodzinie jest bardzo trudne. Sześć lat wcześniej ojciec Michaela zostawił rodzinę, więc chłopiec musiał przystosować się do nowej sytuacji w domu, mieszkając z mamą i młodszą siostrą. Czuł się odrzucony przez ojca i długo cierpiał z tego powodu. Przez wiele miesięcy prowadził z matką długie rozmowy na ten temat. Jednocześnie obserwował, jak wiele wysiłku kosztowało matkę utrzymanie rodziny. Pracowała ciężko, starając się zaspokoić potrzeby dzieci. „Bardzo liczyła na moją pomoc. Popołudniami opiekowałem się siostrą, aż mama wróciła z pracy – powiedział z dumą. – Pomagałem jej również robić pranie i byłem odpowiedzialny za odkurzanie całego mieszkania. Mama traktowała mnie jak dorosłą osobę".

Jednak odkąd w domu pojawił się jej drugi mąż, wszystko się zmieniło i Michael jeszcze raz musiał się dostosować do nowej sytuacji w rodzinie. Pewnego razu ojczym postanowił pomóc Michaelowi umyć samochód, przy czym cały czas pouczał, jak należy to robić. „Może myślał, że jestem głupi – powiedział Michael. – Przecież ja to wszystko już dawno wiedziałem".

Słuchając Michaela, byłem niemal pewny, że jego ojczym naprawdę chciał zbudować dobrą więź ze swoimi pasierbem. Widziałem również, że jeśli ten mężczyzna nie zrozumie, że Michael jest nastolatkiem, który czuje się zagrożony utratą niezależności, jaką już posiadał, będzie coraz gorzej. Wiedziałem także, że choć teraz mama Michaela staje po stronie nowego męża, niedługo dojdzie między nimi do konfliktu wywołanego podejściem do jej syna. Badania wykazały, że najczęstszą przyczyną rozpadu powtórnych małżeństw są konflikty związane z wychowaniem dzieci[1], a poziom rozwodów wśród takich małżeństw jest wyraźnie wyższy niż w pierwszych związkach.

Druga rodzina funkcjonuje zupełnie inaczej niż rodzina biologiczna. W przypadku pierwszego małżeństwa, zanim pojawiły się dzieci, partnerzy mieli czas wyłącznie dla siebie. Kiedy urodziło się pierwsze dziecko, wspólnie uczyli się nim opiekować. Natomiast druga rodzina nie daje partnerom zbyt wiele czasu tylko dla siebie. Od samego początku dzieci są członkami rodziny. Często są już nastolatkami, które budują własną niezależność i tożsamość. W przypadku nastolatka, który wychowuje się w drugiej rodzinie, wszystkie normalne problemy rozwojowe potęgują się dodatkowo.

Perspektywa nastolatka i obawy rodziców

Nastolatek często dochodzi do wniosku, że jego dobro i rozwój osobisty zostają poświęcone na korzyść szczęścia małżeńskiego. Jeśli młody człowiek nie „przepracuje" swoich uprzedzeń, wkrótce przerodzą się w zgorzknienie, które doprowadzi do otwartego buntu. Natomiast rodzice wchodzą w drugi związek z trzema wielkimi obawami: że utracą miłość nastolatka, że nastolatek się zbuntuje oraz że zrujnują mu życie. Pewna matka powiedziała: „Zrujnowałam życie mojej córki, najpierw przez rozwód, a potem przez powtórne małżeństwo. Jak mogłam być tak głupia?". Obawy sprawiają, że biologiczny rodzic zapomina o podstawowych aspektach utrzymania dyscypliny i właściwego wyrażania gniewu, o których pisaliśmy w poprzednich rozdziałach. Stara się odzyskać przychylność nastolatka, nawet kosztem zwrócenia się przeciw nowemu mężowi lub żonie.

Druga rodzina stoi też przed innymi wyzwaniami i zagrożeniami. Niektóre z nich to: konflikty między rodzeństwem, wykorzystywanie seksualne, nieporozumienia między biologicznym i przybranym rodzicem co do zasad obowiązujących w rodzinie, konflikty między drugą rodziną a odseparowanym rodzicem biologicznym w kwestiach wychowawczych itd. Lista potencjalnych problemów jest bardzo długa.

Nie jest jednak moim zamiarem przedstawianie sytuacji drugiej rodziny w ciemnych barwach. Chcę natomiast, zachowując zdrowy realizm, dać rodzicom nadzieję. Wierzę, że zrozumienie koncepcji pięciu języków miłości i stosowanie ich w powtórnej rodzinie przyczyni się do powstania atmosfery, w której rodzice i dzieci będą mogli odnieść sukces. Ponieważ podstawową potrzebą emocjonalną każdego człowieka jest bycie kochanym, a miłość jest oliwą, która usuwa tarcia w relacjach rodzinnych, to jeśli nauczymy się efektywnie tę miłość komunikować, stworzymy środowisko przyjazne powtórnej rodzinie. W atmosferze miłości łatwiej rozwiązywać konflikty, wspierać rozwój niezależności nastolatka i budować satysfakcjonującą relację małżeńską. Natomiast kiedy potrzeba miłości nie zostanie zaspokojona, w stosunki panujące między członkami rodziny wkrada się wrogość. Poziom emocji znacznie wzrasta, ale wzajemne zrozumienie jest bliskie zeru.

Zachęcam do uważnego rozważenia koncepcji przedstawionych w pierwszych rozdziałach książki. Praktykujcie korzystanie z języków miłości z małżonkiem, zastanówcie się, jakie dialekty możecie wykorzystać, aby najlepiej wyrazić miłość nastoletniemu synowi lub córce, i poznajcie ich podstawowy język miłości tak dobrze, jak własny. Przeczytajcie jakąś książkę poświęconą drugim rodzinom. Pamiętajcie, że nastolatki nie zawsze będą otwarte na uczucie, które staracie się im okazywać. Nie obwiniajcie za to siebie. Następnego dnia próbujcie innego podejścia. Wyciągajcie też wnioski z popełnianych błędów.

Rozważmy teraz najczęstsze problemy, związane z okazywaniem miłości nastolatkom w drugiej rodzinie.

Uczucia odrzucenia i zazdrości

Nastolatek często niechętnie i z ociąganiem odpowiada na miłość okazywaną mu przez przybranego rodzica. Wynika to z wielu powodów. Po pierwsze, może się obawiać, że zostanie przez niego odrzucony. Być może trudno jest ci zrozumieć, dlaczego syn lub córka twojego współmałżonka podchodzi do ciebie z rezerwą. Przecież podjęłaś decyzję, że będziesz go kochać jak własne dziecko, i dokładasz starań, aby nawiązać z nim kontakt i okazywać ciepłe uczucia. Musisz jednak zrozumieć, że nastolatek doświadczył dramatu odrzucenia ze strony rodziców, obserwując ich rozwód. Nawet jeśli stało się to dawno, gdy był małym dzieckiem, dla każdego nastolatka są to bardzo bolesne wspomnienia i nie chce, aby to się kiedykolwiek powtórzyło. Nie chce doświadczać kolejnych cierpień.

Po drugie, nastolatek może być zazdrosny o bliskość między wami. Może postrzegać ciebie jako zagrożenie dla swojej więzi z biologicznym rodzicem. Odkąd się pojawiłeś, biologiczny rodzic nie jest w stanie poświęcać mu tyle czasu i uwagi co dawniej. Nastolatek może być zazdrosny także o uczucie, jakie okazujesz swoim dzieciom. Innym częstym problemem nastolatków z drugich rodzin jest przekonanie, że będzie nielojalny wobec biologicznej matki czy ojca, jeśli odpowie na miłość okazywaną mu przez przybranego rodzica.

Kolejnym powodem, dla którego nastolatki niechętnie reagują na okazywane im uczucia, jest to, iż postrzegają przybranego rodzica jako zagrożenie dla swojej niezależności. Tego właśnie doświadczał Michael, o którym pisałem na początku rozdziału, w kontaktach ze swoim ojczymem.

Jak reagować na emocje nastolatka

Uważne słuchanie, afirmacja i okazywanie zrozumienia

Co może zrobić przybrany rodzic, aby pokonać przynajmniej niektóre z opisanych trudności? Pierwszy krok to pozwolić nastolatkowi być sobą. Emocje i obawy, o których wspomnieliśmy, są bardzo realną częścią jego życia, nawet jeśli nie wyraża ich otwarcie. Nie próbuj nakłonić go do zaprzeczania temu, co myśli i czuje. Jeśli nastolatek chce z tobą porozmawiać, wysłuchaj go uważnie i okaż zrozumienie dla jego emocji: „To chyba jasne. Wiem, dlaczego tak się czujesz". W ten sposób okażesz mu również afirmację.

Natomiast wszelkie górnolotne stwierdzenia wydadzą się nastolatkowi puste i fałszywe. „Nie musisz się mnie obawiać. Nigdy nie odejdę od twojego ojca. Nie zamierzam też ci go odbierać". Nastolatek nie będzie zwracał uwagi na twoje obietnice, tylko na to, jak postępujesz.

Jak wszyscy młodzi ludzie, także nastolatek wychowujący się w nowej rodzinie będzie poszukiwał swej tożsamości i niezależności. Pamiętaj, że także w tym przypadku za buntowniczym zachowaniem nastolatka kryją się zranienia, smutek lub depresja. Jeśli potępisz jego zachowanie, nie biorąc pod uwagę tych emocji, twoja ocena nie będzie sprawiedliwa. Pamiętaj o tym, a łatwiej będzie ci okazać nastolatkowi współczucie i przychylność.

Szacunek dla biologicznego rodzica nastolatka
Po drugie, nie próbuj zająć miejsca nieobecnego biologicznego rodzica. Zachęcaj nastolatka, aby kochał go i kontaktował się z nim tak często, jak to możliwe. Nigdy nie wyrażaj się o nim źle ani pogardliwie w obecności przybranego syna lub córki.

Radzenie sobie z własnymi emocjami i myślami

Uświadom sobie własne uczucia i obawy
Przyznaj przed samym sobą, co naprawdę myślisz i czujesz. Jeśli twoje małżeństwo przeżywa trudne chwile, możliwe, że również ty rezygnujesz z bliskości z nastolatkiem, ponieważ obawiasz się kolejnego rozwodu. Uważasz, że lepiej nie przywiązywać się do młodego człowieka, bo nie chcesz, aby cierpiał tak

samo, jak przy rozwodzie biologicznych rodziców. Możliwe, że nosisz w sobie poczucie winy, ponieważ nie masz bliskiej więzi ze swoimi dziećmi i uważasz, że to niesprawiedliwe – rozwijać relację z przybranym synem czy córką, gdy tak wiele dzieli cię od własnych dzieci. Możliwe również, że traktujesz nastolatka z dystansem, ponieważ odczuwasz zazdrość o czas i uwagę, jaką poświęca mu twój współmałżonek. W każdym z nas jest przynajmniej odrobina egoizmu. Trudno jest zapomnieć o własnych pragnieniach, życzeniach i marzeniach. Jednak myślenie tylko o sobie może zniszczyć każdą więź.

Jak sobie poradzić z myślami i emocjami, które mogą stanowić barierę w nawiązywaniu bliskich kontaktów z przybranym synem lub córką? Uważam, że należy zacząć od szczerej rozmowy z samym sobą. Powiedz sobie, co naprawdę myślisz i czujesz. Problem nie zniknie tylko dlatego, że usiłujesz go ignorować. Bądź ze sobą szczery. Egoizm prowadzi do samotności i wyobcowania. Najszczęśliwsi są ci, którzy dają, a nie ci, którzy wszystko zagarniają dla siebie.

Kochaj własne i przybrane dzieci

Pamiętaj, że miłość jest jak rzeka: możesz zaczerpnąć z niej wodę do podlania kwiatka, drzewa i całego ogrodu, a ona nadal będzie płynęła swoim korytem. Możesz kochać swoją żonę, biologiczne i przybrane dzieci, i nadal zostanie ci wiele miłości, którą możesz obdarzyć innych ludzi. Twoja żona (lub mąż) także może kochać swoje dzieci i ciebie, i nadal mieć dość miłości, aby obdarzyć nią twoje dzieci.

W rzeczywistości nie możesz kochać współmałżonka i nie kochać jego lub jej dzieci. Relacja matki z dzieckiem jest tak silna, że nie można jej oddzielić od relacji w małżeństwie. Pamiętaj – co zasiejesz, to i będziesz żąć. Kochaj, a będziesz kochany. Dawaj, a inni będą cię obdarowywać. Kluczem do sukcesu w drugiej rodzinie nie jest odsunięcie na bok dzieci, lecz okazywanie im miłości i pomocy we wkraczaniu w dorosłość.

Przybrani rodzice, którzy chcą okazywać miłość przybranemu synowi lub córce, potrzebują wykazać się wielką cierpliwością. Nastolatki, w odróżnieniu od młodszych dzieci, nie będą siedzieć i chłonąć każdego uczucia, jakie zdecydujesz się im okazać. Nastolatek ma własne poglądy, doświadczenia i nawyki, które kształtowały się przez lata jego życia. Badania pokazują, że z reguły mija od osiemnastu do dwudziestu czterech miesięcy, zanim nastolatek i przybrany rodzic zbudują bliską więź[2].

Jak możesz poznać, czy więź z przybranym synem lub córką jest zacieśniana? Może o tym świadczyć kilka rzeczy. Nastolatek zacznie spontanicznie okazywać ci uczucia i będzie przyjmował te, które ty mu okazujesz. Będzie inicjował rozmowę lub wspólne działania. Będzie bardziej świadomy twoich potrzeb i będzie pytał cię o zdanie. Kiedy zaczniesz dostrzegać te zmiany w jego zachowaniu, możesz mieć pewność, że zaczynasz zbierać owoce okazywania bezwarunkowej miłości. Zbudowanie bliskiej i serdecznej więzi z przybranym synem lub córką jest jedną z najlepszych rzeczy, jakie możesz uczynić dla swojego małżeństwa. Wszyscy rodzice kochają swoje biologiczne dzieci. Kiedy widzą, że ich nowy partner podejmuje wysiłek, aby zbudować dobrą relację z ich nastoletnim dzieckiem, zaczynają darzyć go jeszcze większą miłością.

Dyscyplina w nowej rodzinie

W nowej rodzinie kwestia dyscypliny szybko nabiera rangi jednego z najważniejszych problemów. Większość pierwszych małżeństw nie potrafi osiągnąć jednomyślności w kwestiach związanych z utrzymaniem dyscypliny w domu, a w drugiej rodzinie te różnice są jeszcze większe. Wynika to z faktu, że jedno z was jest biologicznym rodzicem nastolatka, drugie zaś jedynie przybranym, a dodatkowo każdy wnosi w nowe małżeństwo odmienne doświadczenia z poprzednich związków.

Celem egzekwowania dyscypliny jest wychowanie nastolatka na dojrzałą, odpowiedzialną osobę. W nowej rodzinie jest to trudniejsze, ale z pewnością możliwe. Zachęcam, abyście przeczytali jeszcze raz rozdział dwunasty poświęcony miłości i odpowiedzialności. To pomoże wam lepiej zrozumieć podstawowe koncepcje wprowadzania dyscypliny w domu.

Zmiany obowiązujących zasad i sposobu egzekwowania dyscypliny

Nastolatek wie, że kiedy w domu pojawi się przybrany rodzic, wiele spraw ulegnie zmianie. Niektóre zmiany są konieczne. Na przykład, jeśli przybrany rodzic ma własne nastoletnie dzieci, które zostają włączone do nowej rodziny, należy ustalić nowe zasady dotyczące stroju domowego oraz miejsc, gdzie członkowie rodziny mają się ubierać i rozbierać. Nie próbujcie ustalać tych zasad, nie pytając nikogo o zdanie. Jako rodzice macie ostatnie słowo w tej kwestii, ale nastolatki powinny wziąć udział w określaniu nowych zasad i konsekwencji ich złamania. Bardzo możliwe, że między tobą a twoim współmałżonkiem dojdzie do wielu poważnych konfliktów w sprawie zasad i egzekwowania skutków ich przekroczenia. Uważam, że w pierwszym roku małżeństwa przybrany rodzic powinien pozostawić kwestię dyscypliny w rękach biologicznego rodzica. W miarę poprawy relacji między członkami rodziny, będzie można powrócić do tej kwestii, o ile przybrany rodzic uzna, że dotychczasowe zasady już się nie sprawdzają.

Nawet niewielkie zmiany mogą przynieść pozytywne rezultaty, o ile zostaną wprowadzone odpowiednio wcześnie. Jeśli zwołacie obrady rodzinne krótko po tym, jak zamieszkaliście razem i uzgodniliście, że każdy członek rodziny ma prawo zwołać podobne spotkanie, gdy uzna, że należy zmienić coś w funkcjonowaniu nowej rodziny, stworzycie platformę do „przepracowywania" własnych emocji i poglądów. Jeśli w czasie spotkań będziecie poważnie traktować myśli i emocje nastolatka oraz młodszych dzieci, mając jednocześnie ostatnie słowo w danej kwestii, bardzo prawdopodobne, że w domu zapanuje atmosfera sprzyjająca konstruktywnemu rozwiązywaniu problemów. Oczywiście, jeśli członkowie rodziny czują się kochani, będzie o wiele łatwiej o taką atmosferę. Dlatego okazywanie sobie nawzajem uczucia w podstawowym języku miłości każdej z osób jest ważnym elementem budowania zdrowych relacji między członkami rodziny.

Konsekwentne egzekwowanie zasad

Jeśli nastolatek musi ponieść konsekwencje złamania jakiejś zasady, lepiej, aby w pierwszym roku egzekwowanie ich było obowiązkiem biologicznego rodzica. Później, gdy relacja między nastolatkiem a przybranym rodzicem wzmocni się, każde z rodziców może egzekwować konsekwencje, szczególnie jeśli reguły zostały ustalone wcześniej i wszyscy o nich wiedzieli. Przed i po egzekwowaniu skutków dobrze jest okazać nastolatkowi miłość w jego podstawowym języku miłości, dzięki czemu będzie mu łatwiej pogodzić się ze skutkami.

Niezwykle ważna jest konsekwencja w egzekwowaniu przestrzegania zasad, szczególnie w przypadku nowej rodziny. W domu Scotta i Mary obowiązywała zasada, że należy schować rowery do garażu przed godziną 20.00. Złamanie tej zasady oznaczało zakaz korzystania z roweru następnego dnia. Wszyscy zgodzili się, że to sprawiedliwa kara, a latem, kiedy dni są dłuższe, czas został wydłużony do godziny 21.00. Zasada została poddana próbie trzy tygodnie później, kiedy Erika, trzynastoletnia córka Mary, zostawiła swój rower na trawniku sąsiadów. O 21.10 syn sąsiada przyprowadził rower Eriki.

Mary podziękowała chłopcu, schowała rower do garażu i spokojnie poinformowała Erikę, co się stało, przypominając, że następnego dnia nie będzie mogła jeździć na rowerze.

Następnego dnia po południu Erika podeszła do matki, uśmiechnęła się i powiedziała: „Mamo, mam do ciebie prośbę. Wiem, że wczoraj zostawiłam rower na trawniku, ale dzisiaj wszystkie dziewczynki jadą razem do parku. Jeśli pozwolisz mi pojechać, nie będę jeździła na rowerze przez następne dwa dni. To dwa dni zamiast jednego. To sprawiedliwe, prawda?".

Mary była gotowa się zgodzić. Tak byłoby o wiele łatwiej, a propozycja Eriki wydawała się całkiem rozsądna, ale Mary wiedziała, że jeśli teraz ustąpi, zakomunikuje swojej córce coś niewłaściwego. Więc odpowiedziała: „Przykro mi, kochanie. Znasz zasadę i wiesz, jakie są konsekwencje. Nie wolno ci jeździć na rowerze *następnego* dnia po tym, jak zapomnisz schować go do garażu".

Widząc, że jej uprzejmy uśmiech i próba przekonania matki nie odniosły rezultatu, Erika powtórzyła swoje argumenty: „Ależ mamo, proszę. Tak też będzie sprawiedliwie. Dwa dni zamiast jednego. Przecież wiesz, że to sprawiedliwe".

– Przykro mi – odpowiedziała Mary – ale znasz zasady.

Wtedy Erika podjęła próbę wywarcia presji na matkę: „Jak możesz mi coś takiego robić? Wszystkie dziewczynki jadą! Nie podobają mi się te nowe zasady. Gdy nie było Scotta, wszystko było inaczej. Byłaś wyrozumiała i dobra. Teraz ciągle mówisz o przestrzeganiu zasad. To niesprawiedliwe. Nie mam ochoty dłużej mieszkać w tym domu".

Mary chciała odpowiedzieć atakiem i powiedzieć córce, aby nie mieszała do tego jej męża, bo on nie ma z tym nic wspólnego, ale na czas powstrzymała się i powiedziała: „Kochanie, wiem, że chciałabyś pojechać do parku z koleżankami. Chciałabym się zgodzić, ale takie jest życie. Kiedy zrobimy coś złego, musimy ponieść tego konsekwencje. Czasami są one bardzo bolesne. Rozumiem, że się denerwujesz. Rozumiem też, że czasami myślisz, że gdyby nie było tu Scotta, łatwiej byłoby mnie przekonać. Mam nadzieję, że tak nie jest. Kochałam cię, zanim poznałam Scotta, i nadal cię kocham. Wymagam, abyś przestrzegała ustalonych zasad, bo wiem, że tak będzie dla ciebie najlepiej".

„Nie mów mi, co będzie dla mnie najlepsze!" – odpowiedziała Erika i wyszła. Mary odetchnęła głęboko i pomyślała: *Czy dobrze robię?* Z jednej strony wiedziała, że postąpiła właściwie, ale w głębi serca nie była tego pewna. Erika obraziła się na nią i przez całe popołudnie i wieczór nie wychodziła ze swojego pokoju. Następnego dnia rano poszła do szkoły, nie mówiąc ani słowa. Lecz po południu znowu była wesoła i pogodna i nawet nie napomknęła o wydarzeniach z poprzedniego dnia. (Było to cztery i pół roku temu i Mary stwierdziła, że Erika nigdy już nie zapomniała schować roweru do garażu). Nastolatki uczą się odpowiedzialności, kiedy muszą ponosić konsekwencje swojego postępowania.

Pięć tygodni później Matt, piętnastoletni syn Scotta, także zapomniał schować rower na noc do garażu. Scott znalazł go przed domem, gdy wracał z wieczornego spotkania. Zaprowadził rower na miejsce i poinformował syna, że następnego dnia nie będzie mógł jeździć na rowerze. „W porządku – odpowiedział Matt. – Rozumiem to. Po prostu zapomniałem o rowerze". Spróbujcie sobie wyobrazić zdziwienie Mary, gdy następnego dnia po południu usłyszała, jak Scott mówi do syna: „Matt, może weźmiesz rower i pojedziesz do sklepu kupić chleb? Ja jestem teraz zajęty".

Mary wtrąciła się i spokojnie powiedziała: „Scott, myślałam, że Matt nie może dzisiaj jeździć na rowerze", ale jej mąż odpowiedział beztrosko: „Nic się nie stanie. Przecież pomaga w ten sposób. Muszę skosić trawnik, a nie ma chleba na kolację. Zaraz wróci".

Matt pojechał do sklepu, a Mary weszła do domu, czując, że została oszukana. *Nie mogę uwierzyć, że on to zrobił* – pomyślała. – *Kiedy Erika dowie się o tym, nigdy mi nie wybaczy.* (Uważny czytelnik dobrze wie, że Mary powinna wówczas policzyć do 100 i pójść na krótki spacer dookoła osiedla. Kiedy wróci, może Scott będzie gotów jej wysłuchać. Wtedy powinna wziąć kartonik przyczepiony do lodówki i przeczytać na głos: „Jestem na ciebie rozgniewana, ale nie obawiaj się – nie zamierzam cię atakować. Jednak potrzebuję twojej pomocy. Czy sądzisz, że moglibyśmy teraz porozmawiać?" – zobacz rozdział dziewiąty).

Scott złamał jedną z podstawowych zasad utrzymywania dyscypliny: konsekwentne postępowanie. Dopóki nie zrozumie krzywdy, jaką wyrządził Mary i Erice, emocjonalna bariera, jak wyrosła między nimi po tym, co zrobił, będzie niweczyła jego starania zbudowania lepszej więzi z żoną i przybraną córką. Matt również stracił na niekonsekwencji ojca. Niewiele jest rzeczy równie ważnych dla powtórnej rodziny jak to, aby rodzice byli konsekwentni w egzekwowaniu ustalonych zasad.

Inne przyczyny konfliktów

Postawa i nawyki drugiego biologicznego rodzica

Innym częstym problemem, z jakim musi się zmierzyć powtórna rodzina, są stosunki z innymi członkami rodziny nastolatka, mianowicie drugim biologicznym rodzicem i ewentualnie jego nową rodziną. Często rodzice pielęgnują w sobie urazy do poprzedniego małżonka. Jedno z nich lub obydwoje mogą nadal odczuwać gniew, zgorzknienie lub nienawiść. Ale niektórzy mogą również nadal darzyć uczuciem byłego męża lub żonę, co jest bardzo trudne dla ich nowego partnera.

Oprócz tego nawyki i zachowania, które były przyczyną rozwodu, mogą nadal występować w życiu byłego partnera. Na przykład mąż-pracoholik, który nigdy nie wracał do domu o umówionej godzinie, może się spóźniać na spotkania z nastoletnim synem lub córką. Matka nastolatka może być tym poirytowana podobnie jak wtedy, gdy była jeszcze żoną tego mężczyzny. I odwrotnie, narzekająca i czepiająca się szczegółów była żona może nadal frustrować mężczyznę, który próbuje tak ułożyć plan swych zajęć, aby spędzać więcej czasu z synem lub córką. Wiele takich konfliktów wybucha wokół odwiedzin, ponieważ jest to dziedzina, która wymaga najwięcej kontaktów między byłymi małżonkami.

Co więcej, biologiczni rodzice mogą obwiniać się nawzajem za wszelkie problemy, jakie pojawiają się w życiu ich nastoletniego syna lub córki. Czasami były partner może się wyrażać negatywnie o tobie i twoim aktualnym mężu w obecności nastolatka, a ten przytacza ci to, zazwyczaj gdy jest rozgniewany i pragnie cię zranić. Szesnastoletni Kyle wyrzucił swojej matce: „Tata powiedział, że nie może kupić mi samochodu, bo wszystkie pieniądze wydał na urządzenie tego domu". Siedemnastoletnia Lisa powtórzyła w gniewie swojej przyrodniej matce: „Mama mówiła, że jesteś okropna, bo odebrałaś nam tatę. Nigdy ci tego nie wybaczę".

Odmienne systemy wartości
Czasami drugi biologiczny rodzic wyznaje zupełnie inne wartości niż te, które panują w waszym domu. Mogła to być nawet jedna z przyczyn rozwodu. Najpoważniejsze problemy dotyczą często zasad moralnych. Nawet jeśli w twoim domu nie ma już żadnych materiałów pornograficznych czy narkotyków i nikt więcej nie przeklina, twój nastolatek nadal może mieć z tym kontakt w czasie wizyt u drugiego biologicznego rodzica. Filmy i programy telewizyjne, które pozwala mu się tam oglądać, mogą być zupełnie inne niż te, które wolno mu oglądać w waszym domu. Podobnie bywa z wyznawaną wiarą – jest wiele dziedzin, w których mogą pojawić się konflikty. Mimo to, o ile nie dochodzi do łamania prawa, nie będziecie mieli wpływu na to, co się dzieje, gdy twój nastoletni syn lub córka spędza czas z drugim rodzicem.

Dlatego tak ważne jest, aby w waszej rodzinie panowała dobra atmosfera, sprzyjająca okazywaniu miłości i utrzymaniu dyscypliny. Jeśli nastolatek uczy się od was, że każda decyzja niesie z sobą określone konsekwencje, i jeśli pozwalacie mu dokonywać własnych wyborów, upewniając się, że odczuje rezultaty każdej złej decyzji, jest szansa, że będzie o tym pamiętał, kiedy spotka się z drugim rodzicem. W czasie wizyty może być świadkiem scen i zachowań, których nigdy nie chcielibyście oglądać w waszym domu, ale dzięki miłości, którą mu okazujecie, i dyscyplinie, jaką mu wpoiliście, będzie miał większą szansę dokonać właściwego wyboru.

Również nieustanne napełnianie zbiornika miłości nastolatka pomaga zapobiec jego złemu zachowaniu. Młodzi ludzie w naturalny sposób lgną do rodziców, którzy okazują im miłość. Jeśli nastolatek czuje się kochany i wie, że pragniecie tego, co dla niego najlepsze, będzie mniej skłonny naśladować niewłaściwą postawę drugiego rodzica. Po pierwsze, nie będzie chciał was zranić, i po drugie – będzie pamiętał, że drugi rodzic nie troszczy się o jego dobro, gdyż inaczej starałby się chronić go przed destruktywnym zachowaniem.

Jeśli pojawią się problemy w relacji nastolatka z drugim biologicznym rodzicem, nie odpowiadajcie agresją na agresję. Nie próbujcie walczyć ze złym wpływem byłego współmałżonka jego metodami. Uprzejmie, ale stanowczo reagujcie na każde zachowanie, które uważacie za niedopuszczalne. Nie pozwólcie, aby to, co robi, wpędziło was w rozterkę, i nie próbujcie nim manipulować. Waszym celem nie jest pokonanie byłego współmałżonka (lub biologicznego rodzica, którego nie możecie zastąpić w życiu przybranego syna lub córki), lecz rozwijanie własnego małżeństwa i dbałość o to, aby wasz nastolatek wyrósł na dojrzałą i odpowiedzialną osobę. Szczera rozmowa o trudnościach, jakich doświadczacie w kontaktach z byłym partnerem i jego obecną rodziną, oraz omówienie możliwości rozwiązania tych problemów, może być cenną lekcją dla nastolatka.

Recepta na silną, zdrową i szczęśliwą powtórną rodzinę

Na zakończenie chciałbym wymienić cztery podstawowe czynniki, które decydują o zdrowej nowej rodzinie. Możecie zwiększyć efektywność każdego z nich, ucząc członków rodziny wyrażania sobie nawzajem uczucia w podstawowym języku miłości drugiej osoby.

Po pierwsze (i najważniejsze), bezwarunkowa miłość. Rodzice powinni dawać przykład bezwarunkowej miłości w małżeństwie i okazywać ją wszystkim członkom rodziny. Wszystko, co robicie, powinno komunikować nastolatkom i młodszym dzieciom: „Kochamy cię bez względu na okoliczności". Uważajcie, aby swoimi słowami lub zachowaniem nie dać im do zrozumienia: „Będziemy was kochać, jeśli będziecie dla siebie uprzejmi", „Będziemy was kochać, jeśli będziecie posłuszni" lub „Będziemy was kochać, jeśli wy pokochacie nas". Wszystko, co nie spełnia standardów bezwarunkowej miłości, nie jest prawdziwą miłością. Miłość jest wyborem. To decyzja dbania o dobro drugiej osoby i dokładanie starań, aby zaspokoić jej potrzeby. Każdy nastolatek potrzebuje świadomości, że ktoś się o niego troszczy i wierzy, że jest wartościową osobą, która dzięki ciężkiej pracy może uczynić lepszym nie tylko własne życie, ale także uszczęśliwić wielu ludzi.

Dawanie nastolatkowi prezentów, czuły dotyk, praktyczna pomoc, spędzanie razem czasu oraz słowna afirmacja to pięć podstawowych sposobów wyrażania bezwarunkowej miłości. Twój syn lub córka potrzebują, abyście okazywali im miłość w każdym z tych pięciu języków, ale największa jej dawka powinna być podana w podstawowym języku miłości każdego z nich.

Po drugie, sprawiedliwe traktowanie. Pamiętajcie, że *sprawiedliwe* to nie to samo co *równe*. Każde dziecko jest inne, nawet jeśli mają tych samych rodziców. Czasami rodzice, próbując być sprawiedliwi, traktują każde dziecko tak samo.

W rzeczywistości jest to bardzo niesprawiedliwe. Ponieważ dzieci różnią się od siebie, to, co sprawia, że jedno z nich czuje się kochane, drugiemu nie musi komunikować miłości. Jeśli językiem miłości jednego nastolatka jest otrzymywanie prezentów, a drugiego spędzanie wspólnie czasu, danie obojgu prezentu o takiej samej wartości sprawi, że pod względem emocjonalnym pierwszy z nich otrzymał o wiele więcej. Sprawiedliwe traktowanie oznacza zaspokajanie w równym stopniu szczególnych potrzeb każdego dziecka lub nastolatka.

Po trzecie, poświęcanie uwagi. Okazujcie zainteresowanie światem nastolatka, chodźcie z nim tam, gdzie jest tolerowana obecność dorosłych, dowiadujcie się, jak mu się układa w szkole i w kontaktach z rówieśnikami, starajcie się poznać jego myśli, uczucia i pragnienia – krótko mówiąc, wkroczcie w jego świat i pozostawajcie w nim. Badania pokazują, że większość nastolatków chce spędzać z rodzicami nie mniej, ale więcej czasu[3].

Po czwarte, egzekwowanie dyscypliny. Nastolatki potrzebują granic. Rodzice, którzy przyjmują postawę: „Jesteś nastolatkiem, rób co chcesz", narażają swoje dzieci na wiele bolesnych błędów i porażek. Życie bez granic szybko przestaje mieć znaczenie i dawać satysfakcję. Rodzice, którzy kochają swojego nastoletniego syna lub córkę, będą wyznaczać im granice, chronić przed niebezpieczeństwami i uczyć odpowiedzialności i samokontroli.

Kiedy rodzice poświęcą się realizowaniu każdego z tych elementów w powtórnej rodzinie, to pomimo trudności zdołają prawdopodobnie zbudować silne, zdrowe i satysfakcjonujące więzi z wszystkimi jej członkami.

Przypisy

1. Tom i Adrienne Frydenger, *The Blended Family*, Revell, Old Tappan 1984, s. 19.
2. Shmuel Shulman i Inge Seiffge-Krenke, *Fathers and Adolescents*, Routlegde, New York 1997, s. 123; Frydenger, *The Blended Family*, s. 120.
3. Lawrence Steinberg i Ann Levine, *You and Your Adolescent*, Harper & Row, Nowy Jork 1990, s. 13.

Epilog

W świecie współczesnych nastolatków ścierają się dwa potężne prądy. Pierwszy z nich niesie z sobą płynące z głębi serca wołanie tysięcy młodych ludzi o pozytywne więzi, granice, zasady i cel w życiu. Drugi pogłębia tylko chaos panujący we współczesnej kulturze i zagraża wszystkiemu, co niesie pierwszy prąd. Wielu nastolatków uważa, że świat nie ma sensu, a życie nie jest warte tego, aby czemukolwiek się poświęcić. Młodzi ludzie, pod naporem wrogich, otaczających ich z każdej strony prądów, często pogrążają się w depresji i samodestrukcji, niszcząc własne życie i niejednokrotnie także innych.

Jestem przekonany, że miłość rodziców ma największy wpływ na emocje nastolatków i wybory, których dokonują. Młodzi ludzie, którzy nie czują się kochani przez rodziców, łatwiej poddają się chaosowi, jaki niesie ze sobą drugi prąd. I silniejsze, i słabsze jego podmuchy zawsze będą przeciwne temu, co byłoby najlepsze dla nastolatka i przysłużyłoby się całemu społeczeństwu. Na szczęście młodym ludziom, którzy czują się kochani przez rodziców, częściej udaje się wypracowywać satysfakcjonujące relacje z innymi, ukształtować własną osobowość i znaleźć własne miejsce w życiu. Miłość rodzicielska ma ogromny, przewyższający wszystko inne potencjał, który zdolny jest przekształcić wartości świata zachodniego.

Pisząc tę książkę, postawiłem sobie za cel udzielenie praktycznej pomocy rodzicom, którzy naprawdę chcą, aby ich nastoletnie dzieci czuły się kochane. Po trzydziestu latach udzielania porad małżeńskich i rodzinnych dostrzegam, że większość rodziców kocha swoich nastoletnich synów i córki. Zauważyłem jednak także, że wielu z tych młodych ludzi wcale nie czuje się kochanymi przez rodziców. Dobre chęci, jak widać, nie wystarczą. Jeśli chcemy skutecznie okazywać miłość nastolatkowi, musimy poznać jego podstawowy język miłości i regularnie się nim posługiwać. Musimy również poznać różne dialekty tego języka i znaleźć ten, który przemawia najmocniej do serca młodego człowieka. Jeśli już się go nauczymy, możemy uzupełniać nasz przekaz pozostałymi czterema językami miłości, dzięki czemu nasze wysiłki przyniosą jeszcze lepsze rezultaty. Jeżeli jednak nie będziemy wyrażać nastolatkowi uczucia w jego podstawowym języku miłości, nawet częste stosowanie czterech pozostałych nie zdoła napełnić jego zbiornika miłości.

Starałem się uczciwie pokazać, że skuteczne okazywanie miłości młodemu człowiekowi wcale nie jest takie łatwe, jak by mogło się wydawać, a już z pewnością jest to trudniejsze niż kochanie kilkuletniego dziecka. Pod wieloma względami nastolatki przypominają „ruchomy cel". Interesują się wieloma sprawami, zmieniają zainteresowania z dnia na dzień i doświadczają radykalnych zmian nastroju. To sprawia, że rodzicom trudno jest rozpoznać, w jakim języku lub dialekcie powinni danego dnia przekazać swą miłość synowi lub córce. Zaspokajanie potrzeby miłości w życiu nastolatka jest dodatkowo utrudnione jego poszukiwaniami własnej tożsamości i niezależności. Jeśli chcemy, aby nastolatek czuł się naprawdę kochany, nie możemy lekceważyć żadnego z tych czynników.

Mimo iż napisałem tę książkę przede wszystkim z myślą o rodzicach, mam nadzieję, że dziadkowie, nauczyciele, liderzy młodzieżowi i inni dorośli, którzy troszczą się o nastolatki, również ją przeczytają i wykorzystają zasady, które w niej przedstawiłem, aby skutecznie okazywać miłość młodym ludziom. Nastolatki potrzebują czuć się kochane nie tylko przez rodziców, ale także przez te dorosłe osoby, które odgrywają ważną rolę w ich życiu. Każde spotkanie z dorosłym sprawia, że nastolatek czuje się kochany lub niekochany. Młody człowiek, który ma świadomość, że dorośli myślą o nim bardzo ciepło, jest otwarty na ich wskazówki i wpływ. Kiedy nastolatek nie czuje się kochany, nie słucha tego, co dorośli próbują mu zakomunikować. Każdy nastolatek potrzebuje mądrości i rady starszych, bardziej doświadczonych osób. Jednak gdy zabraknie miłości, nawet największa wiedza niczego nie zmieni.

Uważny czytelnik szybko zorientuje się, że nie jest to książka, którą można przeczytać i odłożyć. Zasady, które przedstawia, powinny być praktykowane każdego dnia. Tak jak ciało nastolatka codziennie potrzebuje pożywienia, tak jego dusza – regularnie okazywanej miłości. Marzę, aby wręczyć tę książkę wszystkim rodzicom nastolatków i powiedzieć im: „Napisałem ją dla was. Wiem, że kochacie swojego syna lub córkę. Nie wiem jednak, czy wasz nastolatek czuje się przez was kochany. Nie zakładajcie, że wszystko jest w porządku. Poznajcie podstawowy język miłości waszego nastolatka i posługujcie się nim regularnie. To nie jest łatwe, wiem o tym. Sam to przeżyłem. Ale warto podjąć wysiłek. Będzie to błogosławieństwem dla waszego nastolatka i dla was samych".

Nie ma nic ważniejszego dla losu przyszłych pokoleń niż właściwe okazywanie miłości współczesnym nastolatkom.

Dodatek pierwszy

Jak nastolatki zyskały swoją odrębność

Zanim ktokolwiek usłyszał o nastolatkach, żyli oni pośród nas... tylko nie wiadomo było, jak ich nazwać. Aż do lat 40. wieku XX wszyscy mówili o nich „młodzież", jednak zmiany społeczne i przemysłowe, przyspieszone przez drugą wojnę światową, wszystko zmieniły. Pojawił się „nastolatek", odrębna grupa wiekowa mająca własną nazwę i kulturę – już nie chłopcy i dziewczynki, ale jeszcze nie mężczyźni i kobiety. To młodzi ludzie w okresie przejściowym, zmierzający ku dorosłości, poszukujący własnej tożsamości i niezależności i zmieniający się w trakcie tego procesu.

Jeszcze na początku XX wieku większość młodzieży w wieku od trzynastu do dziewiętnastu lat zarabiała na życie, pracując w gospodarstwach rolnych, w fabrykach lub służąc u obcych ludzi. Pomagali rodzicom utrzymać rodzinę i opiekować się młodszym rodzeństwem. Nie mieli wiele do powiedzenia i wypełniali obowiązki nałożone przez rodziców, aż wstąpili w związek małżeński[1]. Byli po prostu częścią rodziny i robili wszystko, czego od nich oczekiwano. Nie istniała odrębna kultura nastolatków, która wspierałaby przejście od dzieciństwa do dojrzałości. Nie było filmów, muzyki i mody nastolatków, bo nikt jeszcze o nich nie słyszał.

W Stanach Zjednoczonych wszystko zmienił wielki kryzys z lat 30. wieku XX. Gdy załamała się gospodarka, miliony ludzi utraciły zatrudnienie. Nieliczne miejsca pracy, które jeszcze istniały, były powierzane ojcom rodzin, natomiast młodzi ludzie znaleźli się poza bramami fabryk. Nie chcąc być dodatkowym ciężarem dla rodziny, wielu z nich wyruszyło na poszukiwanie zarobku. Jechali na drugi koniec kraju pociągami towarowymi lub przemierzali pieszo okoliczne miejscowości, nie znajdując najczęściej żadnego zajęcia. Nocowali w parkach i na ulicach, żebrząc o kawałek chleba. Wkrótce ci młodzi ludzie zaczęli być poważnym problemem społecznym. Socjolog Grace Palladino napisała: „Owi kilkunastoletni uciekinierzy, młodzi włóczędzy, jaki ich nazywano, zmusili społeczeństwo do zwrócenia uwagi na problemy nastolatków"[2].

Właśnie problemy społeczne skłoniły prezydenta Franklina Roosevelta do powołania National Youth Administration (Krajowego zarządu ds. młodzieży), któremu powierzono zapewnienie wykształcenia i pracy młodym obywatelom Ameryki, rozczarowanym swym dotychczasowym losem. Bezpośrednim rezultatem był gwałtowny rozwój sieci publicznych szkół średnich. Wcześniej większość młodych Amerykanów nie miała możliwości kontynuowania nauki. W 1900 roku jedynie 6 procent siedemnastolatków otrzymało dyplom ukończenia szkoły średniej. W 1939 roku do szkół średnich uczęszczało już 75 procent osób w wieku od czternastu do siedemnastu lat[3]. Panowało przekonanie, ze szkoła średnia zapewni solidne wykształcenie zawodowe. W zdyscyplinowanym i moralnym środowisku młodzi ludzie mieli odkrywać swoje talenty, wyznaczać cele, nabierać dobrych nawyków, a po ukończeniu szkoły stać się wartościowymi i oddanymi rozwojowi kraju obywatelami.

Przesunięcie tak olbrzymiej liczby młodych ludzi z zakładów pracy (a raczej z grona bezrobotnych) do publicznych szkół średnich umożliwiło powstanie „kultury nastolatków". Jak zauważa Palladino: „W tym samym czasie, gdy pedagodzy i doradcy NYA próbowali zapewnić im godziwą przyszłość, młodzi ludzie zaczynali odkrywać zupełnie nowy, ekscytujący i wspólny dla ich środowiska świat – radio, muzykę, taniec i zabawę. Gdy pod koniec lat 30. sytuacja ekonomiczna poprawiła się, uczniowie szkół średnich posiadali już własną tożsamość społeczną, niezwiązaną z domem rodzinnym czy światem obowiązków i problemów ludzi dorosłych"[4].

To było pierwsze pokolenie nastolatków, z których większość uczęszczała do szkoły średniej. W 1938 roku określali siebie jako „podlotki" żyjące po to, aby bawić się w rytm muzyki big-bandów. Chociaż nikt nie nazywał ich jeszcze nastolatkami, koncepcja odrębnej grupy pokoleniowej zaczynała zyskiwać coraz szerszą akceptację. Uczniowie szkół średnich odkryli muzykę, która stała się językiem tylko ich.

Młodzi ludzie, którzy w latach 30. wieku XX zaistnieli jako podlotki, stworzyli pewien wzorzec, określony później słowem „nastolatki". Stworzyli nową kulturę i styl życia, obejmujący odrębny ubiór, muzykę, taniec i modę. Zamszowe półbuty, plisowane spódniczki i swetry z angory stały się nowymi symbolami szkoły średniej. „Drażnili rodziców dziwnym słownictwem, które rozumieli tylko ich rówieśnicy. Co więcej, poświęcali mnóstwo czasu i pieniędzy na organizowanie fanklubów i godzinami wystawali na ulicach, gdy do miasta zajeżdżał jakiś zespół muzyczny, aby choć przez chwilę popatrzeć na ulubionego artystę"[5].

Wkrótce reklamodawcy i sprzedawcy zaczęli postrzegać beztroskich uczniów szkół średnich, skupionych na rozrywce i zabawie, jako potencjalnych klientów. To oni stworzyli termin

„nastolatki", który po raz pierwszy pojawił się w 1941 roku[6]. Podobnie jak podlotki, nastolatki utożsamiano ze szkołą średnią, randkami, jazdą samochodem, muzyką i zabawą. Oto jak magazyn *Life* przedstawia ówczesnego nastolatka: „Żyją w wesołym świecie grup, zabaw... filmów... i muzyki. Mówią dziwnym językiem... uwielbiają koktajle czekoladowe... wszędzie chodzą w mokasynach... i prowadzą samochód w szaleńczy sposób"[7]. Było coraz bardziej oczywiste, że nastolatki tworzą odrębną kulturę. Co ciekawe, już wtedy, podobnie jak dzisiaj, wielu rodziców, pedagogów i duchownych ostrzegało przed moralnym i intelektualnym upadkiem, w jakim, ich zdaniem, pogrąża się kultura młodzieżowa. Doktor Leslie Hohman, felietonistka czasopisma *Ladies Home Journal*, dowodziła, że nastolatki nigdy nie skupią swojej uwagi na „prawdziwych wartościach", jeśli wszystko dookoła nich będzie „błyszczało i wzbudzało ekscytację". Radziła, aby mądrzy rodzice uodparniali swoje dzieci na niebezpieczny wirus kultury podlotków i próbowali wyrobić w nich upodobanie do wyższych wartości życiowych[8]. Możliwe, iż Hohman była pierwszym, ale z pewnością nie ostatnim, rodzicem, który chciałby uodpornić swoje dzieci na to, co uznaje za wypaczenia kultury młodzieżowej.

Przypisy

1. Joseph F. Kett, *Rites of Passage: Adolescence in America, 1790 to the Present*, Basic Books, New York 1977, s. 169.
2. Grace Palladino, *Teen-agers: An American History*, Basic Books, New York 1996, s. 37.
3. U.S. Bureau of the Census, *Historical Statistics of the United States, Colonial Times to 1970, Bi-Centennial Edition, Part I*, Government Printing Office, Washington 1975, s. 380, 379.
4. Palladino, *Teen-agers*, s. 45-46.
5. James Lincoln Collier, *Benny Goodman and the Swing Era*, Oxford Univ. Press, New York 1989, s. 190-191.
6. The Oxford English Dictionary przypisuje pierwsze użycie terminu „nastolatek" (ang. teenager) czasopismu *Popular Science* z kwietnia 1941 r.
7. „Sub-Debs – They Live in a Jolly World of Gangs, Games, Gadding, Movies, Malteds, and Music", *Life*, 27 stycznia 1941, s. 75.
8. Leslie Hohman, „As the Twig is Bent", *Ladies Home Journal*, październik 1939, s. 67.

Dodatek drugi

Przebieg obrad rodzinnych

Zorganizowanie spotkania rodzinnego poświęconego ustaleniu zasad panujących w domu jest doskonałym pomysłem, gdyż pozwala wyznaczyć granice nastolatkom i nauczyć ich odpowiedzialnego zachowania. W rozdziale dwunastym znajdują się wskazówki dotyczące ustalania zasad, ale w jaki sposób poprowadzić samo spotkanie?

Zanim dziecko skończy trzynaście lat, zwołajcie pierwsze obrady rodzinne, w których wezmą udział tylko rodzice i nastolatek. Przeznaczcie na to cały wieczór, kiedy nikt nie ma innych zajęć. Oto jak jeden z ojców rozpoczął takie spotkanie:

– Mama i ja postanowiliśmy zwołać obrady rodzinne, ponieważ od przyszłego tygodnia w naszym domu będzie nastolatek. Nigdy wcześniej nie mieszkaliśmy z nastolatkiem, ale oczekujemy tego z niecierpliwością. – Potem zwrócił się do syna i powiedział: – Tony, mama i ja wiele rozmawialiśmy.

Przez ostatnie dwanaście lat staraliśmy się być dobrymi rodzicami. Wiem, że nie jesteśmy doskonali i czasami popełnialiśmy błędy. Kiedy tak było, staraliśmy się do nich przyznać. Cieszymy się, że mogliśmy przeżyć z tobą te dwanaście lat. Wniosłeś wiele radości w nasze życie. Jesteśmy dumni z twoich osiągnięć.

Zdajemy sobie sprawę, że ciągu następnych ośmiu lat wiele się zmieni. Twój świat stanie się o wiele większy. Twoje ciało będzie się zmieniać. Ty zaczniesz myśleć w inny sposób. Poznasz nowych ludzi i będziesz miał nowe zainteresowania. My również tego oczekujemy i chcemy nadal być jak najlepszymi rodzicami.

Dwie rzeczy są dla nas szczególnie ważne. Po pierwsze, w ciągu następnych kilku lat będziesz się stawał coraz bardziej niezależny. Będziesz uczył się myśleć samodzielnie, a też chciał podejmować własne decyzje. Cieszymy się z tego, bo gdy będziesz dorosły, nikt nie będzie podejmował ich za ciebie. Chcemy, żebyś się nauczył dokonywać właściwych wyborów jeszcze jako nastolatek. Po drugie, wiemy, że będziesz dążył nie tylko do większej niezależności, ale również większej odpowiedzialności. Kiedyś będziesz odpowiedzialny za swoją rodzinę i dzieci. Uważamy, że możesz nauczyć się odpowiedzialności jeszcze jako nastolatek. Chcemy zachęcać cię do rozwijania obu tych cech – niezależności i odpowiedzialności. Dlatego uznaliśmy, że należy zwołać obrady rodzinne, na których wspólnie zastanowimy się nad zasadami obowiązującymi w naszym domu i zdecydujemy, które z nich należy zachować, a które zmienić".

Mama Tony'ego, która potakiwała głową podczas monologu taty, dodała: – To nie znaczy, że wyrzucamy wszystkie stare zasady i wszystko zaczynamy od początku. Ale przeanalizujemy je wspólnie i porozmawiamy, co należy zmienić. Chcieliśmy, abyś w tym uczestniczył, ponieważ to twoje życie, i chcemy się dowiedzieć, jakie jest twoje zdanie i co czujesz. Oczywiście, jako rodzice mamy ostatnie słowo, ale wydaje się nam, że będziemy mogli lepiej cię wychowywać, jeśli poznamy twoje myśli i uczucia.

Mogę was zapewnić, że Tony słuchał bardzo uważnie. Od dawna czekał na tę rozmowę, choć może był trochę przestraszony faktem, że oto staje się nastolatkiem. Na pewno jednak myślał o ewentualnych zmianach z entuzjazmem.

Oczywiście, możecie rozpocząć spotkanie rodzinne w zupełnie inny sposób. Możecie zrobić krótszy wstęp albo wspomnieć w nim o różnych sprawach związanych z postępowaniem nastolatka, które świadczą, że jest gotowy do współpracy i że uczy się podejmować odpowiedzialne decyzje, a nawet zdradza już pewne tendencje do zaznaczania swej niezależności. Zachęćcie nastolatka, podkreślając, że zasady, które ustalicie, będą miały na celu przede wszystkim jego dobro, a dopiero później dobro całej rodziny.

Po wstępnych uwagach czas rozpocząć dialog z nastolatkiem i ustalić pierwsze zasady. Przeczytajcie jeszcze raz rozdział dwunasty, aby przypomnieć sobie, jak to należy robić.

Spis treści

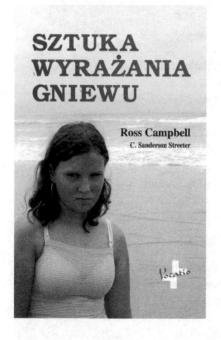

Ross Campbell

**SZTUKA
WYRAŻANIA
GNIEWU**

ISBN 83-7146-161-5

Dla wielu rodziców z pewnością zaskakującym będzie stwierdzenie, że największym zagrożeniem dla dzieci jest ich własny gniew. Jeśli nie nauczą się nad nim panować, gniew obróci się przeciw nim, wnosząc w ich życie chaos i zniszczenie. Niewłaściwie wyrażany gniew ma wpływ na każdą sprawę, z jaką mają się uporać teraz lub w przyszłości – począwszy od problemów w nauce, przez zerwane więzi z innymi ludźmi, aż po jeszcze tragiczniejsze skutki.

Agresja niszczy społeczeństwa od fundamentów. Jedynie rodzice mogą nauczyć dzieci panowania nad gniewem. Mimo to w większości domów brakuje takiego wychowania, a dzieci przyswajają sobie najczęściej niewłaściwe i niedojrzałe sposoby wyrażania gniewu. Nic w tym dziwnego, często bowiem także rodzice nie potrafią sobie z nim radzić i przekazują złe wzorce własnym dzieciom.

Gary Chapman SZTUKA
WYRAŻANIA
MIŁOŚCI
w małżeństwie

Gary Chapman

**SZTUKA
WYRAŻANIA
MIŁOŚCI
W MAŁŻEŃSTWIE**
*Jak okazywać miłość,
by twój partner czuł się
kochany*

ISBN 83-7146-186-0

*jak okazywać miłość
by twój partner czuł się kochany*

Małżonkowie rzadko wyrażają miłość w ten sam sposób. Z reguły posługujemy się jakby innymi językami miłości. Wyrażamy miłość, ale on (czy ona) wydaje się tego nie dostrzegać, ponieważ dla niego (dla niej) to, co robimy, jest komunikatem w obcym języku. Miłość nie musi zanikać po ślubie, jednak by ją zatrzymać, musimy się nauczyć wyrażać ją w sposób zrozumiały dla naszego partnera. Nic nie wpływa na związek dwojga ludzi tak bardzo, jak zaspokajanie ich potrzeb emocjonalnych – zwłaszcza potrzeby miłości.

Jeśli nauczę się języka miłości mojej żony i będę się nim często posługiwał, ona będzie czuła się kochana. Kiedy minie okres ślepego zakochania, nie doświadczy rozczarowania, ponieważ będzie napełniona miłością. A kiedy ona zrobi to samo, również moje potrzeby emocjonalne będą zaspokojone, a nasze małżeństwo będzie rozkwitało.

Ross Campbell
Gary Chapman

**SZTUKA
OKAZYWANIA
MIŁOŚCI
DOROSŁYM
DZIECIOM**

*Jak bez wtykania nosa
w życie młodych
pomóc im
osiągnąć samodzielność*

ISBN 83-7146-207-7

Podczas gdy twoje dziecko najmniejszym kosztem próbuje sprostać nowym, bardzo wymagającym warunkom otaczającego świata, ty możesz mieć odczucie, że stajesz wobec nieoczekiwanego: wobec bardzo ci bliskiego dorosłego, który jest niedojrzały i nieproduktywny. I zachodzisz w głowę: Jak mogę pomóc komuś, kto zachowuje się tak, jakby nie wydoroślał?

Bądźcie jednak dobrej myśli! To nieprawda, że młodzi dorośli nie chcą się usamodzielnić. Tak naprawdę chcą rady, zachęty i wsparcia, ale od tych osób, przed którymi mogą się odkryć i którym ufają. Jeśli nasze dzieci ujrzą w nas mądrych pomocników, a nie kontrolerów, to bardziej będą się liczyć z naszymi opiniami i wskazówkami. Postarajcie się stworzyć w domu atmosferę tak ciepłą, zachęcającą i wspierającą, jak to tylko możliwe. Uczyńcie z waszego domu miejsce powstawania pięknych wpomnień – dla wszystkich, którzy w nim przebywają.

Jörg Knoblauch

**SZTUKA
ZARZĄDZANIA
SAMYM
SOBĄ**
*Jak osiągnąć
satysfakcjonujące życie
nie dając się zwariować*

ISBN 83-7146-097-X

Gdy uświadomimy sobie nasze mocne strony i sytuacje, mające miejsce w naszej firmie, w małżeństwie, w stowarzyszeniach i w lokalnej społeczności, będziemy wiedzieli, dlaczego określone rzeczy nam się udają, a inne nie. Im lepiej poznasz mocne i słabe strony zarówno swoje, jak i innych, tym łatwiej będziesz mógł podjąć decyzję, jak rozwijać siebie i jak pomóc w tym innym.

Dobry plan to już połowa sukcesu. To stara mądrość! Mimo to ciągle zbyt wiele osób twierdzi, że ten kto ma mało czasu, nie ma też czasu na planowanie. Nic bardziej błędnego.

Wspaniałe wyniki, które zostały osiągnięte przypadkowo to przyjemne niespodzianki – ale zdarzają się bardzo rzadko. Zaplanowane sukcesy są lepsze – są częstsze, a przede wszystkim można na nie wpływać!